O MUNDO NÃO É CHATO

CAETANO VELOSO
O MUNDO NÃO É CHATO

ORGANIZAÇÃO EUCANAÃ FERRAZ

COMPANHIA DAS LETRAS

CAPA E PROJETO GRÁFICO
warrakloureiro

FOTO DE CAPA
Boxes. Pina Bausch – Nelken – Fevereiro 2005
© John Ross, Ballet.co.uk

PREPARAÇÃO
Araci dos Reis Rodrigues

ÍNDICE ONOMÁSTICO
Luciano Marchiori

REVISÃO
Otacílio Nunes
Carmen S. da Costa

Dados Internacionais de Catalogação na Publicação (CIP)
(Câmara Brasileira do Livro, SP, Brasil)

Veloso, Caetano
O mundo não é chato / Caetano Veloso;
[apresentação e organização Eucanaã Ferraz]. —
São Paulo : Companhia das Letras, 2005.

Bibliografia.
ISBN 85-359-0748-3

1. Artes – Brasil 2. Cultura – Brasil
3. Veloso, Caetano, 1942 – I. Ferraz, Eucanaã. II. Título.

05-7810   CDD – 700.981

Índice para catálogo sistemático:
1. Veloso, Caetano : Brasil : Artes 700.981

[2005]
Todos os direitos desta edição reservados à
EDITORA SCHWARCZ LTDA.
Rua Bandeira Paulista, 702, cj. 32
04532-002 – São Paulo – SP
Telefone: (11) 3707-3500
Fax: (11) 3707-3501
www.companhiadasletras.com.br

SUMÁRIO

OBJETO SIM — EUCANAÃ FERRAZ 9
NOTA DO ORGANIZADOR 17

BRASIL
CARTA A DORA KRAMER 20
DON'T LOOK BLACK? O BRASIL ENTRE DOIS MITOS:
ORFEU E A DEMOCRACIA RACIAL 23
DOSTOIEVSKI, ARIANO E A PERNAMBUCÁLIA 32
MINHA ALMA CANTA 38
DIFERENTEMENTE DOS AMERICANOS DO NORTE 42
CARMEN MIRANDA DADA 74
A IPANEMIA 82

MÚSICA
PRECISO DIZER QUE TE AMO 86
BIM BOM 88
HISTÓRIAS DO CLUBE DA ESQUINA 90
JOSÉ MIGUEL WISNIK 93
SEM PATENTE 96
MIL TONS 99
O QUE TINHA DE SER 102
GIL CONTANDO O QUE DOMINGUINHOS DISSE 104
DOCES BÁRBAROS, APENAS NÓS 108
IANSÃ FRANCISCO: QUANTA LUZ 110
DISCRETAMENTE AQUI 115
LÁ EM LONDRES 120
PARA ILUMINAR A CIDADE 121
NOSSA CAROLINA EM LONDRES 70 123
ASTHMA 125
WE GET HIGH, WE NEVER DIE 127
LONDON LONDON 131
LONDRES 133
OLHA, GENTE: 135
O SOM DOS 70 138

GAL   141
PRIMEIRA FEIRA DE BALANÇO   143

DISCOS
A FOREIGN SOUND I   155
A FOREIGN SOUND II   158
EU NÃO PEÇO DESCULPA   160
NOITES DO NORTE: AO VIVO   164
OMAGGIO A FEDERICO E GIULIETTA   166
LIVRO   172
FINA ESTAMPA   178
TROPICÁLIA 2   183
ESTE É UM DISCO DE 25 ANOS   184
BICHO   190
É EXATAMENTE O QUE EU ESTOU PROCURANDO   194
MANIFESTO DO MOVIMENTO *JÓIA*   196
MANIFESTO DO MOVIMENTO *QUALQUER COISA*   197
BARCO VAZIO   199
ALEGRIA, ALEGRIA   200
DOMINGO   202

CINEMA
SOU PRETENSIOSO   205
PARECE UM FILME MENOR   214
FELLINI E GIULIETA   217
A VOZ DA LUA   220
FORA DE TODA LÓGICA   228
UM FILME DE MONTAGEM   233
OS GRANDES DO MOMENTO   237
HUMBERTO, FRANÇA E BAHIA   240
OS MELHORES DO ANO   242
FILME E JUVENTUDE   244
CINEMA E PÚBLICO —
IMITAÇÃO DA VIDA   246
CINEMA, ATOR E DIRETOR   249
CINEMA E PÚBLICO —
ENTRETENIMENTO E ARTE   252

TEATRO, LITERATURA & CIA.
ONQOTÔ   256
PANAMÉRICA   257
AQUELA COISA TODA   261
DEUS DA CHUVA E DA MORTE   268

DE TODA PARTE SE VÊ A CIDADE DE SALVADOR   270
AVANT-GARDE NA BAHIA   272
VÁ VER O *HAM-LET* DO TEATRO OFICINA   275
CLARICE LISPECTOR   283
CARTAS DE PAULO LEMINSKI   286
O QUE DIZEM ESSAS CASAS?   288
UM POVO DOCE E MORENO   290

GENTE

QUEM NÃO SE ORGULHA DE GISELE?   293
O MUNDO NÃO É CHATO   294
A MEMÓRIA DE MÃE MENININHA   296
CIVILIZADA E CIVILIZADORA   298
A ESTRELA NUA   300
SOBRE A BELEZA DE BETHÂNIA   303
O PERFIL DE BETHÂNIA   305

ESTRANGEIRO

PARIS   311
LISBOA REVISITADA   313
QUANDO EU ESTAVA PREPARANDO MEU SEGUNDO LP   315
HOJE QUANDO EU ACORDEI   318
MEU PREZADO SIGMUND — EU NUNCA VI
TANTO SANGUE EM MINHA VIDA   320
MEU PREZADO SIGMUND — MEUS PRIMEIROS
PASQUINS EM LONDRES   323
MEU CARO SIGMUND — A FELICIDADE
É UMA ARMA QUENTE   326
MEU CARO SIGMUND — EU AGORA TAMBÉM
VOU BEM, OBRIGADO   328

A PROSA

SAINDO DO CENTRO   331
DE TENTATIVA DE SIMULAÇÃO DE SALADA DE TREINO DE   339
DEUS, BROTAS   344
A PRAÇA CASTRO ALVES   346
DE NOITE...   348
NÃO VERÁS UM PARIS COMO ESTE   350

ÍNDICE ONOMÁSTICO   353
SOBRE O AUTOR   365
SOBRE O ORGANIZADOR   367

OBJETO SIM

EUCANAÃ FERRAZ

"OS LIVROS SÃO OBJETOS TRANSCENDENTES"
CAETANO VELOSO, *LIVRO*

Também no Brasil, o século XX assistiu ao nascimento de manifestações artísticas excepcionais. A canção popular avizinhou-se da arquitetura, das artes plásticas, do teatro, do cinema e da literatura com vigor semelhante ao dessas áreas e injetou, por sua natureza híbrida, uma inequívoca complexidade na vida cultural do país.

Nesse quadro, sem qualquer dúvida, nenhum compositor ou cantor esteve, ou está, mais próximo da excelência multiforme exigida pela arte moderna que Caetano Veloso. Impossível não reconhecer em sua obra musical o êxito na mobilização do vário sortimento de pesquisas formais da poesia e da música contemporâneas tanto para a captação das modulações cambiantes de sua expressão pessoal quanto para a apreensão da multiplicidade avassaladora da vida urbana. E, dado fundamental, a síntese aí alcançada não abdica de sua origem e não deixa de retornar a ela: a música popular.

Como tive oportunidade de observar em outro momento,* Caetano tem uma rara aptidão para o *discurso público*. Nesse sentido, às canções vêm se somar suas muitas e longas entrevistas, mas também seus textos em prosa, publicados em jornais, revistas, encartes de discos e CDs. Num deles, tratando de *Je vous salue, Marie*, de Godard, observa que no filme há "uma dança do intelecto entre os signos visuais" (p. 230).

---

* "Cinema falado, poema cantado" in *Letra só*, livro onde reúni letras de Caetano Veloso, Quasi Edições, Famalicão, 2002; Companhia das Letras, São Paulo, 2003.

A escrita de Caetano, igualmente, mostra uma dança do intelecto: entre a racionalidade e a intuição, a argumentação lógica e a instabilidade da declaração apaixonada, o rigor da análise e o apreço pela expressividade provocativa da incoerência. Contrariando, no entanto, o que essa seqüência pode sugerir, o curso cambiante do pensamento não se limita a oscilar entre os extremos dos pares opositivos e cruza transversalmente as dualidades.

Na prosa de Caetano, os dispositivos modernos aparecem na escolha dos temas — as cidades, o cinema, os shows de música popular, a poesia e o teatro de vanguarda, a dança contemporânea, as relações da arte com o mercado — e na forma. Os textos dos anos 70 são os melhores exemplos de uma pesquisa formal flagrante, vazados numa linguagem fragmentária, marcada por paronomásias, recortes bruscos, colagens e ritmos sintáticos. Há um livre exercício do pensamento, que, aparentemente desinteressado do próprio sentido, deixa ver uma lógica peculiar no jogo associativo de conteúdos e na manipulação das palavras, tratadas como matéria sonora. Soma-se a tudo isso um desprezo, típico da contracultura de então, por qualquer ordem intelectual acomodada em paradigmas consagrados. Pode-se observar aí alguma semelhança com os ruidosos discursos escrito, fílmico e gestual de Glauber Rocha, com a poética irrequieta de Waly Salomão, com as experimentações plástico-poéticas de Hélio Oiticica, mas também com a soma música-performance-comportamento dos cantores de rock-n'-roll ou os movimentos de câmera da *nouvelle vague*: sem deixar de ser a expressão pessoal de Caetano, os textos eram também o relato e o projeto de uma geração de artistas voltados para a libertação dos afetos, da arte, da cultura e da vida, cabendo à palavra ser um "gesto" a mais — mas fundamental — de uma utopia transformadora.

O marco temporal dessa escrita tropicalista fica evidente quando percebemos que os textos anteriores aos anos 70 estão mais próximos dos mais recentes, nos quais se vê claramente o encaminhamento para uma discursividade próxima do ensaio, com o pensamento expondo, de modo mais ou menos sutil, sua construção em torno dos objetos de escolha, quase num girar da coisa à frente do olhar cubista, embora sem as bruscas rupturas. Nessa escrita mais ensaística permaneceu porém o tom exaltado, desdobramento da impaciência e da indignação, da simpatia e do amor. Daí, fatos e personagens podem parecer, à primeira vista, hipervalorizados, ou ainda, no oposto extremo correspondente, tornados por demais insignificantes. Observo, portanto, que o juízo e suas conseqüências (entusiasmar-se, amar, desamar, elogiar, recriminar) não se fazem à maneira de uma decisão tomada diante de determinada causa, geradora de um efeito. Sob o foco do pensamento está algo mais espesso, intenso e de maior escala: a proporção e o alcance de cada coisa (ato, personagem, linguagem...) no interior de um sistema. Na verdade, não há um valor predeterminado nem a possibilidade de o objeto ser pensado isoladamente. É o que se verá nas leituras de fenômenos da cultura como Carmen Miranda, Giulietta Masina, Mãe Menininha do Gantois, um filme, uma peça de teatro, a declaração de um jornalista, uma canção, um disco. O sucedâneo dos assuntos se dá não porque animado por um simples mecanismo de digressão, mas porquanto o deslocamento parece ser o modo único de aquela sensibilidade existir. Um estilo, portanto.

A escrita de Caetano impressiona sobretudo por sua visão dos matizes a meio de uma coisa e outra, por sua procura extremada, e nunca concluída, por um ponto em que instalar a palavra, apta a exercer sua razão ética, estética e política. Longe da transitividade estreita entre causa e efeito, ou do salto entre um extremo e outro, a palavra move-se por sutis florações do pensamento, da observação. Não será difícil, então, percebermos que os comentários se desdobram muitas vezes movidos pelo indisfarçável prazer da inteligência que assiste ao próprio maquinismo em ação, importando menos o desenovelar de uma circunstância (algo como uma decifração ou um fecho elucidativo) que o gosto de perscrutar impasses e armadilhas, de algum modo presentes naquilo que se diz e sempre inerentes ao próprio ato de dizer—escrever. Estamos, então, na esfera do ensaio tanto quanto na da crônica.

Em que pesem as diferenças, nestes três momentos — antes, durante e depois dos anos 70 — há uma larga utilização de citações, referências colhidas aparentemente ao acaso, reminiscências, achados de *humour*, ironia, deboche, rompantes de indignação, doçuras sentimentais, argumentações dilatadas, sínteses, concisão, seqüências, cortes. Outra marca que atravessa os textos da juventude e segue até 2004 é o que poderíamos chamar de *exaltação da fala*: fala amorosa que se desdobra em mais e mais, que se gasta como se não fora ter fim, cega à possibilidade de crise.

Estaríamos diante de uma *pulsão da observação?* Caetano Veloso, o criador (englobando-se com tal epíteto as várias facetas do artista e do crítico da cultura), está constantemente pondo-se num lugar para ver, pensar, dizer; colocando-se sempre *em relação* a alguém, a um discurso, a uma moral, a uma estética. Nos textos selecionados aqui, vê-se claro o desejo daquele que fala: situar-se em forma de diálogo, interpretação, anotação, glosa, paródia, o que significa dizer, antes de mais, que Caetano está sempre em *posição de enunciação*.

Estamos definitivamente diante de um *olhar político* sobre as coisas. Em sua base, o desejo de compreender as várias dimensões ideológicas da fala: onde o discurso se produz? Para onde ele se projeta? Ou ainda, quais seus circuitos e limites? Esse olhar político não poderia ainda deixar de chamar a atenção para sua dimensão mais coletiva e contratual: a do idioma. Daí, os textos dizem de si mesmos (explicitamente ou não, sempre o dizem) que estão sendo escritos em língua portuguesa: consciência e afirmação de um lugar, de uma civilização, de um problema, de um projeto e de uma utopia. Escreve-se, em tal perspectiva, com o desafio de projetar-se na língua e de projetar a língua.

Esse e todo posicionamento será político. E repercute neles uma exigência: o Brasil — pensado sempre em sua condição de país americano — deve ser capaz de "experiências extremas". A maior delas seria incorporar os progressos técnicos e humanos da América do Norte e superar os impasses daquela cultura numa operação radical. Tal ambição desmedida tem, no entanto, um exemplo a seguir: a música e os músicos. Os textos aqui reunidos parecem movidos por certas combinações: música e política, música política, política musical, políticas da música. Conforme o caso, produz-se uma fraseologia marcial, da recusa, ou movimentos bruscos de decisão, encadeamentos sintáticos cerrados, de ataque, defesa: *a escrita é posicionamento*. A expressão "experiências extremas" pode mesmo ser entendida como *o nome do campo* para onde se encaminha o pensamento político de Caetano, exigindo-se com tal deslocamento contínuo e vigoroso que a arte, a política, o corpo, modos de viver cotidianos e códigos morais sejam capazes de se instalar ali, como o próprio Caetano o fez, em definitivo. E, insistentemente, seus textos dizem quanto, no Brasil, a música popular é a instância da vida coletiva mais apta para viver essa experiência. Quando, por exemplo, o tropicalismo apresentou seu projeto artístico-ideológico de vanguarda musical reconhecendo a experiência da bossa nova, das canções de rádio dos anos 50, das marchinhas de carnaval dos anos 30, e quando, mais adiante, Caetano e Gilberto Gil ajudaram a fortalecer o carnaval baiano dos trios elétricos, dos afoxés e da chamada axé music, é sem dificuldade que se pode enxergar nesses momentos uma mesma proposição: a permanência da música como arte moderna, original, popular e de mercado consolida o mais poderoso modo de expressão coletiva do Brasil e confirma ser possível aquela "experiência extrema". Em muitos dos textos aqui reunidos, o que está em ação, percebe-se fácil, é um pensamento sobre a música do Brasil. Porém, mais que isso, o que Caetano inventa para si mesmo como destino crítico é um modo de pensar o Brasil através da música, estando no ponto mais alto disso a ambição de um projeto para o país por meio da música.

Mas não se entenda esse foco principal como uma insuficiência qualquer. Para além do fato de Caetano estar falando como alguém de uma área específica — poetas, cineastas, atores, arquitetos e filósofos falariam a partir de balizamentos próprios —, ele está se detendo sobre um caso específico: o brasileiro. E sobre ele como que propõe a projeção da música num horizonte ideal (possível), onde brilharia como uma promessa de superação de limites a ser perseguida pela ética, pela moral, pela política, pela educação, mas igualmente pelo cinema ou pelo teatro, temas constantes dos textos aqui reunidos.

Sobre temas, poder-se-ia dizer que um dos principais é o próprio Caetano. Sim, muitas vezes ele e sua música são o assunto. Porém, sua presença mais intensa não se dá no nível temático. Mais que isso, toda a fala parece vir de sua singularidade radical, de uma condensação ou de um transbordamento de sua presença. Mais: de seu corpo. Estamos diante de uma *afirmação erótica*, de um discurso que incita suas forças produtivas: física, existencial, psíquica. Esse pensamento, que faz coincidir o corpo e a política, a vida e a arte, deixa ver, mais uma vez, a permanência da utopia dos anos 60, que teve por extremo o enquadramento romântico-*pop* da seqüência júbilo, paixão e morte de não poucos artistas, sobretudo cantores e músicos.

Em contraste, muitos textos dão a ver a inclinação de Caetano para o documental. Ou, para falar em termos cinematográficos, para o documentário (um oposto extremo de *O cinema falado*, longa-metragem dirigido por ele em 1986). "Eu gostaria de fazer um filme chamado *Memórias do subdesenvolvimento*" (p. 84). Nos textos aqui recolhidos há um desejo claro de mostrar o que o outro faz, o que o outro pensa e diz, a cena, o nome. Exterioridades, enfim. Muitas vezes a "câmera" da escrita parece apenas querer apresentar, apontar, fotografar, restringindo-se a subjetividade do escritor apenas à escolha dos temas, aos enquadramentos e à montagem. Mesmo quando Caetano Veloso é o assunto de Caetano Veloso, é possível ver o personagem da música popular atravessado pelas imensas, terríveis e belas contradições da vida brasileira; o falante de língua portuguesa atravessado por outras línguas; o americano do sul atravessado pela América do Norte; o cantor-compositor-poeta atravessado por João Gilberto e Fernando Pessoa. Essas e outras tantas linhas de força internas-externas dão ao personagem uma dimensão, até onde isso é possível, exterior ao Caetano que escreve sobre ele, o outro. O cronista se situa aí, no cruzamento entre o documentário e o lirismo confessional.

Não há dúvidas de que, ao pensar de modo original a cultura brasileira no amplo quadro da modernidade, Caetano Veloso afirmou-se intelectualmente. Mas, a fim de atestar sua condição de compositor-cantor popular, declinou desde sempre o título de intelectual, com isso tornando mais complexas e escorregadias as categorizações, os graus e os rótulos. Em texto de 1972 (p. 116), ele se recusava veementemente a ser a "caricatura de líder intelectual de uma geração". Tal esquiva nascia da consciência de que, àquela altura, a "miséria da intelectualidade brasileira" tinha visto nele "um porta-estandarte, um salvador, um bode expiatório" (ibid.). O repúdio ao mito — congelamento ideológico em tudo oposto à mobilidade praticada por Caetano — confirmava (confirma) a liberdade do artista e devolvia (devolve) à intelectualidade brasileira, à Universidade, à imprensa, às instituições, governamentais ou não, ligadas à educação e à arte suas responsabilidades política e histórica. E ainda, se essas e outras declarações hiperbólicas devem ser encaradas como atitudes conjunturais, revelam, por outro lado, um escrúpulo, um rigor e uma insatisfação permanentes, e sustentam uma posição definitiva: Caetano é um *artista* que pensa. E com esta publicação, o livro, mais uma vez, impõe-se como destino de seu pensamento, porto de textos dispersos até então. Ao dizer "mais uma vez", refiro-me a *Verdade topical,* a *Letra só,* mas também a *Alegria, alegria* (Pedra Q Ronca, Rio de Janeiro, s. d.), onde, num gesto semelhante ao nosso, Waly Salomão reuniu textos e entrevistas de Caetano até o ano de 1976.

A efemeridade vê-se substituída pelo desejo de permanência que pulsa em todo livro, este objeto transcendente, sim, que extrapola aqueles que o fazem, que excede fronteiras físicas, sociais, simbólicas, e vai em direção ao desconhecido. Este objeto sim.

Outra versão deste livro veio à luz em Lisboa, no ano de 2004. O volume que então organizei para o jornal *O Independente* fez parte de uma coleção de livros (antologias de textos de imprensa assinados por escritores e artistas portugueses e brasileiros) comercializados em bancas apenas durante duas semanas, junto com o semanário.

O volume que o leitor tem agora em mãos não pode, porém, ser considerado uma segunda edição: a versão portuguesa coligia 51 textos, ordenados cronologicamente; aqui, reúnem-se noventa, organizados por seções (basicamente temáticas). Além disso, outra revisão por parte do autor e do organizador levou a várias mudanças e ao acréscimo de informações. Tudo, portanto, faz deste livro um novo livro. Também vale a pena registrar a inclusão de dois textos inéditos ("Sou pretensioso" e "Saindo do centro").

Aproveito, enfim, para agradecer àqueles que ajudaram de algum modo na realização deste trabalho: André Vallias, Graça Matias Ferraz, Vasco Rosa, Luiz Henrique Costa, José Miguel Wisnik, Antonio Carlos Miguel, Ana Maria Bahiana, Paulo Werneck, Tuzé de Abreu, Anna Mariani e Maria Sampaio.

E. F.

BRASIL

CARTA A
DORA KRAMER

Você me fez feliz uma vez, ao escrever para mim por causa de comentários que fiz sobre suas opiniões lidas em sua coluna. Agora — sei que involuntariamente — você me deixou muito triste com sua interpretação de minha fala sobre Chico Buarque. Discordo veementemente da caracterização que você fez dele como "simplificador de idéias". Nada na vida pública de Chico Buarque justifica essa expressão.

Assombra-me que uma declaração minha possa ter levado alguém a usá-la a respeito dele. O que eu quis salientar foi que, em gritante contraste com meu próprio estilo, o Chico não exibe o processo de elaboração de seu pensamento político; ele apenas apresenta gestos pontuais nítidos resultantes das conclusões a que chegou. E que nele está amadurecida a idéia de não poder contribuir atuando como um arremedo de cientista político. Na verdade, só citei o Chico porque na entrevista coletiva que precedeu à exclusiva que dei ao *Globo* as conversas sobre política viraram uma grande discussão reflexiva que já beirava o ridículo. Depois, citei o jeito certeiro do Chico como modelo invejado. Quando li a menção na entrevista, não gostei. Parecia uma jogada de má-fé para levar o leitor a concluir que, embora dizendo-me modesto, eu provava que era politicamente mais sofisticado do que ele. Não sou. Se houvesse uma discussão pública entre mim e o Chico sobre política (se ele se desse a esse desfrute), você ficaria genuinamente surpresa. Mas Chico é verdadeiramente modesto: não vai para jornal dar showzinho de inteligência e informação (e eu asseguro que ele é mais informado e atento do que eu).

Em sua nota (que li com grande atraso por causa dos shows que fiz segunda e terça-feira aqui no Rio) você deu, limpidamente, a interpretação que eu evitaria a todo custo. Não por querer ficar bem com Chico (claro que quero isso também), mas simplesmente porque não acho justo. Sobretudo se se leva em conta o resultado político do episódio. Você pode não ter tido a intenção, mas sua nota, desautorizando intelectualmente Chico, desfere golpe contra o PT e fortalece o grupo de Fernando Henrique. Chico não tem externado opiniões sobre sucessão, mas seus leitores o vêem nitidamente à esquerda das minhas dúvidas. Você escreveu como se você e eu fôssemos o centro e criticássemos a esquerda através da desqualificação de Chico como pensador político. O que está muito longe do meu desejo e do meu juízo. Confiante na admiração que você demonstra ter pela minha confusão, peço que exponha o essencial desta carta em sua coluna.

Se eu não intervenho, aceito o esquema (este sim simplista) Lula *versus* FH e, ainda por cima, trabalho para este último às custas da reputação intelectual de Chico Buarque.

JORNAL DO BRASIL, 24 DE NOVEMBRO DE 2001.

A carta foi publicada na seção de Dora Kramer, com a seguinte chamada: "Complica, Caetano, complica". Uma nota da jornalista servia de introdução: "A propósito de rebater o conteúdo de nota publicada, dias atrás, a respeito de um trecho de entrevista em que se dizia complicado demais para ser bom analista político, e elogiava a simplicidade de Chico Buarque, Caetano Veloso envia a seguinte mensagem: [carta de Caetano]".

Por se tratar de uma carta, consideramos justo anexar aqui sua resposta, publicada simultaneamente, na mesma seção: "Foi um tanto ácida — não obstante justificada — a leitura que Caetano fez da nota em questão, na qual não se buscava desqualificar Chico Buarque nem quem quer que seja. Entre outros motivos, por falta de razão para isso. A idéia era analisar a alegação de incapacidade política feita por Caetano, a respeito de si mesmo, e mostrar que era injusta porque ele se achava complicado demais, o que o desautorizaria a fazer comentários políticos.

"A intenção, pois, era dizer que se aprende mais com raciocínios mais elaborados do que com exposições simplistas, que não levam em consideração nuances e quase sempre caem no maniqueísmo.

"Acabou involuntariamente sobrando para Chico Buarque, porque era ele o personagem citado — segundo Caetano, em contexto equivocado. Como também não pode ser descartada a hipótese de equivocada ter sido a redação da nota. Quando um texto provoca uma compreensão diferente da intenção da idéia, em geral, a culpa não é de quem o lê, mas de quem o escreve."

Portanto, ocioso explicitar quem deve desculpas a Caetano Veloso, Chico Buarque e ao leitor em geral que porventura tenha sido induzido ao erro de interpretação. (N.O.)

DON'T LOOK BLACK?
O BRASIL ENTRE DOIS
MITOS: ORFEU E A
DEMOCRACIA RACIAL

Em 1956 estreava no Rio a peça *Orfeu da Conceição*. O público entusiástico que lotou os teatros onde ela foi representada era proporcional à importância das implicações desse acontecimento. Com efeito, naquele momento dava-se o encontro entre Vinicius de Moraes e Antônio Carlos Jobim — passo decisivo para a invenção da bossa nova; um elenco de atores negros pela primeira vez protagonizava um espetáculo teatral no Brasil; e a peça, transpondo o mito de Orfeu para as favelas cariocas, coroava a vitória do projeto brasileiro de guindar o samba à forma de expressão privilegiada da nacionalidade. Três anos mais tarde, o filme francês *Orfeu negro*, inspirado na peça, arrebataria corações não-brasileiros e ganharia a Palma de Ouro em Cannes e o Oscar de melhor filme estrangeiro. Dizer que esse filme não foi recebido com entusiasmo no Brasil é um *understatement*. O contraste entre o fascínio que *Orfeu negro* exerceu no exterior e o desprezo que lhe dedicaram os brasileiros é tão gritante que convida à reflexão sobre a solidão do Brasil. O fato de se lançar agora um novo filme inspirado na peça de Vinicius, e de se tratar, desta vez, de um filme produzido e dirigido por brasileiros reaviva a questão.

Não faz muito tempo, li no NYT um artigo de David Byrne em que uma sonora declaração de ódio ao conceito de world music funciona como alerta contra o risco de os formadores de opinião atuantes nos países ricos virem a sentir-se no direito de decidir o que é e o que não é autêntico na produção artística de países pobres. O caso do filme *Orfeu negro*, nesse sentido, chega a ser caricatural. Com efeito, freqüentemente somos acusados de inautênticos por não nos parecermos suficientemente com o que os estrangeiros viram naquele filme. Sobretudo tem sido teimosa a incapacidade deles de entender a rejeição dos brasileiros ao filme de Marcel Camus. O sucesso de público que o novo *Orfeu*, dirigido por Carlos Diegues, obteve no Brasil no ano passado aprofunda o debate.

Não pretendo julgar comparativamente os dois trabalhos. Fui crítico de cinema de um jornal provinciano na extrema juventude, mas retomar a atividade agora seria duplamente inoportuno: eu centraria o foco nesses filmes particulares, quando o que interessa aqui é uma discussão de caráter mais geral; e, depois, tendo feito a trilha sonora do novo *Orfeu*, tornei-me "parte interessada". As comparações, inevitáveis, devem, portanto, referir-se às reações suscitadas pelos dois filmes, não a eles mesmos enquanto obras de arte.

Revendo *Orfeu negro* e acompanhando algumas projeções de *Orfeu* em favelas, o que mais me comoveu foi reconhecer a propriedade do insight de Vinicius ao conceber a peça: o Brasil revela qualquer coisa de essencial a seu respeito através do mito de Orfeu. E o filme de Camus, com seu irrealismo e ingenuidade, sobretudo quando traduzido pelo olhar virgem do estrangeiro incauto, parece realizar à perfeição o contato direto com essa verdade inconsciente. Para além do que já era francamente admirável desde a primeira visão (a Mira, de Lourdes de Oliveira, Léa Garcia com o namorado marinheiro, o diálogo entre Orfeu e o faxineiro da repartição burocrática, o menino que toca pandeiro — sem falar nas canções), as próprias cores fantasiosas (tão diferentes das do Rio) e o clima geral de "macumba para turista" me pareceram agora conferir à fita um ar onírico de iconografia religiosa popular que enternece. Desde a tropicália que aprendi a acolher com grato interesse os modos dos estrangeiros nos verem, e *Orfeu negro* não estava, quanto a isso, numa posição essencialmente diferente da de Carmen Miranda. Assim, é com esse grão de sal que devem ser lidas minhas sinceras lembranças do clima em que a rejeição a *Orfeu negro* se deu no Brasil, bem como a ênfase na importância de os espectadores não-brasileiros abrirem-se ao realismo do novo filme. Em suma: seria bom se os estrangeiros pudessem entender melhor tanto por que as platéias brasileiras hostilizaram o primeiro quanto por que elas aplaudem o segundo.

Um crítico do jornal francês *Libération*, comentando o *Orfeu* de Diegues, deplora que Arto Lindsay (cujo nome ele leu nos créditos como co-produtor das gravações da trilha sonora) tenha introduzido música rap em algumas seqüências. "Diegues não precisa disso", diz o crítico francês. "Ele sabe fazer a música melódica passar de uma cena a outra como se saísse das vielas do morro." Ora, a música rap é justamente a que ininterruptamente sai das ruelas dos morros cariocas nos dias de hoje. Ela está no filme como um elemento documental, colocado ali pelo diretor. A música melódica é que representa o elemento artificial e ficcional.

As favelas mudaram muito de 1959 para cá. Em geral, o nível material foi elevado, com a alvenaria substituindo o zinco, e o papelão e cimento cobrindo a lama dos becos. Os bandidos que antes assaltavam casas passaram-se para o mais rentável tráfico de drogas e construíram um sistema de poder cujas lutas internas e cuja independência em relação à lei e à repressão se sustentam em armas de uso militar muito superiores às da polícia.

Grupos de rap, compostos de favelados, vêm criando um estilo que reflete esse ambiente, com uma ênfase no confronto de raças nunca antes vista na nossa cultura popular, o que faz com que todo o movimento (é assim que os praticantes do hip-hop brasileiro se referem ao fenômeno que desencadeiam) ilustre a hipótese de o Brasil tender hoje para o birracialismo, em oposição simétrica a uma tendência americana para o multirracialismo. Um desses grupos, os Racionais MCs, já chegou a vender perto de 1 milhão de cópias do seu último disco, exibindo-se principalmente em favelas e negando-se a aparecer nas grandes redes de TV.

O novo *Orfeu* foi realizado tendo essas realidades como pano de fundo. Como não ver no equívoco do crítico do *Libération* ao atribuir a Lindsay a presença do rap na favela uma distorção semelhante à descrita por Byrne em seu artigo contra os cultores paternalistas da world music? Mas ali se tratava da breve resenha de um crítico de cinema despretensioso e que não conhece o Brasil.

No entanto, algo não de todo diferente se encontra num texto muito mais longo assinado pelo historiador Kenneth Maxwell, e que saiu com grande destaque no jornal *Folha de S.Paulo*. Esse respeitado luso-brasilianista, com livros publicados sobre fatos importantes de nossa história colonial, conta que se interessou pelo Brasil ao ver *Orfeu negro* no início dos anos 60, em Cambridge. Tendo visto o novo *Orfeu* agora em São Paulo, declara-se primeiro espantado com uma cena em que um "branco de classe média" é executado por um bando de traficantes "na maioria pretos"; depois, decepcionado por ver Orfeu usando *dreadlocks*; e, finalmente, desconfiado do gorro na cabeça do chefe do tráfico, que lhe pareceu "mais adequado ao frio de Chicago do que ao calor do Rio".

Bem, o cara que os traficantes executam é um favelado como eles, e quanto a isso os diálogos não deixam dúvidas; os *dreadlocks* de Orfeu são quase tão comuns no Brasil quanto na Jamaica e, além de serem usados há já muitos anos pelo cantor-ator que faz o papel, remetem a Carlinhos Brown, cuja figura pública confessadamente inspirou os roteiristas na construção do novo Orfeu; e, por fim, quem vive no Rio sabe que o raro é encontrar um traficante favelado sem gorro.

A que devemos creditar tão exibido desconhecimento do cotidiano do Brasil por parte de um estudioso do país que o visita com freqüência? Maxwell sugere uma resposta quando diz que, amante de *Orfeu negro*, teve de fazer esforço para aceitar que os brasileiros descartassem o filme de Camus como "exotismo para turista". Com o passar do tempo, no entanto, chegou à conclusão de que a reação "da classe média brasileira" contra o filme se assemelhava à da polícia baiana, que, na década de 30, prendia os turistas que fossem flagrados fotografando "crianças não-brancas" nas ruas de Salvador (aqui ouço um eco distorcido de *Tristes trópicos*) e lhes confiscava os rolos de negativos: nos dois casos, perceber-se-ia o horror dos brasileiros de parecerem pretos aos olhos dos estrangeiros.

No excelente ensaio "Don't look back", Charles Perrone adverte que os textos não-brasileiros por ele citados e que ressaltam a questão racial ao falar do filme de Camus "demonstrate how foreign intervention, in cinema and its critique, can be surprisingly stimulating and productive for related debate and self-scrutiny". Sem dúvida. Evidência de que, embora errada, a leitura sugerida por Maxwell da rejeição ao filme de Camus como tentativa de esconder nossa negritude não é uma fantasia forjada no vazio; encontra-se no press-release de seu lançamento, onde se lê que "num país como o Brasil, com uma população de 65 milhões de pessoas, das quais quase 20 milhões são pretas, a idéia de fazer esse filme pareceu a princípio estranha a muitos dos 45 milhões de brancos".

Mas Maxwell não parece levar em conta que, em primeiro lugar, a peça, encenada com negros, não encontrou antipatia semelhante, pelo contrário. Em segundo lugar, Vinicius de Moraes, autor da peça e responsável pela decisão de encená-la com um elenco inteiramente negro, detestou o filme ao vê-lo, e a tal ponto que se retirou no meio da projeção (no Palácio Presidencial, então ainda no Rio), vociferando que seu Orfeu tinha sido "desfigurado". Seria demasiado ilógico atribuir essa reação de Vinicius a negrofobia. E em terceiro lugar: dado o sucesso da peça, a expectativa a respeito do filme era de otimismo e excitação. A glória que *Orfeu negro* conhecera na Europa enchia os brasileiros de orgulho e esperança. E é claro que todos sabiam que ele era protagonizado por negros. Como então atribuir a decepção a preconceitos racistas?

Uma anedota reveladora, no entanto, traz uma luz diferente à questão. Em meados dos anos 70, Carlos Diegues, justamente o diretor do novo *Orfeu*, fez um filme sobre a lendária Chica da Silva, uma escrava negra que, no século XVIII, tornara-se uma dama poderosa no mundo das minas de diamante do Brasil Central. Ao negociar com um grande distribuidor, Diegues ouviu deste que, embora ele próprio tivesse achado o filme excelente, estava decidido a programá-lo numa sala pequena, pois, dizia ele, "o público brasileiro não gosta de filme com crioulo". Diegues, que queria ver seu filme nas salas do grande circuito, propôs-lhe uma aposta. O distribuidor colocou o filme nas grandes salas apenas porque estava certo de ter a aposta ganha. *Xica da Silva* estourou nas bilheterias, tornando-se um dos maiores sucessos de público da história do cinema brasileiro.

A afirmação do distribuidor sobre o gosto do público brasileiro assemelha-se ao press-release de *Orfeu negro*. Ambos falam em nome de um preconceito que parecem não ter, mas que atribuem ao público. Não é absurdo imaginar que o distribuidor de *Xica da Silva* estivesse sob a influência da lembrança do fracasso brasileiro de *Orfeu negro* e interpretasse esse fracasso em termos semelhantes aos de Maxwell e outros observadores estrangeiros. As caixas registradoras desmentiram seus prognósticos. Mas isso não prova que no Brasil não existe racismo. Antes expõe as ansiedades de brasileiros e estrangeiros ao tratar o assunto. Esse é de fato um tema crucial para o autoconhecimento das Américas — e o Brasil ocupa lugar singular no panorama. Freqüentemente vejo surpresa — às vezes um estranho prazer — no olhar de quem flagra evidência de racismo entre brasileiros. Mas o que me surpreende é que tais flagrantes possam provocar espanto tão cândido. Será que os comentaristas mais exigentes acreditavam mesmo que em algum lugar do Novo Mundo o pecado original da brutalidade da escravização de africanos tivesse se esvanecido por milagre?

Não obstante, em toda parte nas Américas a evidência da identidade básica dos seres humanos encontrou meios de se impor, precária mas tenazmente, sobre as teorias racistas que amparavam as práticas brutais. E nenhum de nós tem o direito de jogar fora o acervo conquistado nesse processo. A experiência brasileira deve ser enriquecida com as críticas ao mito da "democracia racial", não desqualificada por elas.

No início do século xx, os europeus hesitavam em investir no Brasil porque temiam a "insalubridade dos trópicos". Como relata Thomas Skidmore em *Preto no branco*, um escritor brasileiro que escreveu em francês um livro para ser publicado na Europa como esforço de propaganda queixava-se de que, até ali (1891), seus amigos franceses "sabiam apenas que havia negros e macacos no Brasil — e meia dúzia de brancos de cor duvidosa". O sonho brasileiro de "branqueamento" via miscigenação e imigração européia visava, pois, criar uma nação aceitável. A inversão de sinal no julgamento do mestiço, marcada pela publicação, nos anos 30, de *Casa-grande & senzala*, de Gilberto Freyre, representou a liberação de uma auto-imagem racialmente eufórica dos brasileiros, e a expressão "democracia racial" insinuou-se como um rótulo adequado a essa euforia. Ela se tornou também o alvo obsessivo das críticas de cientistas sociais e militantes políticos, de tal forma que quase se pode falar num mito do mito da democracia racial.

No livro *Orpheus and power*, Michael Hanchard, ao interpretar o insucesso do movimento negro brasileiro, quase nos convence de que o nosso alegado multirracialismo só serviu para atrasar os negros brasileiros na solução de seus problemas. Muitos militantes negros daqui rezam por essa cartilha. Aparentemente, esses militantes receitam o antigo princípio americano de "uma gota de sangue" para o problema do negro no Brasil. Mas o "branqueamento", que no Brasil foi um projeto coletivo, pode ser pensado com franqueza como um sonho inevitável para os povos das Américas, e o reconhecemos, como projetos individuais, nas perucas louras de Ella Fitzgerald, nos cabelos descoloridos de Tina Turner e Whitney Houston — e na esfinge Michael Jackson.

Para mim, as reações negativas a *Orfeu negro* no Brasil se deveram a angústias nacionais referentes ao cinema, não à raça. Nos anos 50, a classe média multirracial a que eu pertencia tinha muito mais vergonha do nosso cinema do que dos nossos negros. Ouvir brasileiros dizendo, de modo inconvincente, por alto-falantes fanhosos, diálogos que não eram belos nem faziam a história andar era um tormento de que sonhávamos nos livrar. Em *Orfeu negro*, ter de ouvir vozes sulistas dublando malandros do Rio; ver as alas das escolas de samba dançando em um andamento quatro vezes mais rápido do que a música que se ouve (a qual, aliás, se compõe de descuidadas colagens de batucadas que saltam grosseiramente de um ritmo a outro); acompanhar as cenas do desfile ao som de um samba em tudo diferente dos sambas-enredos; e ainda ver nessas manobras a intenção de impressionar os que não conheciam a cidade e seu povo era condenar-se à frustração quanto a um indicador de potência no seio da modernidade: o cinema.

Kenneth Maxwell, em seu artigo, nos acusa de temer ser arcaicos e de insistirmos em cultuar o progresso. "Não aprenderam a lição", diz ele. Talvez isso signifique, no fundo, que todo avanço deve ser apanágio da Inglaterra do século XIX e dos Estados Unidos do século XX. Godard, quando *Orfeu negro* foi lançado, deplorou o fato de Orfeu conduzir um bondinho passadista, em vez de, por exemplo, ser um daqueles trocadores de "lotação", figuras realmente poéticas que seguravam o dinheiro dobrado ao comprido entre dois dedos — e protestou por Eurídice não chegar ao Rio de avião, "no lindo aeródromo Santos Dumont, entre o mar e os arranha-céus". Era o comentário de um crítico-artista: as marcas confusas do "progresso" na vida urbana do Rio eram captadas em toda a sua poesia nesse seu filme hipotético.

Um filme real, realista e nada godardiano (embora desta vez Eurídice chegue de avião), o novo *Orfeu* de Carlos Diegues pode, como previu Maxwell, não atrair jovens do Primeiro Mundo para o Brasil, mas não será talvez melhor que seja assim? Não creio. É preferível que esta discussão continue. Seja como for, temos de reconhecer com Robert Stam, autor do importante *Tropical multiculturalism*, que "it would be a serious mistake to see Carlos Diegues's *Orfeu*, as a remake of Marcel Camus's *Black Orpheus*. The slums, for Diegues, are a place of creativity and injustice". A conjunção de injustiça com criatividade é difícil de equacionar, tanto para cineastas quanto para espectadores. O Brasil, nas duas posições, tenta provar que vale a pena o esforço.

NEW YORK TIMES (SOB O TÍTULO "ORPHEUS, FROM CARICATURE", TRADUZIDO POR ANA MARIA BAHIANA), 20 DE AGOSTO DE 2000.

DOSTOIEVSKI, ARIANO E A PERNAMBUCÁLIA

No final da longa, entusiasmante e cansativa excursão que acabei de fazer pelo Brasil, li, num avião, um artigo de Ariano Suassuna em que o refrão surrealista "É proibido proibir", usado por mim em uma canção de 1968, é interpretado como um argumento ateísta do tropicalismo, sendo por isso equivalente a um suposto "princípio amoral" que Sartre teria extraído da frase de Ivan Karamazov: "Se Deus não existe, tudo é permitido". Ariano dizia no artigo que ele próprio, superando a ilusão juvenil de "desvencilhar-se de Deus", tinha, ao contrário de Sartre, aprendido com a famosa frase dostoievskiana a seguinte lição: "Vejo que nem tudo é permitido, então Deus existe". Contava também que, num debate realizado no Recife, ele sugerira a "hipótese de um sujeito sair por aí atirando em travestis e homossexuais" como argumento contra a presunção de um "seguidor do lema 'É proibido proibir'", de que este se fundamentava numa "ética libertária do prazer", pois, se o assassino declarasse que agia assim por prazer, nós nos veríamos proibidos de proibir seus atos.

No avião, pensei em responder. Ao chegar em casa, a fadiga e a alegria me livraram até da lembrança do artigo. Mas aí João Cabral morreu, eu fiquei muito abalado, surgiram as revelações de uma suposta conversão religiosa do poeta ao morrer, Tom Zé escreveu sobre a bossa nova e eu voltei a pensar na conversa de Ariano.

A antipatia de Ariano Suassuna pelo tropicalismo é notória, mas, talvez porque nunca tivesse sido correspondida, nunca me levou a querer ou precisar reagir publicamente. Sempre pensei nele com respeito e carinho. Sou grato ao homem que escreveu o *Auto da compadecida*, e quando li, de volta do exílio, *O romance da pedra do reino*, lancei um sorriso cúmplice ao autor que, como eu, via no mito de d. Sebastião uma força oculta do Brasil fundando-se, e não outra prova do nosso ridículo — embora estivesse claro que ele e eu nos situávamos nos extremos opostos do âmbito desse mito (e eu disse a José Almino, comentando o livro: "Prefiro *Deus e o Diabo na terra do sol*"). Mas agora uma resposta clara se faz necessária.

Em primeiro lugar, eu posso dizer que sou ateu, mas não se pode dizer que o tropicalismo o seja. Na noite da apresentação de "É proibido proibir", eu entrei no palco gritando "Deus está solto" e, no meio da canção, declamei o "D. Sebastião", de Fernando Pessoa (o que fiz também na gravação da canção para disco). Gil tornava-se cada vez mais esotérico, e eu próprio vivi a virada tropicalista como sendo, entre outras coisas, uma volta às questões que dizem respeito à religião, sobretudo porque eu acreditava então estar a religiosidade tão reprimida (pelos dogmas da esquerda superficial que imperava no ambiente da música popular) quanto a sexualidade.

Mas o refrão "É proibido proibir" não carece dessas ressalvas. Ele simplesmente não pode ser tomado por outra coisa que não um paradoxo irreverente, a menos que se parta de uma atitude intelectualmente desonesta. De qualquer forma, mesmo que, pérfida ou ingenuamente, tentemos tomá-lo ao pé da letra (mas como, se ele é uma letra que emenda o pé na cabeça e não pára de girar?), da idéia de proibir todas as proibições não se deduz necessariamente o ateísmo. Ao contrário, se tivermos coragem de pensar como Sartre, é a responsabilidade moral do homem que implica a impossibilidade de Deus. Tudo bem, Sartre está fora de moda, mas é espantoso que um autor tão erudito como Ariano o desconheça tanto, ou o entenda tão mal. De fato, num texto escrito durante a guerra, Sartre desenvolve uma argumentação em torno da questão da moral, em que se lê: "O homem encontra por toda parte a projeção de si mesmo, tudo o que encontra é a sua projeção. A esse respeito, o que podemos dizer de mais definitivo sobre uma moral sem Deus é que toda moral é humana, mesmo a moral teológica". Quando cita diretamente a frase de Ivan é para observar: "Dostoievski escreveu: 'Se Deus não existe, tudo é permitido. É o grande erro da transcendência. Quer Deus exista ou não, a moral é um assunto 'entre homens', no qual Deus não mete o bedelho. A existência da moral, na verdade, longe de provar a existência de Deus, mantém-na a distância".

Isso quer dizer que os valores morais são responsabilidade dos homens, mesmo quando eles os atribuem a Deus (acerca de quem, aliás, há pelo menos tantas divergências de opinião quanto as há a respeito de normas laicas, pagãs ou profanas). O homem primeiro decidiu reprovar o assassinato e depois botou o "Não matarás" na boca de Deus. "Nunca temos desculpas" é a conclusão de Sartre quanto ao sentido de nossa liberdade e de nossa responsabilidade moral. É um dos meus textos favoritos a respeito do assunto. Como é que eu vou admitir que Ariano reduza a posição de Sartre a um irresponsável vale-tudo, ainda mais quando o quer ligar ao "É proibido proibir" que minha canção tomou dos estudantes parisienses, os quais, por sua vez, o tinham tomado dos surrealistas? Então Deus existe porque Ariano vê que nem tudo é permitido?

Que diabo de lógica é essa? É a mesma que o deixa à vontade para tomar como universal a certeza de que toda moral deduz-se da idéia de um Deus único e absoluto. Isso simplesmente é uma agressão à história e à razão. Antes do surgimento do Deus de Moisés e de Abraão, o homem já desenvolvera normas morais. E quanto ao ato de matar homossexuais simplesmente por serem homossexuais, no Ocidente não se poderia sequer imaginar tal coisa antes que Roma adotasse o Deus único dos cristãos. A frase "É proibido proibir" é uma deliberada transgressão das leis da lógica que, com sua carga de humor e poesia, não atrapalha os verdadeiros amantes da razão.

O raciocínio de Ariano é um ataque insidioso contra a razão e a lógica. Imagino a cena do debate no Recife. O tropicalista pernambucano (talvez um pupilo do meu muito querido Jomard Muniz de Britto?) dizendo a Ariano que uma "ética do prazer" fundamenta a frase "É proibido proibir", e ele vindo com aquela história do sujeito que sai atirando em travestis e homossexuais e do tropicalista impedido de proibir essa matança. Quando se terá dado tal debate? Em 1968? Em 1986? Em 1995? O fato é que Ariano está até hoje certo de que dele saiu vitorioso. Mas mesmo o silêncio atônito do tropicalista representaria, a meus olhos, uma vitória esmagadora deste sobre ele. Porque: é proibido proibir o meu amigo tropicalista de proibir que alguém mate homossexuais só porque o meu amigo tropicalista diz que é proibido proibir. Ou seja, a frase não serve para argumentações racionais. É uma *boutade* libertária que começa justamente por desrespeitar a racionalidade (neste particular, aliás, ela mais se aproxima das fórmulas místicas e profissões de fé religiosa do que das argumentações sartrianas: está mais para o "se Deus não existe, tudo é permitido" do que para "a liberdade é liberdade de escolher, mas não de não escolher", de *O ser e o nada*).

Podemos fazê-la parar de girar onde quisermos. Os surrealistas, os garotos do maio francês e os tropicalistas brasileiros nunca quisemos fazê-la parar. Mas, se fosse o caso de ter de fazê-lo, eu tomaria como definitiva a proibição de proibir alguém de proibir o assassinato gratuito de travestis e homossexuais. Porque o prazer destes não representa, em princípio, a destruição da vida ou da liberdade dos outros, enquanto o prazer do assassino imaginado por Ariano nasce exata e exclusivamente disso. Prefiro continuar crendo que Ariano jamais desejou nada semelhante a tais crimes. Mas por que a escolha do exemplo? Certamente ele partiu da pressuposição de que o tropicalista tivesse uma simpatia por travestis e homossexuais de que ele não partilhava. (Aliás, lembro de um episódio em que Ariano conseguiu que se proibisse a representação da *Compadecida* com um homem travestido no papel da Virgem, o que, na época, me fez pensar em quão pouco coerente com o amor ao "teatro clássico" era essa intolerância com atores travestidos...) Assim, o debate foi conduzido com má-fé. Em vez de discutir sua discussão verdadeira — isto é: se os homossexuais enquanto tais são dignos de irrestrita aprovação moral —, o tropicalista pernambucano se viu levado a discutir a lógica de uma frase que foi criada como exercício de destruição da própria lógica. Se digo que sua verdadeira discussão seria aquela, é por causa do exemplo escolhido por Ariano. Mas igualmente verdadeiro e seu seria discutir com Ariano se a afirmação cultural do Brasil reduz-se mesmo ao programa algo kitsch de estilização bairrista da arte folclórica do Nordeste como forma de restauração do medievo ibérico. Porque o verdadeiro opositor do dogma armorial é o natural rigor da bossa nova.

Tom Zé está certo. O valor do tropicalismo se resume a sua coragem de gritar que não podemos fugir às responsabilidades criadas por João Gilberto e Tom Jobim. Ariano fala com freqüência contra o tropicalismo, mas suas poucas palavras de desprezo pela arte de Jobim foram mais eloqüentes. Não apenas eu acho que a refinadíssima sutileza do estilo joãogilbertiano é a expressão de uma intuição profunda sobre a nossa singularidade de brasileiros reais de agora vivendo no mundo real de agora, sem perder de vista a realização do quase impossível em nós, como só de posse disso é que sou capaz de aceitar e mesmo admirar muito da produção do movimento armorial. E não porque Ariano creia em Deus e eu não creia — que João Gilberto crê talvez com mais firmeza —, mas porque o que vislumbro por trás da hipótese de o armorial (e não a bossa nova) ser o dominante ou hegemônico é um Brasil onde ódios irracionais como esse contra travestis sejam a norma e a lei oficiais. Quando grito, cada vez que se arma uma celebração retrospectiva do tropicalismo, "A luta continua", é isso que estou querendo dizer.

FOLHA DE S.PAULO, ILUSTRADA, 2 DE NOVEMBRO DE 1999.

MINHA ALMA CANTA

Paulinho da Viola é um dos meus maiores amores cariocas. Poucos são capazes de entender e admirar sua obra como eu. Não admito que um bando de imbecis ressentidos venha me ensinar a respeitá-lo. Na qualidade de seu amigo, colega e devoto, protesto contra a ignomínia de terem-no feito posar de vítima.

O que tenho visto na imprensa a respeito do nosso cachê do show do Ano-Novo é uma palhaçada. De onde vem essa caricatura de igualitarismo? Eu não desejo engolir calado os desaforos de jornalistas hipócritas nem de leitores débeis mentais que escrevem cartas à redação. (Muito menos de ex-compositores patologicamente mentirosos.) Afinal, por que o *Jornal do Brasil* não distribui com as professoras de escola pública os cachês dos artistas que contrata para suas festas de aniversário, quando fecha o Metropolitan (com boca-livre para 4 mil convidados, uísque importado etc.) e apresenta megaestrelas? Que tal distribuir pelos faxineiros o pagamento dos chefes de redação? Ou dar os jornais de graça nas portas das fábricas? Se eu quiser este bilhete impresso na primeira página desse maligno veículo, devo esperar que seja grátis porque, diferentemente da Pepsi-Cola, eu sou um artista angelical? Ou, ao contrário, devo esperar um preço altíssimo por eu ter sido promovido a "marajá" por articulistas analfabetos que devem estar pleiteando certo tipo de presidência da república? Sugiro que se faça uma investigação minuciosa para saber se o *Jornal do Brasil*, ao celebrar os mil números da revista *Domingo*, ofereceu pagar exatamente o mesmo à Velha Guarda da Portela, Marisa Monte e Paulinho da Viola. Eu, de conversa com meus colegas, sei que não. Será que isso me autoriza a acusar o jornal de perdulário, racista e discriminador? (Aliás, essa conversa de pretos sambistas sem oportunidade no mercado soa como sórdida demagogia no momento em que o êxito dos grupos Raça Negra, Só Preto Sem Preconceito e Negritude Júnior ocupa o ápice da pirâmide comercial.)

Qual a explicação para o alarde contra nos terem pago aos seis 540 mil reais, quando ninguém protestou contra o pagamento possivelmente do dobro desse total a Rod Stewart? Esses bandidos das redações dizem que nós ganhamos dinheiro demais na noite do Réveillon. Não é verdade. Trabalhar na noite do Ano-Novo para mim é quase inaceitável. Não foi sem muito esforço que me convenceram a topar fazê-lo por 100 mil reais. Não há nada de superfaturado nessa cobrança. Não é a primeira vez que ganho tal quantia para uma única apresentação. Já ganhei mais. Para Ano-Novo e Carnaval, em princípio, dobra-se o preço. A companhia de alguns dos meus colegas mais queridos e a homenagem ao grande maestro contribuíram para que eu me decidisse. Tenho recusado cifras que passam do milhão para fazer anúncios. Fá-los-ei quando bem entender. Os demagogos que, embora vivam de propaganda, fingem reprovar Tom por ele ter feito comerciais não me intimidam. Se minha intenção na vida fosse ficar rico eu não teria dificuldades de realizá-la. Mas é flagrante que os grandes nomes da música brasileira ganham muito pouco, se comparados com seus colegas de outros países (os quais, naturalmente, quando vêm ao Brasil não fazem abatimento...). De todo modo, meu cachê não pode ser decidido pelo cinismo de editorialistas. E muito menos por câmaras de vereadores. Onde estamos? Na União Soviética?

É impossível que alguém ache que o povo do Rio preferiria que sua prefeitura não fizesse festa de passagem de ano. (Vá dizer que se decidiu que de agora em diante não se gasta nenhum tostão com o Carnaval — nem os governantes nem os foliões — porque há crianças sem escola e famílias sem moradia!) A esse povo, que sempre quer o Réveillon — e que só teve palavras entusiasmadas para descrever o show do último —, eu quero mais uma vez emprestar minha energia, na luta contra as forças autodestrutivas que querem negar o mínimo de beleza a um evento em que a população carioca deu, em contraste com o comum dos seus dias, mostras de contentamento e tranqüilidade. Já fiz inúmeros shows de graça. Farei outros quando quiser e achar útil. Esse do Réveillon foi patrocinado pela Petrobras e pela Pepsi-Cola. Diz-se que esta última pagou a Madonna 7 milhões de dólares por anúncio de trinta segundos. Por que essa multinacional desprezaria ter sua marca ligada a seis dos mais respeitados nomes da música brasileira? Isso só acontecerá se a imprensa carioca, com sua campanha, provar de uma vez por todas que não compensa contratar artistas brasileiros. Faço meus preços segundo os fatores implicados em cada evento. A oferta feita pelo contratante é, naturalmente, o ponto de partida das negociações. Não costumo me imiscuir nas negociações dos meus colegas quando participo de shows coletivos. Fiz uma excursão pela Europa com João Gilberto (meu mestre supremo) e João Bosco em que os cachês, os transportes e os quartos de hotel eram diferentes para cada um. Nunca soube quais eram essas diferenças. Apenas exigi que se cumprisse o que tinha sido estipulado para mim no meu contrato — e fiquei satisfeito.

Os jornalistas insinuam que o caráter de homenagem a Jobim transformaria o pagamento dos cachês numa espécie de homenagem aos artistas participantes. Nada mais ridículo. O próprio Paulinho da Viola tem repetido que o que o magoou não foi a diferença de pagamento, mas o fato de alguém na organização do evento ter-lhe mentido dizendo que os cachês seriam iguais. Eu próprio nunca esperaria que o fossem. Fingindo de igualitaristas, os repórteres, os colaboradores improvisados e os leitores missivistas demonstraram apenas que pretendem ir a fundo em sua resistência neurótica a que se homenageie o maior compositor brasileiro em sua própria cidade. (Como o meu queridíssimo Hermínio Bello de Carvalho, eu não me conformo com o aeroporto do Rio não ter passado a se chamar Aeroporto Antônio Carlos Jobim.) E o jornal, por sua vez, quer, com essas falsas polêmicas, manter o seu valor comercial, certo de que as fortunas cobradas da publicidade obviamente não serão usadas para pintar as paredes das escolas públicas. Ter, no entanto, algumas das cavalgaduras que assinam reportagens e artigos pintando fisicamente as paredes de tais escolas — e longe das redações — seria uma vitória da cultura brasileira.

JORNAL DO BRASIL, 16 DE JANEIRO DE 1996.

O texto-carta se refere a uma polêmica sobre cachês pagos a Gal Costa, Caetano Veloso, Milton Nascimento, Chico Buarque, Gilberto Gil e Paulinho da Viola quando do "Tributo a Tom Jobim", show que comemorou o Réveillon de dezembro de 1995 na Praia de Copacabana.

DIFERENTEMENTE DOS AMERICANOS DO NORTE

Nosso povo, diferentemente dos americanos do Norte e de quase todos os europeus, não se identifica com o Estado. Isso pode-se atribuir ao fato geral de que o Estado é uma inconcebível abstração. O Estado é impessoal: nós só concebemos relações pessoais. Por isso, para nós, roubar dinheiros públicos não é um crime. Somos indivíduos, não cidadãos. Aforismos como o de Hegel — "O Estado é a realidade da idéia moral" — nos parecem piadas sinistras. Os filmes elaborados em Hollywood repetidamente propõem que se admire o caso de um homem (geralmente um jornalista) que procura a amizade de um criminoso para depois entregá-lo à polícia: nós, que temos a paixão da amizade e consideramos a polícia uma máfia, sentimos que esse "herói" dos filmes americanos é um incompreensível canalha. Sentimos com D. Quixote que "lá se haja cada um com seu pecado" e que "não é bom que os homens honrados sejam verdugos dos outros homens".

Essas palavras que acabei de pronunciar podem parecer referir-se a nós, brasileiros. E não tenho dúvida de que, se ditas hoje por um brasileiro diante de brasileiros, podem causar — a despeito da encantadora elegância com que estão dispostas, ou principalmente por causa dela — certo mal-estar. Na verdade, são palavras de uma argumentação sobre o caráter argentino a que Jorge Luis Borges recorreu mais de uma vez em seus impecáveis escritos. O fato de que tal argumentação poderia provocar certo constrangimento mesmo entre os argentinos de 1930 — quando suponho que ela foi pela primeira vez levada a público — não parece ter passado despercebido do próprio Borges, que, numa nota de pé de página completando a observação sobre a licença tácita de roubar dinheiros públicos, faz a ressalva: "Comprovo um fato, não o justifico ou desculpo".

Mas, se decidi abrir esta conversa repetindo aquelas palavras de Borges, não foi porque quisesse criar na sala esse mal-estar — embora, indubitavelmente, ele me sirva para estabelecer o tipo de comunicação desejado: se o fiz foi sobretudo porque me interessa ressaltar, antes de mais nada, o risco que todos corremos — todos nós que falamos em nome de países perdedores da História — de tomar as mazelas decorrentes do subdesenvolvimento por quase-virtudes idiossincráticas de nossas nacionalidades. De fato, se olharmos o texto de Borges de uma perspectiva brasileira, hoje — e apesar da ressalva —, na medida mesma em que reconhecemos nossa identificação com o retrato que ele nos oferece dos argentinos, nos damos conta do repúdio que recentemente nos comprazemos em ostentar em face do conjunto da imagem que ali se nos apresenta e, sobretudo, às observações específicas de que não somos cidadãos e de que, em nosso íntimo, roubar dinheiros públicos não constitui crime. O que nos parece sinistro, isso sim, é o fato de vermos a nossa incapacidade para a cidadania guindada à condição de contrapartida de uma bela vocação individualista e de aprendermos que nosso desrespeito aos dinheiros públicos nasce de uma quase nobre rejeição dessa "inconcebível abstração" que é o Estado.

No entanto, é justamente uma aproximação desse aspecto difícil do contato com aquele texto que mais me interessa aqui, neste preâmbulo. Saber em que medida podemos, sem nos iludir, fazer planos para o futuro — e mesmo sonhar — a partir de um aproveitamento da originalidade de nossa condição tomada em sua complexidade desafiadora. Na referência de Borges à estranheza que nos causa o herói hollywoodiano tão magnificamente descrito por ele como "geralmente um jornalista" que usa a amizade como um meio para a delação, e, mais que tudo, na afirmação, escolhida no *Don Quixote,* de que "não é bom que os homens honrados sejam verdugos dos outros homens", encontramos alento para encarar a nossa própria imagem sem nojo. Se a observação sobre os filmes de Hollywood soa mais como uma confissão pessoal do que como uma constatação sociológica (a rejeição ao estereótipo do jornalista delator não parece ter tido maior expressão estatística na Argentina do que no Brasil: os filmes americanos, lá como aqui, nunca padeceram de problemas de bilheteria por causa disso. Mas Borges sabia — e nós sabemos — que uma confissão íntima sua pode, a depender do contexto, revelar mais sobre o gosto argentino do que metros de papel de cálculos estatísticos), a mera frase colhida no *Quixote* bastaria — se é verdade que a nossa vida ou a vida dos argentinos confirma a beleza da forma em que ela está expressa — para justificar um programa de transformação do mundo nas bases de uma sensibilidade peculiar aos países do Mercosul. "Não é bom que os homens honrados sejam verdugos dos outros homens", ou, em sua versão simplificada, "lá se haja cada um com seu pecado" — o tom dessas enunciações nos leva a admitir que há algo de sábio em colocar o respeito pela individualidade para além dos direitos de cidadão. O afeto com que as ouvimos pode decidir sobre sua natureza de abominável resquício de engodo católico ou de verdadeira intuição do que há de sagrado a ser preservado na solidão do indivíduo. A palavra *pecado* é uma mera marca de atraso ou deve ser vista aqui como representante de um conceito mais elástico do que aquele de *crime*: um conceito menos mensurável, qualitativo, e não quantitativo, e, sobretudo, mais aberto ao perdão? Não há, por outras palavras, mais malícia na idéia de pecado — com que cada um pode se haver — do que na de crime — que é um assunto de toda a sociedade? Quero chegar a perguntas de teor semelhante ao da seguinte: em que medida podemos discriminar o que é, em nós, atraso em relação, por exemplo, às conquistas americanas de direitos dos cidadãos do que é vantagem nossa por não termos aquela obsessão, que é uma obcecação, que os americanos têm de considerar passíveis de julgamento público as mais íntimas, nuançadas e sutis ações do âmbito privado? Não sei a resposta para tal tipo de pergunta, mas seguramente não estou satisfeito com as respostas que se tornaram doentiamente consensuais. Para mim é óbvio que os Estados Unidos, ao superar a situação de racismo institucionalizado, em poucas décadas tinham um negro como chefe do Estado-Maior das suas Forças Armadas, três prefeitos negros nas suas três maiores cidades, muitas aeromoças negras em seus aviões e crianças negras em seus anúncios de televisão — enquanto nós não temos generais negros sequer e o nosso único governador negro, o do Espírito Santo, teve sua filha barrada na entrada "social" de um prédio na capital do seu estado; mas isso não nos deve levar a pensar que institucionalizar o racismo teria sido necessariamente melhor para nós: o que faz a enorme diferença entre o nazismo e outras formas de perseguição assassina de raças e minorias é o fato de, no caso do nazismo, esses massacres serem oficiais. Por outro lado, é igualmente óbvio para mim ser absolutamente insana a pretensão de colocar "o povo", como eles dizem lá, contra um homem que teve a infelicidade de ter em seu quarto de hotel às duas da manhã uma mulher que foi até ali por livre e espontânea vontade, mas depois apresentou queixa de estupro aparentemente porque disse NÃO no último momento. Uma americana interessantíssima, Camille Paglia, que aliás recorre freqüentemente às suas origens católicas e mediterrâneas para contrapor-se a essas versões modernas de puritanismo, trata com muito humor (e rancor) essa idéia de assumir o NÃO dito por uma mulher como NÃO mesmo. Essas perguntas, esse olhar de perto o pequeno trecho do texto de Borges vêm por conta da minha ambição de fazer aqui algo tão fora de moda no nosso finzinho de século — finzinho também de milênio —, algo tão em desuso e desprestígio que temo que seu mero anúncio soe como uma aberração: falar em tom DE PROFECIA UTÓPICA.

O desejo de esboçar novas utopias deve nascer em mim menos da necessidade de contrastar com esse ambiente desencantado do que da responsabilidade de compensar minha própria participação na criação do sentimento de desencanto. Refiro-me aqui à minha atuação em música popular desde meados da década de 60 e, sobretudo, às atitudes algo escandalosas e algo superestimadas que, no final daquela década, ganharam o apelido de tropicalismo. Esse movimento, no que me diz respeito, teve todas as características de uma descida aos infernos. Para entender isso que acabo de dizer, é necessário considerar o clima da MPB do meio dos anos 60, ou seja, os desenvolvimentos do samba-jazz, o surgimento da canção engajada e, finalmente, a esdrúxula conjugação dos dois, como uma espécie de otimismo superficial e ingênuo se comparado com a densidade da bossa nova. Claro que é a bossa nova que tem fama de otimista: as canções de protesto, com ou sem convenções rítmicas jazzísticas, é que trouxeram as referências explícitas à miséria e à injustiça social e o tom crítico. Não quero aqui fazer como esses filósofos franceses que começam ameaçando o senso comum dizendo, por exemplo: "comumente se pensa que Pelé é um atlético negro que joga futebol e Xuxa uma loura bonitinha que ficou mais loura e mais bonitinha"; e, quando era de esperar que então dissessem "Pelé é uma lourinha e Xuxa é um negrão", concluem com algo como "mas o fato é que vemos Pelé, nos vídeos de sua fase áurea, tocar o gramado com leveza ao chegar de volta de seus saltos acrobáticos, enquanto Xuxa usa roupas que são uma espécie de paródia séria de uniforme militar", ou seja, nada dizem que possa valer por um desmentido do consenso. Parecem não querer nada além do frisson de sugerir um paradoxo — e vê-lo em seguida esfumar-se. Espero, ao contrário, poder convencer os aqui presentes de que, do ponto de vista dos que fizeram o tropicalismo, a bossa nova de João Gilberto e Antônio Carlos Jobim significava violência, rebelião, revolução e também olhar em profundidade e largueza, sentir com intensidade e coragem, querer com decisão. E tudo isso implica enfrentar os horrores da nossa condição: ninguém compõe "Chega de saudade", ninguém chega àquela batida de violão sem conhecer não apenas os esplendores, mas também as misérias da alma humana.

Em 1971, na fase final de meu exílio londrino, vim ao Brasil a pedido de João Gilberto para gravar com ele e Gal Costa um programa especial para a televisão. Numa conversa depois da gravação, João me disse mais ou menos o seguinte (na verdade, algumas frases ficaram marcadas tão nitidamente em minha memória que ainda podem ser repetidas aqui literalmente): "Caitas, você enfrentou tanto sofrimento. Com vocês foi tudo assim de uma vez só. Que horror!... Eu sei o que é isso. Comigo, Caitas, foi a mesma coisa. Você pensa que não é a mesma coisa? Só que comigo foi aos pouquinhos, essa prisão, esse exílio, essa violência, todo dia, todo dia".

A atmosfera bem-pensante que encontrei nos ambientes de música popular em 1966, quando cheguei ao Rio, decididamente não fazia jus ao que está contido nessa confissão. Essa atmosfera insinuava que os grandes talentos jovens se resguardassem, dissessem o que era certo dizer e fizessem o que era certo fazer. Não é assim que se faz um Noel Rosa, não é assim que se faz um Dorival. Não é assim que se faz um Wilson Batista. E certamente não é assim que se faz um João Gilberto, não é assim que se faz um Tom Jobim. Era um otimismo tolo crer na força dos ideais de justiça social transformados em *slogans* nas letras das músicas e em motivação de programas de atuação. Os tropicalistas em que nos tornamos são da linhagem daqueles que consideram tolo o otimismo dos que pensam poder encomendar à História salvações do mundo. Naturalmente não víamos o tolo otimismo como o motor das atitudes de Nara Leão ou Carlos Lyra — ambos bossa-novistas de primeira hora e grandes como os grandes — quando eles, em parte influenciados pelo Cinema Novo e pelo Teatro de Arena, iniciaram o movimento de politização da moderna canção brasileira pós-bossa nova: era, por um lado, a força dos temas sociais que se impunha, por outro, a força da música popular brasileira, essa onda imensa que já vem de lá de trás e que não pode deixar de arrastar tudo; víamos antes o risco de que aqueles artistas e suas obras fossem reduzidos à ideologia difusa que eles criam servir. Temíamos também que assim os lessem nossos companheiros de geração. Mas também aqui, dada a força dos talentos individuais e o sentido profundo que percebíamos em tantas das suas escolhas, encorajávamo-nos a fazer o que afinal fizemos, mais para revelar dimensões insuspeitadas na beleza de suas produções do que para negar-lhes o valor. Mas essas revelações nos aproximavam ora do sentimentalismo real e hipócrita dos puteiros, ora da voz bruta das lavadeiras da tradição, ora do comercialismo de Roberto Carlos e do significado da música na TV, ora do homossexualismo de Assis Valente, ora da mera macaqueação dos americanos etc. Enfim, muitas identificações não aceitáveis para eles — embora nós soubéssemos que disso também se fazia a sua possível grandeza —, e não é por outra razão que muitas vezes eles (nossos colegas e suas obras) vieram a aparecer como objetos das colagens tropicalistas: tanto Roberto Carlos em pessoa quanto a Carolina, de Chico Buarque, se tornaram personagens de canções tropicalistas. Não foram os únicos (Carmen Miranda, Paulinho da Viola, Noel Rosa me vêm à lembrança sem esforço, mas há muitos que foram referidos de modo cifrado ou foram objeto de imitação ou caricatura), mas o caso da Carolina merece talvez atenção especial. A Carolina apareceu na letra da canção "Baby" entre "gasolina" e "margarina", na canção "Marginália II" (música de Gil com letra de Torquato Neto) junto a uma "miss", e, finalmente, foi gravada por mim numa versão que fazia da própria canção uma personagem que, passando pelas dependências oficiais da presidência militarizada da República (afinal, a canção tinha sido gravada por Agnaldo Rayol como uma das "favoritas do presidente" Costa e Silva), veio cair num programa de calouros mirins da televisão baiana no meu período de confinamento em Salvador, depois da cadeia, tornando-se assim a representante da depressão nacional — e da minha depressão pessoal — pós-AI-5.

Eu imaginava, e depois vim a saber, que ela não era uma das favoritas de Chico Buarque. Mas ter tido uma visão aguda sobre o sentido mais profundo da arte desses nossos colegas não fazia — não faz — de nós, necessariamente, artistas melhores que eles: muitas vezes — quem sabe a maioria das vezes — é quando se é inocente da grandeza que se é grande de fato. Nós queríamos trazer a tudo que dissesse respeito à música popular a luz da perda da inocência e, para isso, fizemos muitas caretas e usamos muitas máscaras. Eu cria firmemente — e o tempo o confirmou — que Chico Buarque ou Edu Lobo ou Dori Caymmi ou Milton Nascimento não sairiam apequenados desse episódio: as assombrações, o reconhecimento do horrível tendem a engrandecer a arte, porque é da natureza da arte estar sozinha em seu poder de redimir. Assim, digam o que disserem, nós, os tropicalistas, éramos pessimistas, ou pelo menos namoramos o mais sombrio pessimismo. Sobre os joelhos do monumento construído como uma colagem cubista na letra da canção "Tropicália" — de onde saiu o nome do movimento — diz-se que "uma criança sorridente, feia e morta estende a mão". É impossível imaginar uma combinação de palavras para serem cantadas numa canção popular com maior carga de dor sem esperança, impressão que se intensifica quando lembramos que o "monumento" a que se alude no texto está ali naquele lugar nenhum, como um marco nacional que pudesse representar o Brasil estaria nessa praça, num salão nobre (acredito que é por essa razão que a expressão "alegoria" foi tantas vezes repetida — para meu desagrado — a respeito do tropicalismo). Hoje, mais do que nunca, a imagem dessa criança, que ainda pede quando já de nada vale que se lhe dê, e é feia e sorri, nos aparece como capaz de dizer, a seu modo, num dos pontos da composição da colagem, tudo sobre o todo que, por sua vez, é abordado de outros modos e de diferentes distâncias em outros pontos, sem que o conjunto defina uma forma inteligível que se imponha de modo absoluto.

Dor sem esperança!... Quantas vezes ouvi dizer que o Brasil cansou de ser o país do futuro, ou que o Brasil era o país do futuro mas o futuro já chegou, já passou e o Brasil ficou aqui. O otimismo evidente da bossa nova não é tolo — e é por isso que ela nem sequer nos parecia otimista quando estávamos à beira de mergulhar no tropicalismo. O otimismo da bossa nova é o otimismo que parece inocente de tão sábio: nele estão — resolvidos provisória mas satisfatoriamente — todos os males do mundo.

De tal otimismo podemos dizer, lembrando Nietzsche mesmo, que é trágico. O cenho cerrado da esquerda festiva parece sério, quando é apenas bobo. O tropicalismo sempre quis estar à altura da bossa nova: eu vivo repetindo que o

Brasil precisa chegar a merecer a bossa nova. A nossa descida aos infernos se efetuou como estratégia de iniciação ao grande otimismo — ainda não superamos a fase sombria iniciada em 1967. "Alegria, alegria" era um começar a mexer no lixo — claro que ela trata da alegria real, mas apenas para ter mais eficácia no tratamento do tema fundamental que é o mesmo de "Superbacana" e de "Geléia geral", a saber, uma visão autodepreciativa da nossa vida cotidiana e do seu quase nenhum valor no mundo. Zé Celso costumava falar no caráter masoquista da estética tropicalista com sua reprodução paródica do olhar do estrangeiro sobre o Brasil e sua eleição de tudo o que nos parecesse a princípio insuportável.

Eu mesmo lembro um exemplo revelador: na canção "Baby" (cuja letra me foi quase toda ditada por Maria Bethânia), eu usei a palavra "lanchonete" porque ela me dava náuseas quando lida em marquises ou ouvida em conversas. Ela me parecia uma mistura monstruosa de francês com inglês e era como o anúncio de uma vulgaridade intolerável que começava a tomar conta do mundo. Coloquei-a na canção e, se não posso dizer que aprendi a amá-la como o personagem do Dr. Strangelove aprendeu a amar a bomba, é certo que passei a usá-la com natural delicadeza, como se incluí-la numa canção significasse redimi-la — na verdade, eu creio que assim é. A primeira Coca-Cola da música popular brasileira, a de "Alegria, alegria", passou por caminhos semelhantes: eu detestava Coca-Cola e continuei detestando Coca-Cola até bastante tempo depois de ter incluído seu nome na famosa canção — na verdade, nunca cheguei a gostar muito desse refrigerante, apenas usei-o, a partir de determinado momento, como substituto do álcool para acompanhar o cigarro. Mas foi considerando o valor simbólico da Coca-Cola, que para nós queria dizer século xx e também hegemonia da cultura de massas americana (o que não deixava de ter seu teor de humilhação para nós), que a incluí, um pouco à maneira dos artistas plásticos pop, na letra da canção; e, afinal, o que é que me chamou a atenção no filme *Terra em transe*, de Glauber Rocha, senão a ostentação barroquizante de nossas falências, de nossas torpezas e de nossos ridículos? De todo modo, é numa canção tropicalista que se repete obsessivamente a frase "aqui é o fim do mundo" — de fato, nunca canções disseram tão mal do Brasil quanto as canções tropicalistas, nem antes nem depois. Com exceção, é claro, das canções posteriormente criadas pelos próprios compositores do movimento ou pelos seus descendentes algo remotos: os melhores roqueiros dos anos 80. É de volta de tais infernos que pretendo trazer visões utópicas.

Quando saímos do Brasil em 1969 rumo ao exílio em Londres, passamos antes por Portugal. Meu amigo Roberto Pinho me pediu que o acompanhasse até Sesimbra, onde ele tinha um encontro com um senhor português que cuidava do castelo medieval da colina e era tido como alquimista. Lembro de umas ovelhas de chifres revirados, que se punham perto do velho, como se fossem animais de estimação. E do mar muito azul rodeando de longe as muralhas de pedra. A certa altura, Roberto pediu que eu cantasse "Tropicália" para o alquimista ouvir. Não lembro se cantei ou se apenas recitei as palavras da letra. Mas estou seguro de que comuniquei a íntegra do texto ao português. Ao final, este me olhou com uma expressão exultante e, com uma piscadela cúmplice a Roberto, apresentou a mais insólita interpretação de "Tropicália" de que eu já tivera notícia. Tudo na letra era tomado à letra e valorado positivamente. "Eu organizo o movimento", por exemplo, significava que, não necessariamente eu, mas alguma força que podia dizer "eu" através de mim, organizava um importante movimento, e "inauguro o monumento no Planalto Central do país" era clara e meramente uma referência a Brasília como realização da profecia de D. Bosco. E pronto. Nenhum traço de ironia era notado, nenhum desejo de denúncia do horror que vivíamos então. Não lembro se sublinhei o trecho "uma criança sorridente, feia e morta estende a mão" quando tentei explicar-lhe que minhas motivações para compor a canção tinham sido o oposto de um ufanismo, mas é certo que tentei discutir o assunto. Ele, que a princípio me parecera não imaginar outra razão possível para que eu escrevesse tal canção a não ser a certeza feliz de um destino grandioso para o Brasil, não se mostrou surpreso diante de meus protestos e, rindo para Roberto e repetindo "eu sei, eu sei", arrematou: "O que sabem as mães sobre seus filhos?". Naturalmente, eu entendi que ele estava certo de conhecer melhor as intenções da minha composição do que eu. Isso não era novidade para mim: eu já sabia então que as canções têm vida própria e que outros podem revelar-lhes sentidos de que seu autor não teria suspeitado. Tampouco me era de todo desconhecido o aspecto positivo que aquela canção dava à sua representação do Brasil. E, mais que isso, eu não era inocente do fato de que toda paródia de patriotismo é uma forma de patriotismo assim mesmo — não eu, o tropicalista, aquele que antes ama o que satiriza (e, lembrando aqui da Coca-Cola e da lanchonete, não satiriza facilmente o que odeia). Mas que aquele homem não quisesse levar em consideração que na minha canção eu descrevia um monstro e que esse monstro confirmara sua monstruosidade agredindo-me a mim era algo que à medida que ia acontecendo ia-se-me tornando mais fascinante do que irritante.

Mas também eu não estava ali de todo inocente do fato de que eu não era estranho aos interesses que uniam meu amigo Roberto e aquele suposto alquimista. O ponto de ligação entre eles era o professor Agostinho da Silva, um intelectual português que foi perseguido por Salazar e veio para o Brasil, onde participou da formação da Universidade da Paraíba, da Universidade de Brasília, e que, durante o período dos grandes projetos culturais da Universidade da Bahia no fim dos anos 50 e início dos 60, organizou e dirigiu o Centro de Estudos Afro-Orientais em Salvador e disseminou uma forma de sebastianismo erudito de inspiração pessoana que atraiu algumas pessoas que me pareciam atraentes. Não foi sem pensar neles que eu incluí a declamação de um poema de *Mensagem*, de Fernando Pessoa, no happening que foi a apresentação da canção "É proibido proibir" num concurso de música popular na televisão em 1968. Um dos pontos mais ricos em sugestões para o estudo do tropicalismo foi essa apresentação de uma composição primária em que eu, por sugestão do empresário Guilherme Araújo, repetia a frase que os estudantes franceses do maio de 68 tomaram aos surrealistas, acompanhado do conjunto de rock mais moderno do Brasil de então (e o mais e melhor influenciado pelos Beatles) — os Mutantes —, com uma introdução planejada pelo músico erudito Rogério Duprat inspirada na música de vanguarda. Eu usava uma roupa de plástico brilhante verde e preta e colares de correntes e tomadas, e meu cabelo parecia uma mistura do de Jimi Hendrix com o dos seus acompanhantes ingleses no Experience; no meio do número, eu gritava o poema de Pessoa:

> Esperai! Caí no areal e na hora adversa
> Que Deus concede aos seus
> Para o intervalo em que esteja a alma imersa
> Em sonhos que são Deus.
>
> Que importa o areal e a morte e a desventura
> Se com Deus me guardei?
> É O que eu me sonhei que eterno dura,
> É Esse que regressarei.

Mas eu não tinha embarcado na viagem desses sebastianistas, nem como estudioso nem como, digamos assim, militante. Apenas me parecera interessante que houvesse gente falando no Reino do Espírito Santo e numa futura civilização do Atlântico Sul numa época em que todo o mundo falava em mais-valia e nas teses científicas de transformar o mundo através da classe operária. Essas coisas me atraíam não por místicas (tenho um espontâneo horror de misticismos), mas por excêntricas. E sobretudo foi por causa disso que eu entrei em contato com o livro *Mensagem*, que revelou para mim a grandeza da poesia de Fernando Pessoa. Conhecia o Fernando Pessoa do "Poema em linha reta" e da "Ode marítima", também o do poema do outro Menino Jesus e, naturalmente, o poeminha do fingidor: eram os poemas que as meninas citavam, que muita gente lia em voz alta para mim, cujos trechos eram repetidos de cor e que uma vez ou outra eu mesmo lia no exemplar de algum colega de faculdade. Sabia dos heterônimos e de algum folclore sobre sua vida e juntava aqueles poemas ao repertório de poesia brasileira moderna (Vinicius, Drummond, Bandeira e Cecília, e depois também Cabral) e isso era (com os negros de Castro Alves e os índios de Gonçalves Dias mais os ciganos de Lorca) toda a poesia que eu conhecia. Com *Mensagem* era o Pessoa do poeminha do fingidor que se adensava. Cada peça curta era um labirinto de formas e sentidos e, mais importante que tudo, não me parecia possível que se demonstrasse mais fundo conhecimento do ser da língua portuguesa do que nesses poemas. Meu poeta favorito — e o que eu mais extensamente li — era João Cabral de Melo Neto. E diante dele tudo parecia derramado e desnecessário. Assim também os poemas de Álvaro de Campos — que eram os mais queridos das meninas. Mas com *Mensagem* eu me sentia em presença de algo mais profundo quanto a tratar com as palavras — por causa de cada sílaba, cada som, cada sugestão de idéia parecer estar ali como uma necessidade de existência mesma da língua portuguesa: como se aqueles poemas fossem fundadores da língua ou sua justificação final.

Todo começo é involuntário.
Deus é o agente.
O herói a si assiste, vário
E inconsciente.

À espada em tuas mãos achada
Teu olhar desce.
"Que farei eu com esta espada?"

Ergueste-a, e fez-se.

O fato de este livro (o único que Pessoa publicou em vida na nossa língua) ter como tema o mito da volta de d. Sebastião e da grandiosidade de um adiado destino português enobrecia, a meus olhos, os interesses daquele grupo de pessoas que cultivavam tais mitos. De modo que, em Sesimbra, eu passei gradativamente do espanto de ver minha canção "Tropicália" resgatada por uma visão que anulava sua contundência crítica à relativa adesão à perspectiva dessa visão: comecei a ver "Tropicália" — e a pensar o tropicalismo — também à luz do sebastianismo, ou melhor, da minha versão do sebastianismo, que consistia em minhas adivinhações (de resto ainda hoje pouco informadas) do que fosse o sebastianismo deles. Eu sabia que essa dimensão também estava em Glauber e, naturalmente, em Ariano Suassuna; aquele, um tropicalista assumido, este, um inimigo mortal do tropicalismo. Eu, no entanto, sempre fui cético.

Já no meu segundo ano de exílio em Londres, por causa do mesmo Glauber — que então filmava *Cabeças cortadas* na Catalunha e queria conversar comigo pessoalmente sobre nobres tarefas e mesquinhas fofocas do cinema brasileiro — fui a Barcelona. Por causa dos amigos que fiz ali através de Glauber, vi a amargura com que o povo da Catalunha sofria sua anexação a Castela e a humilhação de ter a sua língua materna esmagada pelo castelhano. Ainda era a Espanha de Franco e, na Catalunha, era a época da nova canção catalã de Pi de La Serra, Joan Manuel Serrat e Pau Riba. Um dia ouvi de um dos produtores do filme de Glauber a versão da descoberta da América que começava por dar Colombo como catalão de nascimento. Ele o afirmava com a mesma paixão com que ouvi alguns sebastianistas brasileiros e portugueses falar em provas de que Colombo era português. Só anos depois é que um amigo no Brasil me deu de presente um livro de Unamuno em que ele falava de Portugal e da língua portuguesa com muito carinho e muita delicada observação (ressaltar que a palavra "luar" não tem tradução em nenhuma outra língua não é o menos interessante dos exemplos); pois bem, nesse livro Unamuno falava da sensação de culpa que o pensamento das línguas portuguesa e catalã traz à alma de um escritor espanhol. Mas, naquele momento, em Barcelona, eu senti a identificação de Portugal com a Catalunha nas suas criações de fantasias compensatórias. O poema "Os Colombos", do Pessoa de *Mensagem*, redime esse sentimento e, na sua grandeza, é já uma superação de toda a inferioridade ao passo que propõe uma transcendência da mágoa.

No entanto, o português não é o catalão. Não só Portugal não ficou anexado à Espanha, como espalhou sua língua pelo mundo. E aqui estamos, falando português neste imenso pedaço do continente sul-americano. Somos muitos milhões. Nunca chegamos a ser um país bom. E grande parte de nossas mazelas vem do fato de sermos portugueses. Ou, melhor dizendo, vem no bojo da maré baixa da cultura mediterrânea ou sul-européia, que, por sua vez, é uma marola da grande fuga da onda civilizatória das regiões quentes para regiões frias: Babilônia, Egito, Grécia e Roma deram lugar a Inglaterras e Alemanhas e Canadás; Roma ainda está inteira em nós a assistir à aclimatação de suas conquistas em territórios bárbaros, onde as idéias de agasalho, presteza e precisão se superdesenvolveram comandadas pela vitalidade de homens determinados, os quais como que transformaram a chama da corrida humana em implacável e penetrante luz fria. O Renascimento, o Ocidente moderno, é fortemente mediterrâneo — Leonardo e Camões —, mas seus desenvolvimentos boreais é que nos trouxeram até onde estamos, para o bem e para o mal, sobretudo por causa da figura de Lutero. Os Estados Unidos são a última expressão dessa grande movimentação que, ao atingir o Extremo Oriente pelo Japão e Tigres Asiáticos neocapitalistas e pela China comunista, está, parece, em vias de fazer algum tipo de desvio de rota ou virada de orientação. Não temos como mensurar quanto devemos a esses minuciosos e limpos pecadores do Norte — Prometeus do fogo gelado que nos acenam com comunicações rápidas e computadorizadas de informações cada vez mais complexas e mais facilmente manipuláveis. E também com prescrições legais que têm em conta uma pluralidade de comportamentos nunca antes imaginada numa sociedade humana. Cresci desprezando os entreguistas que adoram servir de lacaios do capital americano: na sua forma arrogante de mostrar submissão vejo a mais abominável expressão de heteronomia. Mas sinto uma verdadeira identificação com americanos do tipo de Gertrude Stein, Walt Whitman, John Cage (e também, em larga medida, os artistas plásticos pop dos anos 60), que apostam numa afirmação da América. Enquanto muitos dos nossos amigos americanos "liberais" de esquerda me causam não raro certo dissabor quando fazem uma mistura de mistificação da Europa com mistificação do "Terceiro Mundo" para negar o que há de perigosamente sugestivo na experiência americana. Quando Camille Paglia diz que detesta a opinião pseudo-esquerdista dos meios universitários americanos de que a "Grande, Má e Feia América é uma sociedade corrupta, vazia e gananciosa que toda essa gente maravilhosa e benévola do resto do mundo olha com nojo", não posso deixar de concordar com ela. Amo os Estados Unidos. Apenas não exijo do Brasil menos do que levar mais longe muito do que se deu ali e, mais importante ainda, mudar de rumo muitas das linhas evolutivas que levaram até espantosas conquistas tecnológicas, estéticas, comportamentais e legais. Sei que, por um lado, o Japão fez e faz isso em escala considerável, principalmente no que diz respeito ao aspecto tecnológico, mas não só, e, por outro, que o Brasil não parece encontrar sequer os meios de esforçar-se para se tornar capaz de fazê-lo. Mas há algo nos Estados Unidos que não encontramos no Japão: a América, o translado, a terra nova e os grandes espaços; a implantação de uma idéia em terreno tornado virgem pela incapacidade mesma de considerar as culturas indígenas; a imigração variada, européia e asiática, que trouxe mais nuances e diferentes problemas ao panorama social já na base violentamente problematizado pela vinda forçada dos negros; um ar de liberdade de movimentos que nenhum lugar de cultura autóctone sedimentada pode de fato conhecer — e isso o Brasil tem em comum com os Estados Unidos e com todos os países americanos. E talvez o caso do Brasil nos induza a esperar dele experiências mais extremas.

E aqui é o momento de tentar fazer o que fiz questão de frisar como sendo perigoso naquele arrazoado de Borges a respeito do modo de ser argentino: considerar vantajosas até mesmo as condições adversas com que a História nos presenteou; fazer, por exemplo, do fato de não termos sido eficientes o suficiente no extermínio dos índios como os nossos irmãos do Norte — cuja eficácia nesse campo aprendemos a aplaudir nos filmes em que outro herói hollywoodiano prova ser tão freqüente quanto o jornalista delator: o matador de índios —, e mesmo do fato de vermos que ainda estamos efetuando, com atraso, esse extermínio, uma oportunidade de nos tornarmos índios ao passo que nos reconhecemos ultra-ocidentais. E aqui quero citar um daqueles filósofos franceses cujas manias caricaturei mais cedo, mas que parece ser mesmo um grande sujeito. É Gilles Deleuze, que, naquele hilariante livro candidamente chamado *O que é a filosofia?*, numa inacreditavelmente convincente jogada retórica, diz do filósofo que ele "deve tornar-se índio para que o índio não sofra a miséria de ser índio". Mas só ganha o direito de arriscar tais inversões quem se sabe engajado num sonho grande e luminoso. Só na perspectiva do país artista superior que nós temos o dever de perceber que a História nos sugere que sejamos é que podemos revalorar aspectos do nosso atraso como sinais de que casualmente escapamos de uma escravidão maior no misterioso desvelar do nosso destino.

Sei que posso ter apenas aumentado a confusão ao sublinhar o namoro do tropicalismo com o pessimismo profundo. Não apenas uma paródia de samba exaltação é ainda um samba exaltação assim mesmo, mas também, e talvez sobretudo, Jorge Ben — o autor da totalmente afirmativa e isenta de intenções irônicas "País tropical" — era — como Jorge Ben Jor hoje é — nosso herói estético e psicológico. Contudo, eu creio ser quase desnecessário dizer que a alegria pura — beleza pura — de Ben/Ben Jor é da mesma natureza daquela da bossa nova, apenas aqui num caso individual de expressão extrovertida agressiva. De resto, Jorge Ben surgiu no rastro da bossa nova e foi ainda sob sua luz que criou a variante primária e vitalista de samba moderno que, mais tarde, pôde casar com formas de rythm'n'blues, soul e funk. A canção "País tropical" é mais do que o avesso da canção "Tropicália": ela é o canto do homem alegre do país que os tropicalistas tinham em mira no seu primeiro movimento de tentativa de sair do reino das sombras. O artista Jorge Ben Jor é o homem que habita o país utópico trans-histórico que temos o dever de construir e que vive em nós. No entanto, as minhas canções ainda são predominantemente longos e enfadonhos inventários de imagens jornalísticas intoleráveis do nosso cotidiano usadas como autoflagelação e como que olhadas de fora: até essa coisa desagradável de pronunciar o nome de outro país como emblemático repositório de mazelas sociais. Eu odeio esse negócio de dizer o nome do Haiti naquela canção. Outro dia li que o meu colega Aldir Blanc — co-autor de tantos sambas magníficos — reivindicava a autoria da comparação do Brasil com o Haiti (e talvez da minha referência à minha "Menino do Rio" ligada a isso): eu não brigaria por ela. Só suporto — e mal — essa referência explícita ao Haiti (o único país americano onde uma revolução escrava foi vitoriosa e fundadora da nacionalidade) porque meti ali a forma verbal "reze". Mas — embora talvez para pessoas parecidas comigo (pois me custa crer nessas coisas) seja difícil engolir esta — nós somos escravos das canções que fazemos: elas são canções, querem nascer do mundo das canções que é um mundo com características próprias, nós freqüentemente as queremos fazer do modo como não queríamos que elas fossem. O país utópico, eu o quero abordar aqui.

Uma das vantagens da nossa abominável situação é podermos pensar que tudo ainda está por fazer. Dito assim, isso parece um lugar-comum estéril. E, pior, pode trazer a seguinte pergunta como complemento: e se justamente o Brasil tivesse sido uma grande oportunidade que se perdeu irremediavelmente, deixando-nos apenas com a degradação social que é demasiadamente complexa para servir de papel em branco ou ponto de partida, ou seja, se estivermos diante da mera entropia, e não do caos inicial de onde se pode extrair uma ordem bela? O fato é que tanto nas canções de 67 como nas de agora o que eu vejo é a tensão entre esses dois últimos termos. Entropia — caos. Mas eu, eu mesmo, não o mero escravo das canções, penso os aspectos entrópicos como problemas a superar — deveres severos: temos de começar por ler com singeleza os sinais de trânsito nas cidades. Por outro lado, amo o caos; não apenas como caldo de onde se destilará a nova ordem bonita, mas como desordem atual. O adjetivo "bonita" escolhido para qualificar a futura ordem desejada me parece revelar que o colorido do caos — o desequilíbrio onde viceja a violência e a perversão e também o talento excepcional e a inventividade, os caprichos e os relaxos, as vanguardas estéticas e os exotismos sexuais —, o colorido desse caos, dizia, é absolutamente indispensável à composição da nação sonhada, da estamparia das vestes do povo desse país do futuro. Ninguém disse melhor a natureza do nó que estamos a tentar desatar do que Antonio Cicero — um intelectual de formação filosófica acadêmica que trabalha também com música popular — nestas palavras que reli citadas por Carlos Diegues num belo artigo sobre futuro e Brasil: "Podemos dizer que o paradoxo do Brasil está em, sendo capaz de oferecer a prefiguração da solução de alguns problemas que poucos países conseguem efetivamente enfrentar, não ter conseguido efetivamente enfrentar alguns problemas que muitos outros países já resolveram total ou parcialmente".

Tudo o que eu disse — e tudo o que estou por dizer aqui — está contido nessa fórmula de Cicero; e não creio que eu possa dizer melhor: apenas dou testemunho de como em mim esse modo de encarar o Brasil se desenvolveu com o colorido próprio das minhas idiossincrasias e das minhas limitações.

Todo povo frustrado pode fazer fantasias compensatórias. Mas o que pensar quando estamos na situação de criar tais fantasias e temos como matéria real um país novo, imenso, tropical, mestiço e de fala portuguesa — quer dizer, usando uma das línguas do Sul da Europa que mais têm sofrido humilhações históricas depois de ser a que mais se espalhou pelo mundo, a língua em que se escreveu o épico inaugural da dominação européia sobre o globo, o grande épico da expansão ocidental? E, no entanto, freqüentemente somos catalogados como não fazendo parte do "Ocidente". Devemos pensar assim: o mundo em que vivemos parece-se mais com o mundo da história remota da humanidade, quando violentos avanços tecnológicos foram feitos, do que com Grécia e Roma. Estas se entregaram ao cultivo das artes, das leis e das idéias, num ambiente tecnologicamente estável amparado na mão-de-obra escrava. O curioso é que qualquer desvio extra-ocidental do curso da História atual — mesmo que seja a temida e pouco falada liderança da China sobre os não-ocidentais numa ação contra os atuais países ricos (eventualidade que já ouvi referida em tom alarmista na boca de conservadores americanos e em tom auspicioso na boca de sebastianistas portugueses) — poderá levar a uma retomada da ênfase greco-romana nas virtudes pessoais e sociais, em detrimento do furor tecnológico. Ou seja: pode levar o Ocidente de volta ao Ocidente.

Um amigo meu, um dos mais significativos representantes da contracultura dos anos 60, que sempre me impressionou pela inteligência ao mesmo tempo livre e realista, enlouqueceu. Antes de sua loucura tornar-se fato consumado, ele me confidenciou que tinha chegado ao limite de sua capacidade de pensar, em busca de uma alternativa para a cultura ocidental, e não conseguia sair dela: suas respostas e soluções eram intransponíveis. No entanto, muito de sua energia tinha sido gasta no esforço de ir além não apenas da injustiça social, da mediocridade e do subdesenvolvimento, mas também do estágio em que encontrara a religião, o sexo e a própria concepção do lugar do homem na natureza. Sendo paulista, o fato de ser brasileiro era para ele um acaso de muito pouca importância para que fosse sequer considerado infeliz: a perspectiva brasileira e a língua portuguesa eram para ele uma ferramenta neutra. É assim que eu quero pensar. Mas, desde o início, sempre considerei meus desejos de mudar o mundo como sinal de um movimento interno da História do Brasil, e cada pensamento ambicioso meu um esboço de aventura da própria língua portuguesa. Eu sei que os cultores de mitos medievais que sirvam de inspiração para extremados nacionalismos modernos são a semente das regressões totalitaristas: um professor português de literatura, autoridade em história das relações entre modernismo brasileiro e modernismo português, me disse um dia a respeito do professor Agostinho da Silva que, a princípio, temeu que suas idéias, afinal, se identificassem com as de Salazar. Às vezes algumas afirmações instigantes de Ariano Suassuna sobre o Brasil a mim me soam aparentadas com a famosa frase de Salazar "prefiro ver Portugal pobre do que Portugal diferente". Ao contrário, eu penso que o Brasil deve tornar-se o mais diferente de si mesmo que lhe for possível, para encontrar-se. E também saber livrar-se da pobreza que desumaniza sua população. Devemos, em primeiro lugar, aprender a observar as formalidades relativas aos direitos humanos e nos tornar destros para a tecnologia. Devemos estar à vontade na versão de Ocidente que veio do Norte. E superá-la. Não se trata de uma adaptação ao que é ocidental, como se espera de países asiáticos e africanos. Somos ocidentais. Mas Ocidente sempre significou transcendência da particularidade cultural, ambição de tomar nas mãos a história da espécie. Assim, amar a língua portuguesa é amar sua capacidade como instrumento universal; falar português é livrar-se da prisão do português.

Outro dia, um economista americano esteve aqui no Rio — um que fazia propaganda do livre-mercado como salvador das vítimas do Estado e aconselhava a que abríssemos nossa rede de vôos domésticos às empresas aéreas americanas —, esse economista (aliás, um americano negro) esteve aqui e disse que se orgulhava de só falar inglês e não querer aprender nada de outras línguas, pois o inglês é a língua do futuro. Ao ler essas declarações, pensei imediatamente: não é assim que eu amo a língua portuguesa. A língua em que Fernando Pessoa escreveu: "O Ocidente, futuro do passado"... Para nós, não se deve tratar de uma adaptação ao que hoje se chama de Ocidente, mas de uma sua retomada radical que implique uma sua superação. Nesse estágio está a minha loucura.

Naturalmente, tenho capacidade para a sensatez: mesmo sem estudar a Constituição de 88, concluo que há conquistas ali que devem ser defendidas, com unhas e dentes, contra qualquer ameaça — o exemplo indiscutível que me ocorre é a independência que foi dada ao Ministério Público. Mas não me sinto inclinado a participar do horror ao capital estrangeiro ou da defesa das estatais. Quando leio artigos de Roberto de Campos vêm-me à mente, em primeiro lugar, perguntas. Desde o tropicalismo — desde antes do tropicalismo — que me interessa saber *o que o Brasil diria ao mundo* se ele pudesse se fortalecer; o modelo econômico para chegar a esse fortalecimento sendo de importância secundária. É evidente que, em 1963, os comandantes da economia mundial não deixariam o Brasil fazer as reformas que as parcelas minimamente esclarecidas de seu povo exigiam. Menos ainda a revolução comunista que algumas elites políticas preconizavam. Aquelas parcelas minimamente esclarecidas estão longe de ser uma pequena minoria: foram elas que quase elegeram Lula em 89. Mas uma cubanização do Brasil — com sua extensão territorial, sua industrialização e o tamanho de sua economia — teria sido uma hecatombe política mundial. Porém, o que me interessa é perguntar: com uma revolução bem-sucedida, o que o Brasil daria ao socialismo, o que o socialismo brasileiro daria ao mundo? Hoje é fácil responder que talvez nada: dado o histórico de nossa incompetência, apenas somaríamos ao sombrio mundo comunista mais um gigante com cãibras burocráticas e boçalidade policial. Mas o fato é que nos impediram — e nós mesmos, afinal, nos negamos — esse caminho e temos sido levados à condição de maior fracasso econômico do continente, sendo visível o gosto da imprensa americana em opor nossa inépcia à propalada maturidade atingida, nesse campo, pelo Chile, pelo México, pela Argentina — e não só! Há um alívio em ver que não é mais preciso pensar que, para onde for o Brasil, irá a América Latina, pois o Brasil não vai a lugar nenhum.

No entanto, a escandalosa insensatez também me guia. O já citado professor Agostinho da Silva costuma dizer que Portugal já civilizou Ásia, África e América — falta civilizar Europa. Tal inversão petulante encontra eco dentro de mim. Descartado o risco de ser a expressão do ressentimento contra a luminosidade boreal vitoriosa, por parte de obscuros perdedores da História, essa exortação se identifica com minha idéia de radicalização do Ocidente implicando sua superação. Nessa perspectiva, o Brasil não precisa provar que tem caráter e é uma promessa de originalidade. Nem a má imagem que dele se fazem hoje os brasileiros, nem a emigração em grandes números para países mais ricos podem apagar a força do que somos nem o sentido que tem o modo como o acaso nos tem tratado. A Irlanda, do meio do século XIX ao início do século XX, esmagada sob a opressão inglesa, perdeu, por emigração, metade de sua população. As coisas lá nunca se acertaram: a ira santa contra a Inglaterra levou os irlandeses até a prática de um terrorismo que não se pode chamar de "esquerda". Ninguém, no entanto, ao pronunciar o nome da Irlanda, pensa num mero e pedestre fracasso. E não se pensa só em Joyce, Wilde, U2, Sinead O'Connor, Yeats ou Neil Jordan, que marcaram o mundo usando a língua do opressor — pensa-se no fogo irlandês, na teimosia, nos cabelos de Maureen O'Hara e no álcool. A Irlanda pode nunca superar suas chagas, mas é algo cuja grandeza reconhecemos. Mas o Brasil, que não é apêndice da língua inglesa, é algo cuja grandeza em potência se põe na condição de país novo americano, com o mito da tabula rasa e o mito da democracia racial. Mas "o mito é o nada que é tudo". A insensatez, assim, me leva a dizer que, pelo Brasil, o gosto da civilização ocidental inicial — Grécia, Roma — e o gosto mediterrânico e florestal — Israel (grandemente Israel, que nunca foi potência econômica ou militar para dar ao mundo o arsenal de idéias e estilos que deu), mas também o islã e Jesus (filhos de Israel), e Olodumaré, Dioniso, Uirá — podem e devem tomar nas mãos as rédeas do mundo, fazendo-o transcender o estágio nórdico e sua ênfase bárbara na tecnologia.

Assim, um dia, passando pela porta da PUC no Rio, vi vários jovens de ambos os sexos entrando nos jardins da universidade, em meio a outros transeuntes que esperavam o ônibus, carregavam encomendas etc. Pensei na informalidade das roupas de todos. E lembrei de como, em 66, me parecera um escândalo de repressão que alguns cinemas em São Paulo exigissem paletó e gravata. Pensei em como, nos anos 60, lutamos contra hierarquias e superindividualizamos a moda. Depois, dos anos 70 em diante, muitas vezes sofri ao ver a vulgaridade dos trajes anarquicamente usados em toda parte: senhoras em bermudas apertadas e camisetas com a cara do Mickey entrando em bancos; aeroportos cheios de pernas peludas sustentando verdadeiros cartazes com palavras em inglês. O equivalente hoje da elegância discreta é a farda jeans com blusa e sapatos para todas as classes — e o resto parece lixo. No entanto, há, sobretudo em cidades praianas — mas recentemente observei sensação semelhante no interior de Minas — como o Rio de Janeiro ou Salvador, uma alegria da informalidade e da exibição ao sol e ao vento de grande parte do corpo. Essa alegria apenas está pervertida, conspurcada pelo clima de autodesprezo moral, pela ignorância e pela corrupção. Imaginei então o Brasil encontrando e inventando naturalmente novas formas de vestir. E novas e mais delicadas hierarquizações dessas formas. Uma nova civilização de belas, leves e solenes roupas pequenas no cobrir e grandes no significar e no encantar. Vi o Egito. Um novo Egito. Vi Atenas imensa e sem escravos. Imaginei a sutil diferença entre a veste do aluno e a do mestre, na Universidade Brasileira. E a variedade das roupas de inverno no Sul.

Um dos mistérios de nosso tempo é o que chamamos de arte moderna. Uma das suas maiores fascinações, a idéia de vanguarda. Outro dia, aqui mesmo neste museu, fui convidado pelo poeta Haroldo de Campos a participar de uma leitura da peça nô japonesa *Hagoromo (O manto de plumas)*. A tradução de Haroldo era também uma homenagem a Hélio Oiticica, e me sugeriram que eu usasse um seu parangolé numa espécie de performance. Esses objetos enigmáticos, feitos para vestir, foram virando, à medida que eu tentava comentá-los, o que eles devem ter sido desde sempre para Hélio: a roupa transcendental. E, enquanto eu ridicularizava, ao mesmo tempo, a impossibilidade de a gente se decidir diante de criações tão arrojadas e a nova costura japonesa (na verdade, amo intensamente ambas), fui realizando tantas modalidades de usar o parangolé, que atingi o ponto em que para mim era vívida a relação que Haroldo fazia entre a experiência de Hélio e a peça nô — o que levara a apelidar sua tradução de *Parangoromo*. O manto de plumas da peça é o que possibilita a volta do ser celestial anjo-anja ao céu do céu.

Nessa perspectiva o parangolé ganha seu sentido final de roupa—não-roupa da transcendência permanente.

Vi então Haroldo como um poeta altíssimo que me induzira a essa revelação. Ele tinha vinculado a subida ao monte sagrado da peça nô à subida de Hélio ao morro da Mangueira, alando anjos mulatos com mantos eternamente ilegíveis e eternamente sugestivos. O figurinista Cao me disse que o artista plástico Luciano Figueiredo lhe explicou as rígidas normas que Hélio se impunha na execução dos parangolés. Devem ser os rigores do programa de criação de um mundo novo. E, tendo sido o nome de uma instalação de Hélio de 1966, que, via homem do Cinema Novo Luís Carlos Barreto, veio a apelidar aquela minha canção — "Tropicália" — que, por sua vez, deu nome ao movimento — tropicalismo —, enfiei a relação Japão-parangolé—Céu-Mangueira, que Haroldo sugerira, numa interpretação dos parangolés como uma profecia de Hélio.

Claro que eu gostaria que surgissem figurinistas brasileiros tão *avant-garde* quanto os japoneses. Mas o que eu espero do Brasil é uma revolução na história do traje, pontuada por algumas personalidades, mas de força coletiva.

Uma das razões por que eu gosto de manter uma produção de canções "de massa" é a vontade de reequilibrar a média da criação pop brasileira a cada passo, em detrimento de um possível afastamento para pesquisar algo fundador. É como se fosse um não-querer estar demasiado à frente, ou acima, ou à margem. Talvez o Hélio já tivesse, antes de morrer, começado a me desprezar por isso. Mas, para mim, é irresistível: o fato de uma canção como "Filhos de Ghandi", de Gil, ter desencadeado, por sua beleza específica, uma avassaladora mudança da postura do negro na Cidade da Bahia, fazendo renascer aquele afoxé quase extinto e multiplicando o surgimento de outros, é, para mim, de grande importância como sugestão de para onde dirigir a ambição.

O psicanalista italiano afrancesado Contardo Calligaris, que, tendo se apaixonado pelo Brasil, escreveu um livro devastador das nossas possíveis esperanças, respira por um momento para dizer, diante da estapafúrdia estranheza das letras dos blocos afro de Salvador e suas descrições de um Egito idealizado, que talvez nessas projeções dos poetas populares do Carnaval da Bahia esteja o nosso único esboço de um projeto de identidade e nacionalidade. Nesses Egitos e Madagascares e Etiópias de delírio, podem estar o país (que nós não somos) e o nome (que nós não temos).

Mas meu nome é Caetano porque nasci no dia de São Caetano e o nome do país é Brasil por causa do pau. E só os idiotas tomam a antropofagia de Oswald de Andrade como uma metáfora—justificativa de ecletismos impotentes. A versão tropicalista levou ao Egito dos blocos, à regeneração do mercado de música popular no Brasil, à elevação do nível intelectual de sua produção e sua crítica, a outro tipo de diálogo com os estrangeiros. Para mim tem grande significação que a canção "Sampa" leve muitos paulistanos a me agradecer por eu ter despertado o narcisismo básico de que a cidade necessitava para poder seguir e que já parecia quase irremediavelmente perdido.

Outro europeu que também se espantou com a liberdade com que escolhemos e a freqüência com que usamos os prenomes no Brasil, o antropólogo Claude Lévi-Strauss (aliás, personagem da minha canção "O estrangeiro", por ter achado a Baía da Guanabara muito feia), no capítulo dos seus *Tristes trópicos* dedicado a São Paulo, onde ele faz um retrato em princípio desalentador da vida intelectual brasileira (Oswald de Andrade deve ter-lhe parecido mais indigesto do que ao Calligaris), diz que aqui, no contato com seus alunos da então recém-inaugurada USP, aprendeu, vendo-os "transpor em poucos anos uma diferença intelectual que se poderia supor da ordem de muitas décadas, como morrem e como nascem as sociedades"; e que "essas grandes subversões da História, que parecem, nos livros, resultar do jogo de forças anônimas agindo no coração das trevas, podem também, num claro instante, realizar-se pela resolução viril de um punhado de crianças bem-dotadas". Na canção "Um índio" — um dos momentos de tentativa de superação do pessimismo tropicalista e que, na verdade, se parece muito com esta palestra aqui — eu inseri o verso "num claro instante", tirado *ipsis litteris* da edição brasileira de *Tristes trópicos* que o próprio Lévi-Strauss (que certamente odiaria ouvir algo seu metido numa canção pop) ajudou a traduzir.

No início desta conversa, distingui entre fazer projetos para o futuro e sonhar. Nossos projetos devem ser no sentido de resolvermos o problema da distribuição de renda entre nós, de amadurecermos uma noção de cidadania, de elevar nosso nível de competência. Nossos sonhos devem ser imensos e de libérrima originalidade. Um jornalista americano, que outro dia me entrevistava, estranhou que, em minhas ambições para o Brasil, eu enfatizasse a originalidade, e não a força, a riqueza ou o poder. De fato, não penso num superdesenvolvimento de nosso poderio militar nem numa dominação econômica de outros povos. Penso no poder transformador dos nossos jeitos se apenas sairmos da miséria.

O índio daquela minha canção é o mesmo índio dos árcades e dos românticos — símbolo da nacionalidade que, na Bahia, vemos a cada 2 de julho desfilar em procissão que supera qualquer paródia tropicalista — mas é também o Juruna que se elegia deputado, é um representante da tribo que Egberto Gismonti fora visitar e é um sobrevivente da última chacina ou o espírito de um dos seus mortos; em suma, é um personagem muito mais complexo e com o qual temos muito maior intimidade. E dele se diz que virá "mais avançado que a mais avançada das mais avançadas das tecnologias".

O que será que nos faz pensar, num país atrasado quanto às pesquisas científicas e às conquistas da informática, que podemos daqui antever ou entrever melhor o espírito do homem que saberá organizar belamente sua vida a partir de um sentir-se não num universo, mas, usando a expressão que li no último livro daquele que foi na verdade o primeiro influenciador do tropicalismo — o francês Edgar Morin —, num "pluriverso polimorfo" que a novíssima ciência (que descobriu os pulsares exatamente no ano 1968) nos insinua?

Depois de tanto falar, e com tanta pose, fica-me faltando explicar por que disse ter sido ou ser o tropicalismo superestimado. Como — se eu aceito falar num evento para o qual se convidaram verdadeiros grandes poetas? E como faço tantas referências a autores sérios com tamanho ar de bonomia? E como vinculo as imensas ambições (dignificadas pela citação pertinente de tantos nomes célebres) ao movimento tropicalista? Bom, em primeiro lugar, vale lembrar o que se lia nos muros de Paris em 68: "Cultura é como geléia: quanto menos se tem mais se espalha". Não conheço de Unamuno, por exemplo, quase nada além do que usei aqui nesse arrazoado. Uma vez, respondendo a uma minha provocação irresponsável, José Guilherme Merquior nos chamou, a mim e a todos os componentes do mundo dos espetáculos, de subintelectuais de miolo mole. Sempre achei essa expressão bem cunhada. A meu ver ela não perde sua força cômica por eu ser capaz de escrever assim. Mas o que me leva a reafirmar que houve uma superestimação do tropicalismo é a certeza de que, apesar da *boutade* de Merquior, há um consenso hoje, no Brasil, a respeito da grandeza do que fizemos, quando quase nada fizemos além de chamar a atenção para o fato de que temos um dever de grandeza.

Acho que nós, brasileiros, nos contentamos com muito pouco. Os nossos discos daquela época — sobretudo os meus

— são de um amadorismo imperdoável. Esse é um problema que vimos tentando superar a pouco e pouco, mas, à medida que conseguimos alguns avanços, os anos desfazem as configurações que deram *momentum* aos sentidos que insinuamos. Mas ainda acho que eu estar hoje aqui, dizendo o que disse, porta, em combinação rítmica com o resto de minhas atividades, algum teor de poesia não de todo desprezível. E essa poesia quer dizer, pelo menos, que há graça em existirmos.

Para finalizar, eu quero dizer uma poesia. São estes versos do poeta romântico maranhense Sousândrade, que seriam para mim meramente enigmáticos se não me parecessem uma formulação adensada do meu próprio pensamento:

> Brasil é braseiro de rosas
> A União, estados de amor.
> Floral: sub-espinhos daninhos
> Espinhal: sub-flor e mais flor.

Conferência proferida no Museu de Arte Moderna do Rio de Janeiro em 26 de outubro de 1993, no contexto do evento *Enciclopédia da Virada do Século/Milênio*. Uma versão reduzida, sob o título "Utopia Z", foi publicada na *Folha de S.Paulo*, Caderno Livros, 1994.

CARMEN
MIRANDA DADA

Para a geração de brasileiros que chegou à adolescência na segunda metade dos anos 50 e à idade adulta no auge da ditadura militar brasileira e da onda internacional de contracultura, Carmen Miranda foi, primeiro, motivo de um misto de orgulho e vergonha e, depois, símbolo da violência intelectual com que queríamos encarar a nossa realidade, do olhar implacável que queríamos lançar sobre nós mesmos.

Carmen Miranda morreu em 1955. Em 1957 as suas gravações brasileiras anteriores à sua vinda para os EUA soavam totalmente arcaicas aos nossos ouvidos e as que ela tinha feito aqui nos pareciam ridículas: "Chica Chica bom chic", "Cuanto le gusta" e "South American way" iam no sentido inverso ao dos nossos anseios de bom gosto e de identidade nacional. Ouvíamos então cantoras de que talvez nunca se tenha ouvido falar aqui [nos EUA], mas que nos pareciam superiores a ela — e de fato o eram sob certos aspectos: Ângela Maria, Nora Ney, Elza Soares, Maysa. Quase adivinhávamos a bossa nova. Mas Carmen tinha se tornado uma das personalidades formadoras da vida americana do pós-guerra, influenciando a moda e mesmo o gestual de uma geração. Hoje, fascinados, a encontramos referida na biografia de Wittgenstein — como favorita do biografado. À época, já tinha bastante peso saber que ela era a única artista brasileira reconhecida mundialmente e, ouvíamos os mais velhos repetirem, não sem méritos. Assim calávamos no peito um orgulho que afinal é semelhante ao que sentimos quando ouvimos o nome de Pelé fora do Brasil ou quando vemos o Bloco Olodum tocando com Paul Simon no Central Park para centenas de milhares de pessoas: todos os indivíduos de um país que não figura nos noticiários dos grandes jornais do Primeiro Mundo, a menos que uma catástrofe se abata sobre seu povo ou o ridículo sobre seus governantes, emocionam-se compulsoriamente com coisas assim. No caso de Carmen Miranda, àquela altura, víamos-lhe mais o grotesco do que a graça e não estávamos maduros o bastante para meditar sobre o seu destino.

A saída mais fácil (e a atitude mais freqüente) era ignorá-la. O que não era difícil num país que, diferentemente da Argentina, não costuma guardar vivas na memória suas figuras de massa, quer sejam líderes políticos ou cantores de música popular.

Contudo, em 1967 Carmen Miranda reaparece no centro dos nossos interesses estéticos. Um movimento cultural que veio a se chamar tropicalismo tomou-a como um dos seus principais signos, usando o mal-estar que a menção do seu nome e a evocação dos seus gestos podiam suscitar como uma provocação revitalizadora das mentes que tinham de atravessar uma época de embriaguez nas utopias políticas e estéticas, num país que buscava seu lugar na modernidade e estava sob uma ditadura militar. Esse movimento derivou seu nome de uma instalação do artista plástico Hélio Oiticica, inspirou-se em algumas imagens do filme *Terra em transe*, de Glauber Rocha, dialogou com o teatro de José Celso Martinez Corrêa, mas centrou-se na música popular. A canção-manifesto "Tropicália", homônima da obra de Oiticica, termina com o brado "Carmen Miranda da-da dada". Tínhamos descoberto que ela era nossa caricatura e nossa radiografia. E começamos a atentar para o destino dessa mulher: uma típica menina do Rio, nascida em Portugal, usando uma estilização espalhafatosamente vulgar mas ainda assim elegante da roupa característica da baiana, conquistara o mundo e chegara a ser a mulher mais bem paga dos EUA. Hoje há estrelas latinas vivendo neste país e trabalhando para massas de latinos residentes aqui.

Carmen conquistou a América branca, como nenhum sul-americano tinha feito ou viria a fazer. Ela era a única representante da América do Sul com legibilidade universal e parece que é exatamente por isso que a autoparódia era sua prisão inescapável. Parecia então que podíamos entender a depressão profunda a que ela chegou nos anos 50, o abuso de remédios, a destruição da sua vida. Ainda hoje, estar escrevendo estas palavras sobre ela é algo difícil e penoso para mim. O que quer que aconteça na América com a música brasileira — e mesmo o que quer que aconteça no hemisfério norte com qualquer música do hemisfério sul — nos leva a pensar em Carmen Miranda. E, inversamente, pensar nela é pensar em toda a complexidade desse assunto. O Olodum no disco de Simon, a coletânea de sambas experimentais de Tom Zé feita por David Byrne, Naná Vasconcelos e Egberto Gismonti, Sting e Raoni, Tânia Maria, Djavan e Manhattan Transfer, o culto de Milton Nascimento. Ela está sempre presente.

Quando a bossa nova estourou nos EUA, isto é, no mundo, sentíamos que finalmente o Brasil exportava um produto acabado e de boa qualidade. Mas o fato de essa onda ter sido deflagrada por um compacto, extraído do álbum Getz—Gilberto, que contém "Garota de Ipanema" belamente cantada por Astrud Gilberto, em inglês, conduz à insinuação de uma Carmen Miranda cool-jazz. Não apenas a voz de Astrud salta como uma fruta gostosa de dentro das harmonias densas de Tom Jobim: a própria personagem da garota de Ipanema louvada na canção parece usar frutas na cabeça.

Isso não é um pensamento forçado, é algo que está no ar. Recentemente, numa noite de gala em benefício da Rain Forest Foundation, comandada por Sting e abrilhantada pelo próprio Jobim, corria o rumor nos bastidores de que, quando Tom e sua banda tocassem a "Garota de Ipanema", Elton John entraria no palco vestido de Carmen Miranda ou, pelo menos, usando um daqueles turbantes cheios de bananas ou de guarda-chuvas. Afinal, tal não se deu. Mas dizem que somente porque Elton e Sting não estavam seguros de que Tom (e a platéia) aceitaria a brincadeira com simpatia. De todo modo, pra mim já é bastante revelador que tal boato tenha surgido ali. Ela está sempre presente. Airto sacudindo balangandãs na banda de Miles Davis em 71. Flora Purim e Chick Corea.

Ela está sempre presente também porque há uma coisa sobre a qual os tropicalistas logo tiveram de meditar, além do caráter extraordinário do seu destino: a qualidade de sua arte. Antes de se tornar a falsa baiana internacional, bem antes de ascender ao posto de deusa do *camp* (e de fato aquela imagem de um infinito de bananas partindo do topo de sua cabeça que Busby Berkley, com sua tendência de produzir visões de êxtase místico, criou, é a confirmação de sua divindade), Carmen Miranda tinha deixado no Brasil o registro abundante da sua particular reinvenção do samba. E, depois que a bossa nova já estava madura e exportada, quando Tom Jobim já se instalara entre os maiores autores de canções do século e Sérgio Mendes achara a melhor maneira de colocar a musicalidade brasileira no mercado internacional — depois, enfim, de tudo isso que se fez possível pela magia do bruxo-mor João Gilberto, nossa aventura mais profunda —, os velhos discos de Carmen já não soavam mais como antigüidades. Na verdade, saiu no Brasil uma coletânea em CD dessas gravações e não seria má idéia se o mesmo se desse aqui [nos EUA]. O repertório deslumbrante recebia um tratamento precioso do seu estilo, feito de destreza e espontaneidade. A agilidade da dicção e o senso de humor jogado no ritmo são a marca de uma mente esperta com que descobriríamos que tínhamos muito o que aprender.

A gravação de "Adeus batucada", um samba profético de Synval Silva (que era seu motorista particular e revelou-se extraordinário compositor) em que ela se despede de seus companheiros de roda de samba dizendo "eu vou deixar todo mundo, valorizando a batucada", é uma das mais belas jamais feitas no Brasil.

Essa canção terminou por encontrar eco em outra, escrita por Vicente Paiva, em desagravo à frieza com que ela foi recebida pela platéia do Cassino da Urca no Rio, quando de sua primeira apresentação no Brasil depois do sucesso nos EUA: "Disseram que eu voltei americanizada". É uma prestação de contas bem-humorada ao público e à crítica cariocas, que se ressentiam da descaracterização dos ritmos brasileiros, aos quais os músicos americanos tinham dificuldade em se adaptar e talvez pouca paciência de prestar atenção, dando deles uma versão sempre cubanizada. Que justamente uma cantora do único país de língua portuguesa da América Latina tenha sido eleita a representante desse conjunto de comunidades de língua espanhola não trouxe poucas dificuldades estilísticas a suas performances. Hoje há um conhecimento específico da rítmica brasileira entre músicos americanos — depois da bossa nova e de Milton Nascimento pode-se contar com o desejo de captar a peculiaridade da música no Brasil. Na época de Carmen bastava fazer um barulho percussivo que fosse facilmente reconhecido como latino e negróide. Mas ela, que tinha feito questão de trazer consigo os rapazes do Bando da Lua, representou menos a adulteração alegada pelos seus críticos do que o pioneirismo de uma história que ainda se desenrola e hoje parece mais fascinante do que nunca: a história das relações da música muito rica de um país muito pobre com músicos e ouvintes de todo o mundo. Uma história de que, de resto, este artigo não é o episódio menos curioso, sendo o seu autor o mesmo da canção tropicalista que termina com o nome de Carmen, com o "Miranda" ecoando em "dada".

Desta singular perspectiva é que se tenta observar a virada crítica que nos levou a descobrir os encantos das velhas gravações brasileiras de Carmen Miranda e também a dignidade predominante na sua discografia americana. Ela fez mais e melhor samba por aqui do que nós estávamos dispostos a admitir.

O poeta brasileiro Oswald de Andrade, do movimento modernista de 1922, disse uma vez: "O meu país sofre de incompetência cósmica". Carmen parecia livre dessa maldição. O que salta aos olhos quando revemos hoje seus filmes é a definição dos movimentos, a articulação das mãos com os olhos, a nitidez absurda no acabamento dos gestos. Anos depois da *boutade* de Oswald de Andrade, Hanna Arendt se referia à disparidade entre os países pobres e os países ricos exatamente na área da competência. Muito do que sai no Brasil torna-se notável pela magia, pelo mistério, pela alegria; pouco pela competência. Quando me perguntam por que Carmen Miranda agradou tanto aos americanos, eu respondo: não sei. Mas fico me perguntando se a sua grande vocação para a arte-final, a sua capacidade de desenhar a dança do samba num nível exacerbado de estilização, como uma figura de desenho animado, não terá tido parte decisiva nisso.

Competência é uma palavra que define bem o modo americano de valorizar as coisas. Carmen Miranda excedia nessa categoria. Gal Costa, Maria Bethânia, Margaret Meneses são verdadeiras baianas, são grandes artistas da alegria e do mistério. Mas o estilo gestual de Carmen encontra uma identidade no estilo vocal de Elis Regina: alta definição no ataque das notas, nitidez no fraseado, afinação de computador — competência. Hoje talvez os EUA não estejam tão apaixonados por esse item, talvez estejam menos saudavelmente ingênuos quanto ao progresso tecnológico do que nos anos 40 e 50: ir ao Japão é ser levado a pensar nisso.

Quanto ao Brasil, houve quem dissesse que o surrealismo é o único realismo possível na América Latina, pois o cotidiano da miséria é surreal. Nós, os tropicalistas, numa época que os highbrows e os lowbrows fizeram umas farras conjuntas, para desespero de alguns middlebrows, achávamos que Dada nos dizia mais respeito do que o surrealismo; era o inconsciente não-estetizado, era a não-explicação do inexplicável. Era também o contrário de prendermo-nos num absurdo formalizado: era termos optado antes de tudo pela liberdade como tema fundamental. Não éramos dadaístas, é claro. Éramos um punhado de garotos baianos, filhos da bossa nova, e interessados no neo-rock-n'-roll inglês dos anos 60. Alguns tínhamos chegado à universidade. Foram os irmãos Campos, Augusto e Haroldo, líderes do movimento da poesia concreta no meio dos anos 50, com quem passamos a ter um bom convívio quando nos mudamos para São Paulo, que nos deram a sugestão do paralelo entre Dada e o surrealismo de que nós fizemos o uso que descrevi acima. Hoje, quando as vanguardas do início do século são postas em questão por terem, entre outras coisas, atraído uma horda de subletrados que produzem cultura de massas, olhamos para trás sem vergonha e sem orgulho. Apenas sorrimos felizes quando ouvimos Marisa Monte cantar uma canção de Carmen, acompanhando-a com uma reprodução muito sutil do seu gestual. E não encontramos nada em nossas próprias gravações que seja comparável às melhores gravações de Carmen Miranda dos anos 30.

Exilado em Londres em 71, foi que eu vi pela primeira vez a tal fotografia em que Carmen Miranda aparece involuntariamente de sexo à mostra. Lembrei dos primeiros portugueses que, ao chegarem ao Brasil e vendo os índios nus, anotaram em carta ao rei de Portugal que "eles não cobriam as suas vergonhas". Isso de se referir à genitália como vergonha era corrente no português do século XVI. Pensei que não deixava de ser significativo que a nossa representante fosse a única do olimpo hollywoodiano a exibir sua vergonha. E que tivesse feito sem saber o que estava fazendo, por descuido, inocentemente. "Vergonha" é uma palavra que atravessa este artigo, desde o primeiro parágrafo. Mas tal visão me causou antes orgulho do que mal-estar. Nos braços de César Romero, sorriso hollywoodianamente puro nos lábios, cercada de brilhos cheios de intenção e controle, tudo nela e em torno dela parecia obsceno perto da inocência de seu sexo.

A iluminação, o cenário, a pose, a fantasia eram Carmen Miranda. O sexo exposto era Dada.

FOLHA DE S.PAULO, 22 DE OUTUBRO DE 1991.

Primeiramente publicado no The New York Times nesse mesmo ano.

A IPANEMIA

A Ipanemia é uma doença fácil — Endepidêmica, vem em ondas como o mar, e como o mar, vem em ondas sem por isso deixar de estar sempre aí mesmo. Não creio que ela se restrinja a Ipanema. Muito pelo contrário: no meu entender, a Ipanemia (como tudo) nasceu na Bahia. O Rio apenas exporta para o exterior (São Paulo).

A Ipanemia é uma doença fértil — Eu, por exemplo, recebi muitas cartas de felicitações pela minha morte, que, entre outras besteiras, eu mesmo noticiei há uns três *Pasquins*. Quero responder publicamente a todos os que me escreveram nessa oportunidade, explicando que eu quis dizer que estava morto, e não triste. Não estou nem mais alegre, nem mais triste do que antes. Nem mais nem menos poeta, tampouco. Quem nunca morreu não sabe, mas vem dar no mesmo: neve é ótimo, frio é chato, Paul McCartney assegura que está vivo, Gil manda dizer que recusa o Golfinho da Imagem e do Som. Londres é bom, fiz umas músicas bonitas que estão agradando aqui, acho que nunca vou aprender a falar inglês, mas não faz mal etc., tá legal tudo. Além do mais, não há motivo para tanta alegria: eu ainda posso ressuscitar. A nossa época é uma época de milagres. De qualquer modo, o negócio não é esse, bicho. Eu gostaria apenas que a minha morte fizesse bem à Gal Costa. Tomara que ela tenha percebido que eu morri. Digo isso porque eu mesmo não me apercebi de imediato. Alguns amigos me avisaram, mas eu não liguei, até que vi o retrato.

A Ipanemia é uma doença horrível — E na sua débil beleza, ela is supposed to be um anticorpo contra o dragão da maldade. Mas, na verdade, ela desempenha o papel da donzela, que deve ser salva pelo santo guerreiro. Só que não é mais donzela, nem nada. E não há nenhum santo em vista, e os guerreiros mal sobrevivem.

A Ipanemia é uma doença fóssil — O *Pasquim*, por exemplo, não tem modernidade para enfrentar o Nelson Rodrigues. A fossa é muito grande. A fossa é mais funda do que parece. Acredito que a Ipanemia seja anterior à alma lírica brasileira que tanto me interessa, a mim e ao Dr. Alceu, e ao Nelson Rodrigues. Eu, pessoalmente, adoro o *Pasquim* e Nelson Rodrigues e o Chico Buarque de Hollanda e o Caetano Veloso. O que não suporto é a capacidade que a turma tem de nos suportar, ou melhor: eu adoro o *Pasquim* e eu odeio o *Pasquim* e eu odeio mais a maneira como se ama o Caetano Veloso e mais ainda a maneira como o *Pasquim* odeia o Nelson Rodrigues e a maneira fácil com quê. E sem quê. Sem que nem por quê. E assim por diante até que eu adoro tudo em conjunto, caso contrário, eu daria um tiro na cabeça. De quem? — cabe a pergunta. A Ipanemia é uma espécie de "o-sistema-engloba-tudo" amadorístico. E Glauber é que está certo. O Zé Celso fala demais. E eu falo demais e o Rogério Sganzerla fala demais. E todo mundo se explica demais, e é uma merda. Mas talvez seja melhor: a gente se explica, se explica, se explica, e morre logo de Ipanemia e pronto. Quando a gente pensa que está lutando bravamente contra o vício de Ipanemia, a gente está se afundando cada vez mais nela. A Ipanemia é uma espécie de "o-sistema-engloba-tudo" amadorístico. Eu odeio esses brasileiros que vêm a Londres e falam mal do *Pasquim*. Porque essa vontade de falar mal exatamente do *Pasquim* é um sintoma da mesma doença congênita de que sofre o *Pasquim*. Tudo que não está além disso é a mesma porcaria. E eu não me sinto além de nada. Morrer não é ir para o além.

A Ipanemia é uma doença fútil — Portanto, eu agora quero falar da maneira mais clara possível. Quero falar de uma maneira lógica, de uma maneira à qual não estou habituado. Quero dizer que se eu falei que morri foi porque eu constatei a falência irremediável da imagem pública que eu mesmo escolhi aí no Brasil. Quando eu me congratulei com aqueles que me fizeram sofrer, eu estava querendo dizer que, dando motivo para crescer uma compaixão unânime por mim, que vira prêmios e homenagens e capas de revistas muito significativas, eles conseguiram realmente aniquilar o que poderia restar de vida no nosso trabalho. Exatamente uma capa de revista me fez ver isso de uma forma muito mais nítida. Cansei. Não dá pé explicar tudo direitinho, parece que a gente está mentindo. Eu não sei falar assim. Eu sou apenas um colaborador do *Pasquim*, um colaboracionista. Aliás, eu mesmo sou contra tudo que penso. Portanto, ninguém tome ao pé da letra nada do que eu digo. Nem ao pé da letra, nem de nenhuma outra forma. Ou melhor: tome de qualquer jeito, que vem dar no mesmo. Eu quero é me divertir como o Paulo Francis quando escreve. Eu quero é comer com coentro. Já morri que eu sou muito vivo. Além do mais, estou cansando de escrever e ainda vêm estas frases sem pé nem cabeça (como se as outras o tivessem). Enfim: eu gostaria de fazer um filme chamado *Memórias do subdesenvolvimento*.

O PASQUIM, 14 DE JANEIRO DE 1970.

MÚSICA

PRECISO DIZER
QUE TE AMO

A navalha é carinho, é cartão de crédito. O Brasil vai ensinar ao mundo por isso: porque nas letras de Cazuza sempre aparece esse fio. Por exemplo: o direito de dizer assim desabusadamente e com todas as letras que o Brasil vai ensinar o mundo (direito que foi adquirido pelo timbre da voz dos versos) é confirmado pela surpresa da afirmação de que o Brasil vai aprender (tem de aprender) com o mundo. Outro exemplo: a letra de "Bicho humano" resulta coesa e enxuta, como se fosse isso mais por causa do H da hora que anuncia e ecoa o humano do bicho que uiva do que pelos jogos singelos de "dance", "canse", "transe", "chance": o uivo é que assegura a sobriedade da composição. Não se passa por uma letra de Cazuza sem um acontecimento que excite o interesse. Vê-las, lê-las, agora assim reunidas e comentadas (pelas vozes da hora, vozes que trazem o gosto da hora em que as canções foram feitas e gravadas) é constatar com assombro a intensidade do sentimento que atravessou a música brasileira na pessoa desse menino de Ipanema.

O rock brasileiro dos anos 80, aquela onda enorme que representou a maturação do estilo entre nós, foi um acontecimento auspicioso porque saudável e rico, revitalizador do ambiente e revelador de numerosos grandes talentos. Tão numerosos que, mesmo com o espantoso crescimento do mercado, muitos grandes talentos correram o risco de sumir numa multidão. O caso de Cazuza foi especial: ele quase corre o risco de destacar-se demais da turma. Não só porque era desde logo um dos maiores entre os grandes, mas também (e talvez sobretudo) porque a originalidade de sua formação poderia ter lhe valido a expulsão do grupo. Ele chegou ao rock com uma bagagem de samba-canção, com um eco de Rádio Nacional, que o movimento só agüentou porque era de fato forte e profundo. O depoimento de Nilo Romero sobre a composição de "Brasil" comove quando ressalta que ele e George Israel viram ali a oportunidade de fazer "samba-rock" para valer, como nunca tinha sido feito antes. De fato, a expressão pode estar já na música de Jackson do Pandeiro, a intenção já rolava entre os tropicalistas, a combinação aparece ricamente ensaiada nos arranjos dos Novos Baianos — mas samba-rock mesmo, cravado, desde a medula da composição, só "Brasil". E é evidente que a inspiração para isso não chegaria sem Cazuza. Sem o timbre, as palavras, o sotaque, a personalidade musical do poeta Cazuza. Porque ele está entre Herbert Vianna e Lobão como está entre Ataulfo Alves e Lupicínio.

Com isso tudo, o que mais impressiona no corpo da produção de Cazuza agora é a carga de esperança que ela suscita. Paradoxalmente, o monte de canções de desespero e lamento que nos deixou esse garoto que morreu tão cedo exala esperança. Mas o paradoxo é só aparente. O tom desesperado está sempre cheio de gosto pela vida, e o lamento é antes sensualidade. A força da esperança, no entanto, vem da obra em sua relação com a história da nossa música. E nossa história se tem contado privilegiadamente através da música popular.

Podemos chorar de saudade de Cazuza. Mas sempre tornamos a nos alegrar com sua presença divertida e desafiadora, porque ele é uma das pessoas que mais sabem expressar este fato dificílimo de entender e admitir: os humanos somos todos imortais.

Orelha do livro que reúne as letras de Cazuza, *Preciso dizer que te amo*, São Paulo, Globo, 2001.

BIM BOM

A leitura deste trabalho de Walter Garcia exerceu grande impacto sobre mim. E eu tenho todas as razões para supor que ela será igualmente importante para todas as pessoas que estudem a música popular do Brasil ou a pratiquem — sobretudo para aquelas que, estudando-a ou não, praticando-a ou não, tenham-lhe amor. O senso de proporção do autor se expõe de modo tão lúcido que suas descrições técnicas e conclusões interpretativas iluminam, superando-os, todos os esforços dos que o antecederam na tarefa de explicar-nos como e por que a arte de João Gilberto é o xis do problema. Pode-se mesmo dizer que a dissertação de Garcia tem virtudes joãogilbertianas: com brevidade, muito de tudo o que já se disse sobre João é reavaliado de modo a fazer mais sentido, ganhar em clareza, cada idéia encontrando seu lugar. O que põe tudo em outro nível e anuncia um futuro diferente para as discussões teóricas sobre o assunto.

Pode parecer despropositado usar palavras tão retumbantes sobre um texto que prima pela modéstia. Mas essa modéstia justamente equivale à emissão despretensiosa e à dicção despojada de João. Ela serve à elucidação do essencial na tradição crítica que forçosamente nasceria da revolução estética desencadeada por este último.

A própria escolha da peça a ser minuciosamente estudada (e que dá título ao trabalho) é significativa. "Bim bom" é uma canção-manifesto como "Desafinado" e "Samba de uma nota só", mas, diferentemente destas, nunca foi tomada por nenhum especialista como emblema da bossa nova. Parece que ela era demasiado simples, demasiado modesta. De fato, comparada às canções de Jobim, "Bim bom" parece uma brincadeira de criança. Por outro lado, ela é uma composição de João Gilberto e, na sua extrema singeleza, apresenta-se como um pretexto privilegiado para ele exercitar as mais sutis sutilezas de sua invenção. Sem o dizer explicitamente, o que Garcia faz é tomá-la como a mais radical das canções-manifesto do movimento, ressalvando que ela o é sem poder sê-lo, ou melhor, que a razão que faz com que ela o seja é a mesma que a impede de sê-lo: ela é um manifesto pessoal (muito pessoal) de João.

Para entender melhor o *Chega de saudade*, de Ruy Castro, o *Balanço da bossa*, de Augusto de Campos e Cia., os livros de Tinhorão, o *Música Popular Brasileira*, de Zuza Homem de Mello, e *O cancionista*, de Luiz Tatit; para avaliar o sentido do contraste entre os tropicalistas e Chico Buarque (e entre todos estes e *O fino da bossa*); enfim, para ouvir João com clareza, e, assim, poder julgar com precisão o legado musical e crítico de João (inclusive na medida em que ele permanece como o horizonte da nossa criação em música popular e na medida em que a música popular-comercial é um modo de expressão relevante como manifestação da cultura), é absolutamente urgente e imprescindível ler este estudo de Walter Garcia sobre a contradição sem conflitos de João Gilberto.

Aos leitores não familiarizados com a linguagem técnica musical, posso assegurar que é possível (e vale o esforço para) entender o essencial do que o autor quer dizer a respeito das inovações rítmicas de João. Eu próprio não sei ler partituras (nem mesmo adestrei-me em ler cifras com fluência) e nem por isso deixei de beneficiar-me enormemente do que este trabalho tem a ensinar.

Prefácio ao livro de Walter Garcia, *Bim bom, a contradição sem conflitos de João Gilberto*, São Paulo, Paz e Terra, 1999.

HISTÓRIAS DO
CLUBE DA ESQUINA

Nos anos 70, um grupo de mineiros se afirmou no cenário da música popular brasileira com profundas conseqüências para sua história, tanto no âmbito doméstico quanto no internacional. Eles traziam o que só Minas pode trazer: os frutos de um paciente amadurecimento de impulsos culturais do povo brasileiro, o esboço (ainda que muito bem-acabado) de uma síntese possível. Minas pode desconfiar das experiências arriscadas e, sobretudo, dos anúncios arrogantes de duvidosas descobertas. Mas está se preparando para aprofundar as questões que foram sugeridas pelas descobertas anteriores cuja validade foi confirmada pelo tempo. Em Minas o caldo engrossa, o tempero entranha, o sentimento se verticaliza.

Márcio Borges é a pessoa indicada para escrever sobre a experiência daqueles garotos mineiros nos anos 70 não apenas por ser ele próprio um dos letristas mais atuantes e representativos do grupo, mas por ter sido ele a induzir Milton Nascimento a compor. E Milton Nascimento foi — é — o pólo, o elemento catalisador, o próprio lugar de inspiração do movimento. Quando Milton surgiu num festival da TV Excelsior de São Paulo cantando uma composição de Baden Powell, Gil me chamou a atenção para a originalidade do seu talento. Essa observação Gil viria a confirmar quando ouviu as primeiras composições de Milton. Eu, no entanto, se fiquei impressionado com a presença pessoal do colega recém-chegado (sua beleza nobilíssima de máscara africana, sua atmosfera a um tempo celestial e triste, sua aura mística e sexual), não fui capaz de detectar a grandeza musical de seu trabalho, num primeiro momento. Vi-lhe a seriedade de intenções e sinceridade de tom desde sempre, mas eu sou baiano (amante das aparências) e estava engajado num programa de regeneração da música brasileira através da carnavalização do deboche e do escândalo — através da paródia e da autoparódia — e não via ali muito além de um desenvolvimento daquilo que Edu Lobo já vinha fazendo de interessante, ou seja, um desdobramento da bossa nova que abrangia estilizações das formas nordestinas. Claro que, em breve, veria que muito do que nós, baianos, tínhamos sublinhado — a saber: rock, pop, sobretudo Beatles, além da América espanhola — também estava incorporado ao repertório de interesses de Milton. Mas todo esse conjunto de informações desempenhava funções distintas em seu trabalho e no nosso. Sem apresentar ruptura com as conquistas da bossa nova, exibindo especialmente uma continuidade em relação ao samba-jazz carioca, Milton sugeriu uma fusão que — partindo de premissas muito outras e de uma perspectiva brasileira — confluía com a *fusion* inaugurada por Miles Davis. Essa fusão brasileira desconcertou e apaixonou os próprios seguidores da *fusion* americana. Quando Milton estava com o show num teatro à beira da Lagoa Rodrigo de Freitas, em 1972, eu vim da Bahia — para onde tinha voltado depois do exílio — e fiquei tão impressionado com o que vi e ouvi ali quanto os músicos do Weather Report que visitaram o Rio pouco antes ou pouco depois. Talvez por razões — e com conseqüências — diferentes, mas no mínimo com a mesma intensidade. A profundidade que eu percebi ali só fez se intensificar para mim desde então. Orgulho-me de não ter me entregue a um repúdio puro e simples do que era diferente de mim. E de, por isso, poder hoje ter um diálogo enriquecedor com essa diferença. O que me levou a isso foi minha reverência pela música: Milton sempre foi obviamente para mim um músico muito maior do que eu.

Para contar sobre o lado de dentro dessa história de mineiros, sobre a vida vista do ângulo daquela esquina que nomeou o grupo famoso, Márcio Borges, sensível, poeta, cheio de inteligência e amor, mostrou-se generoso o bastante para decidir-se a escrever para nós este livro.

Prefácio ao livro de Márcio Borges, *Os sonhos não envelhecem: histórias do Clube da Esquina*, São Paulo, Geração, 1996.

JOSÉ MIGUEL WISNIK

Ouvir o disco do Zé Miguel entre uma sessão e outra de gravação do meu disco com Gil foi uma experiência rica em sugestões de renascença de certas esperanças, como se uma avalanche de boas notícias ou de bons presságios se tivesse desencadeado. Em primeiro lugar, São Paulo, que está como que ausente do nosso projeto. Não que isso nos parecesse uma falha: nosso disco é uma celebração dos 25 (agora 26) anos do tropicalismo na forma de uma colaboração entre mim e Gil na nossa situação atual. Não há um instrumentista, um sotaque, um estúdio paulistano nas faixas que estamos aprontando porque não se trata de reeditar o ambiente em que agíamos em 67 — se fosse assim, o disco teria de ser todo em São Paulo —, mas de trabalhar com músicos com quem mais ou menos temos convivido, em estúdios que vimos usando nas últimas décadas, na cidade onde moramos. Claro que ecos de São Paulo se ouvirão, e referências explícitas a estilos ali nascidos, e escolhas determinadas por lembranças de lá. Mas a mesma voz de São Paulo nós já tínhamos descartado. Estávamos quase falando sobre a consciência disso quando o espírito de Sampa entrou pelo meu apartamento encapsulado no cassete das gravações de Zé Miguel. Gil, Pedro Sá (um excelente guitarrista de vinte anos), Arto Lindsay (que estava de visita) e eu ficamos logo fascinados pelo estranho jardim de onde Zé Miguel arranca as teclas das suas flores harmoniosamente assimétricas, delicadamente tensionadas. Fomos ouvindo uma a uma as canções singulares e confirmando o nível alto a que sua condição de canções tinha sido lançada. Mas o som, fisicamente, nos causava impressão entusiasmadora. Havia clareza e certeza, limpidez e nitidez de propósitos e decisões. E, sobretudo, uma textura (conseguida macroestruturalmente) do som de São Paulo, um timbrar a lira paulistana, a partir de suas vozes diversas, num tom de generosidade que nada tem de sentimental ou demagógico. Ná Ozetti está cantando mais bonito do que nos shows em que os vi juntos — e fazendo com as belas melodias de Zé Miguel o que desejei que algumas grandes baladistas brasileiras — Bethânia, Zizi, Gal, Marisa — fizessem, mas que já não sei se elas seriam capazes. Quando a voz de Arrigo surge, sente-se imediatamente a humilhante força da categoria de sua performance: é o ressurgimento, dentro de nós, da profunda impressão que a essência de sua arte provocou quando vimos *Clara Crocodilo* ao vivo pela primeira vez — e que ainda não tinha chegado ao disco com tanta presença, o LP *Clara Crocodilo* tendo o mesmo nível de atuação oculto por um som emplastado. A grandeza do disco de Zé Miguel, aqui, é de força histórica, no sentido de melhorar o som de discos passados. Quem poderia desejar algo mais auspicioso para a canção brasileira do que a reconfirmação do gênio de Arrigo? E Zé Celso! Aquela tradução bonita de um poema que a gente não sabia que existia — não sabe se existe! E do rabo! Mas o que me toca — nesse particular — é a faixa com Luiz Tatit. No meio de toda essa angústia ante o perigo de a música popular (provando de vez que o Brasil não presta) sugar todos os talentos acadêmicos, eruditos, científicos, literários e políticos, é com intensa alegria que considero o tom de humor com que os dois mestres cantores abordam o assunto: não há o menor traço de irresponsabilidade. E eu, que queria ser professor, encontro-os num trecho do caminho em que se pode parar para conversar com proveito e sem que isso represente perda de tempo.

Um lindíssimo disco. A voz do Zé Miguel é muito parecida com as suas composições. Delicada e quebradiça, mantém uma firmeza que se deve ao que é nobre nele — não o esforço. Sua inventividade rítmica deve ter espantado as baladistas (teria me espantado a mim, se me fosse proposta a tarefa — mas eu a cumpriria, também por nobreza nascida da identificação): não são ritmos "intuitivos", "naturais" — ele é paulista, nada mais natural para ele do que uma elaboração mental. Mas é tudo espontâneo. Ele toca piano nesse disco como um grande artista — como alguém que poderia ser chamado de grande artista só por esse toque. O cello, o trombone, os teclados, tudo no lugar certo.

Perdoem-me o tom auto-referente, mas tenho de dizer que esse disco do Zé Miguel é, para mim, o complemento de tudo o que eu quero festejar com Gil. A ponte Bahia—São Paulo, entre tantas coisas que desmoronam no Brasil, está de pé. Isso é muitíssima coisa.

Release do disco homônimo de José Miguel Wisnik, 1993.

SEM PATENTE

Gil é um grande inventor que não registra patente. Sua imensa vaidade exercida com demasiada modéstia e seu desprezo inocente pela própria grandeza são as duas faces dessa lua meio negra e meio escondida que é a música da sua pessoa. Lua que, no entanto, brilha de doer em meus olhos. Como falar de um meta-irmão, de um companheiro de amor e guerra que não merece ser chamado de amigo porque a palavra "amigo" não o merece?

Suponho que Gil inventou o samba-jazz-fusion e a toada moderna — coisas que não lhe interessam. Ele também criou o neo-rock-n'-roll brasileiro e a nova cultura musical afro-baiana — que lhe interessam muito, mas cuja paternidade ele não reivindica e cuja responsabilidade não aparece no que ele se permitiu fazer depois. Ele não olha pra trás. Eis por que eu quase cedo à tentação de não mencionar a palavra "tropicalismo" neste texto. De fato, seria mais correto e mais vivo discutir com Gil o sentido do seu projeto de tomar nas mãos a barra da música como produto de mercado — projeto que culminou no LP *Realce* (que tanto me desagradou e que se não existisse eu não teria feito o meu *Velô*).

O que significa o atual trabalho de Gil à luz dessas suas preocupações mais recentes, que datam de longe, de antes de ele se dedicar à política? Seria melhor fazer perguntas assim do que cair nessa conversa de "tropicalismo" como acontecimento de máxima importância na cultura brasileira. Conversa ridícula que só serve — na sua distorção de perspectiva — para entreter os levianos e referendar a mediocridade.

Mas eu olho pra trás. Tropicalismo foi o apelido que ganhou o resultado de nossa ambição, em 67, de mudar a atitude em relação à estética, à política e ao mercado de música popular no Brasil. Queríamos nos libertar da mesquinharia e de preconceitos. Volto aqui o olhar para esse período porque talvez possa trazer daí melhor compreensão dos interesses atuais de Gil, transmúsico, dividido entre o mercado e a política. Em 1966, Gil externou sua inquietação e sua impaciência com relação ao modo de encarar o trabalho. Falou dos Beatles e da fome no Nordeste (tinha passado uns meses no Recife), da violência da ditadura militar e da cultura de massas: não podíamos mais nos manter no mundo resguardado da "esquerda" pós-bossa nova. Falou primeiro aos íntimos — Capinam, eu, Gal, Torquato, Guilherme Araújo, Rogério Duarte. E logo aos colegas em geral. Isso aconteceu em reuniões (houve mais de uma) marcadas pelo próprio Gil. Ele acreditava firmemente que todos entenderiam e que suas idéias fariam nascer um movimento que fosse de todos.

Gil não foi entendido pelos que lhe deram alguma atenção. Essa atenção era tão escassa que nem sei quantos dos envolvidos ainda se lembram de tais reuniões. Mas elas existiram e são um ponto importante no meu entendimento daquela época. E também no meu entendimento do Gil de hoje. Ser músico para ele sempre foi uma banalidade (quando um dono de bar perguntou à jovem Billie Holiday se ela sabia cantar, ela, que estava procurando um emprego como dançarina porque estava morrendo de fome, respondeu: "Claro, quem não sabe cantar?". Era inerente a ela: não dava trabalho, não era trabalho, não podia dar dinheiro): ele queria discutir o que cercava a música; queria planejar uma estratégia política, com todos os nossos colegas, de interferência no mercado que resultasse numa desprovincianização e modernização do Brasil. Seu ouvido privilegiado, seu talento fitzgeraldiano de improvisador, seus dons de violonista, tudo isso — a seus olhos — podia ser desprezado. (E, no entanto, se alguém quisesse reconstruir a história do violão brasileiro e pulasse o nome de Gilberto Gil, seria como pular os nomes Dorival Caymmi, João Gilberto e Jorge Ben, e assim essa pessoa não teria dado notícia do que aconteceu com esse instrumento no Brasil.) Assim, é o sentido daquelas reuniões de 66 que nós devemos buscar tanto no tropicalismo de 67 quanto na tentativa de Gil se candidatar a prefeito de Salvador (abortada pela provinciana mesquinharia local).

Gil um dia disse que, ao contrário de refinar sua percepção harmônica, queria terminar batendo um tambor. Bem, se eu sou alguma coisa na música, devo-o absolutamente a ele. Sei que ele não teria muito do que se orgulhar, se reconhecesse sua condição de mestre. Mas não: finge para si mesmo que é meu discípulo e se orgulha até do que eu não sei fazer.

Gilberto Gil é o homem que botou os Filhos de Gandhi de novo na rua com uma canção. Ele dá demais e não cobra. Se você tira a sua lasquinha e vai em frente, tudo bem. Mas eu digo: se você pensa que pode prescindir da visão que ele instaurou, você perde o trem-bala da História de hoje.

Apresentação do *Songbook Gilberto Gil*, Editora Lumiar, Rio de Janeiro, 1992.

MIL TONS

Milton é música, mistério. A memória da gente é o video-teipe: vejo Roberto Carlos dando uma entrevista de basti-dores de festival; em segundo plano, Edu Lobo põe a mão no ombro de Caetano Veloso e os dois saem de campo. Não há nada gravado da minha conversa com Chico Buarque no avião (com medo), indo para Salvador para fazer aque-le show. Ion Muniz me disse outro dia que Tenório Júnior não veio cumprir o trabalho que havíamos combinado por-que a formação que eu sugeria era absurda (piano, tuba, violino, percussões, eu e violão), que eu precisava estudar a História da Música. Ontem eu estava no show de Gil ven-do como ele se despoja sem pena da história de "sua" mú-sica. Que apresentação extraordinária dos Novos Baianos (Baby rides again, and how!) no Hallellujah! Suponho que Edu Lobo não curta Jorge Ben tão intensamente quanto eu. Para que alguém possa fazer qualquer coisa assim como *Jóia* é preciso que as gravadoras tenham Odair e Agnaldo: o universitário que tenta me entrevistar e salvar a huma-nidade fica indignado diante do meu absoluto respeito pro-fissional e interesse estético pelo trabalho de colegas meus como Odair José e Agnaldo Timóteo. Centenas de novos compositores e cantores e dezenas de velhos músicos não encontram lugar no mercado. O videoteipe: em 67, Rita Lee tinha uma cara de depois de amanhã. Mas Milton nos redime a todos. De certa forma é a ele que devemos agra-decer por coisas como Nana Caymmi ter finalmente feito um disco tão genial quanto ela de fato é: não é sempre que as maiores cantoras do mundo chegam onde Nana chegou quando gravou "Medo de amar". A História da Música Brasileira de hoje é assinada por Milton Nascimento. Li numa super-revista underground francesa sobre o disco de Wayne Shorter: "Le véritable auteur est Milton Nascimento". Mas tudo isso são fragmentos de história reunidos por um ignorante no assunto que se orgulha em cultivar essa ignorância. Milton é um buraco preto. Milton é a mãe de Nina Simone, a avó de Clementina, o filho futuro do neguinho que a gente via upa na estrada do Zumbi de Edu, de Guarnieri, de Elis. Milton é nossa grande alegria. Milton vinha vindo sozinho pelo caminho e todas as estrelas brilhantes se apagaram à sua passagem para só voltar a brilhar em sua voz quando ele cantasse. E o céu ficou negro e sem luz e então houve muito mais luz. Rogério disse que Milton é um mistério que o Brasil entendeu. Outro dia eu fiz uma música em cinco por quatro e com uma harmonia um tanto complicada, aí Dedé disse que eu estava tentando imitar Milton, mas eu queria mesmo era agradar a Milton. Chico Buarque disse que Milton é o maior cantor do Brasil.

Fui um dia cantar em Belo Horizonte e não tirei o boné de Milton da cabeça e chamei Milton de Milton Renascimento porque parecia ter havido uma revolução sexual em Minas, uma virada de era astral, novo horizonte. João Gilberto, que tudo ensina a todos nós, me ensina a entender que não devo querer parar no dizer que Milton destrói minha discussão com Ion sobre Beatles x John Coltrane, sobre *Domingo* x *Tropicália*. Que não devo querer parar no dizer que várias discussões interessantes são violentamente interrompidas pelo simples som de Milton e que muitos saberes têm, assim, de ser anulados para que se saiba mais. Som imaginário, som real. Eu amo Milton. Não me sinto muito à vontade usando palavras para me referir a ele. Nem meias palavras bastam. Nem o silêncio. Nem música. Nem mistério.

MÚSICA DO PLANETA TERRA, Nº 3, 1976.

O QUE TINHA DE SER

Seria preciso que o astral deste país fosse muito baixo para que a vocação tão verdadeira (e já tantas vezes constatada) de Elis continuasse por muito tempo permitindo equívocos: o brilhante não é falso. Eu estava conversando com Gal e a gente falou sobre técnica e sobre talento e sobre como a pessoa começa a cantar desde menino. Agora estou sabendo claramente o que é o grande prazer de ouvir Elis cantar. Todo mundo tem feito os elogios justos a Miriam e a Naum (penso em Roberto Pinho e na cidade de Cachoeira) por terem feito um espetáculo de nível, de beleza, e algumas pessoas vêem Elis como uma boa cantora-atriz dentro de um espetáculo bem concebido e bem realizado, no qual qualquer cantora-atriz boa atingiria o mesmo resultado. Eu penso que, na verdade, é o fato de esse espetáculo ser, no momento, o melhor modo de fazer chegar até a gente a grande arte de Elis que faz dele um trabalho concebido e bem realizado. Não tenho dúvida de que todos os que participaram da transação desse show sabem e são felizes por isso: é Elis, só pode ser Elis, é o canto de Elis.

Jorge Ben disse que eu sou ternura. Eu quero mandar beijos pra a Miriam, pra Naum, pra César, pra o Rogério, pra todos os que entraram na transação, cada músico, cada ator, maquinistas, costureiros, tudo. Mas é com Elis que eu gostaria de falar.

Elis, eu tomei o ônibus pra ir a São Paulo ver seu show. Que bom que seja em São Paulo. Fui porque pensava que esse show seria o que eu sonhava pra você. Mas é mais do que isso porque "viver é melhor que sonhar". E eu gostei muito de ver você cantando a canção que diz isso. Eu gostei muito muito de ver você cantando tudo. Gracias a la vida. Eu fiquei doce e besteirão quando o show terminou. E meditei. Não tenho medo. O show business é um bicho-papão muito bonito e você engole ele: essa é a mensagem que você passa pra todos os seus colegas de profissão.

Diga a César que ele está lindo. Na hora em que ele fica sozinho no piano acústico e você vem e canta pra ele, eu pensei no significado da união e ouvi você cantar tão tão lindo e senti a ausência de Dedé que tinha ficado no Rio e me senti apaixonado por tudo e chorei e fiquei querendo abraçar o meu amigo que estava do meu lado e entendi todo o lance de uma pessoa cantando acima dos limites do cotidiano. Você cantou minha música perto de mim, sem saber. Me encontrei com você completamente e isso me enriqueceu. Foi o que tinha de ser. O compositor não precisa lhe dizer mais nada.

MÚSICA DO PLANETA TERRA, Nº 3, 1976.

GIL CONTANDO O QUE
DOMINGUINHOS DISSE

Gil contando o que Dominguinhos disse. Gil confirmando o
que Perinho Albuquerque contava sobre Dominguinhos.
Dominguinhos lembrando as conversas atravessadas de meu
pai e minha mãe: eu ficava ouvindo, minha mãe olhando para o infinito e meu pai olhando para o outro lado. Só um filme conseguiu captar isso: *Vidas secas*. Dominguinhos contando ao povo no Teatro Tereza Raquel. A vida entre poetas.
Não fui ao teatro para ver Dominguinhos e Perinho e Moa-
cir. Fiquei em casa assistindo à televisão e chorei vendo o
enterro de Juscelino porque o povo cantava "Peixe vivo" e
em Brasília milhares de automóveis brilhavam e logo depois eu estava apaixonado por um garoto falando sobre a
Coca-Cola, um garoto tão carioca que pronuncia os cês da
palavra Coca-Cola como se fossem gês e os as breves lusi-
tanamente fechados, quase mudos, de modo que a palavra
Coca-Cola fica quase reduzida à palavra gole, um garoto
muito gostoso. A vida entre artistas. Eu cheio de preguiça,
dentro da violência do mundo. No gravador, a voz linda do
poeta Augusto de Campos, cantando o samba do Sr. Eurico.
O poeta Waly Salomão 76 comenta a semelhança do canto
de Augusto com o de Paulinho da Viola. A vida entre músicos. Augusto me disse uma vez que era um camicase. O radicalismo da viagem literária em que ele e seus amigos se
meteram levou seu nome ao fogo das batalhas de uma
guerra de beleza sem razão. A doçura impecável de sua voz
me faz agora entrar em contato com a solidão do guerreiro,
a sua felicidade escondida como uma saudade escondida,

voz de alguém que só canta assim porque nunca canta assim a não ser quando o faz, alguém que está em outra, completamente nesta, alguém que está em outra dimensão. A peça é idêntica a um perfeito "antique" — o piano e o samba do Sr. Eurico, Augusto cantando com uma voz aguda cristalina afinadíssima como alguns cantores dos anos 30 — e, no entanto, não parece com nada. Deve ser um grande momento íntimo de um grande poeta. E ele que me considera um poeta. A vida entre os homens. Tome conta do destino, Xangô! O que é que você faz quando sua mulher está de saco cheio de você e ela declarou recentemente que a meu lado não tem mais prazer? Há pessoas com nervos de aço. Jorge Mautner fala tanto num novo sistema nervoso. Eu ando com a memória consideravelmente mais fraca do que antigamente. Jorge Salomão disse que falta de memória é sinal de muito boa saúde. Lembro que, na época em que eu fiz o circuito universitário no interior de São Paulo, eu cantava "Tudo se transformou" e "Nervos de aço" e "Tenho ciúme de tudo" e coisas assim de mágoas de amor, um tema que estivera sempre fora de meu repertório. Não sei se era pra encarar, constatar, exorcizar ou tudo isso ao mesmo tempo. Quer dizer, esse tema sempre estivera fora do meu repertório, não essas canções, que eu as conheço e canto "há horas", como diz Tuti Moreno. Mas eu lembro mais ou menos que nessa época era lindo cantá-las. Parecia um poeta cantando, um guerreiro cantando, com um novo sistema nervoso. Acho que hoje em dia não sei mais explicar. Acho que nunca soube. O que é que faz seu espírito eleger uma mulher para você? O que leva você a olhar no olho dessa mulher e dizer para si mesmo: isso é alto-astral, aconteça o que quer que esteja acontecendo, esse olho castanho sempre me fará bem? Que ponto é esse do amor, para além das emoções do amor, das vãs paixões humanas, para além das dificuldades objetivas de construir um companheirismo genuíno entre um homem e uma mulher? Que ponto é esse que parece se mostrar invulnerável aos feitiços e às maldições? Não tem onde caiba: eu te amo. A vida entre os deuses. Nosso filhote cantando a "Casinha na Marambaia" — só a voz de Gal às vezes chega lá. E Donato. E a poesia de Jorge Ben. A crítica de música (não a grossura dos dragões e tinhorões da dependência do samba — camuflados ou não — mas a crítica mais inteligente) quebra a cara diante da música de Donato porque ela, de tão essencial, é igual ao supérfluo. Não há dúvida de que os complicados (o excelente Egberto e mesmo o genial Hermeto) são mais "fáceis" para a crítica do que Donato.

No anteprojeto dos Doces Bárbaros, Walter Smetak estava incluído. Ele terminou não participando porque a Universidade da Bahia não podia lhe dar licença demasiado longa e os componentes do dito grupo, então em formação, não tiveram determinação suficiente pra forçar mais essa barra, uma vez que eles estavam forçando tantas, dentro e fora deles mesmos. Acredito que foi uma medida natural de economia do organismo do grupo e, apesar da conseqüente frustração, um sinal de saúde.

Por falar em Doces Bárbaros: em nenhuma reportagem sobre o assunto se falou em *Arena canta Bahia*, um espetáculo que Gil, Bethânia, Caetano e Gal fizeram juntos em São Paulo (mais Tom Zé e Piti), sob a direção de Augusto Boal. Eu, na época, não gostava do espetáculo, mas Boal gostava e, sob muitos aspectos, seu trabalho era brilhante e foi importante na formação dos atuais componentes dos Doces Bárbaros. De todo modo, o espetáculo existiu e nem a *Veja* se referiu a ele. No mais, tudo na mais perfeita paz, como dizia um antigo compositor baiano. Digo isso porque nessa transação de Doces Bárbaros a gente está imitando um bocado os Novos Baianos. Como falou o Belchior, é sinal de admiração, vinho quanto + antigo etc. E como os Novos Baianos foram Doces Bárbaros antes... Xica da Silva de Cacá e Zezé e Walmor e etc. é um grande barato. Rogério me lembra (minha memória está ótima!) que o papo da letra de "Um índio" rolou aqui entre mim e ele, antes de a música ser feita. Lindo que ele esteja sempre nas transas. Fantástico. Que coisa genial, não é, Glauber? E Glauber está incrível. Desta vez encontrei com ele mais de verdade. Um pessoal dessas revistas mais novas falou que o jornalismo feito em tom pessoal morreu nos anos 60. Se for assim, a gente se fala pessoalmente. A vida entre os monstros.

REVISTA *TA-TA-TA*, RIO DE JANEIRO, DEZEMBRO DE 1976.

DOCES BÁRBAROS,
APENAS NÓS

Quando nós, do grupo Doces Bárbaros, íamos para o Galeão para a nossa primeira viagem, o automóvel de Elizete Cardoso emparelhou com o nosso e ela nos sorriu de lá, acenando. Nós saímos para a excursão abençoados. Não é sempre que acontece a gente poder harmonizar tantas energias numa luz clara. E não é fácil. O que Gilberto Gil, Gal Costa, Maria Bethânia e eu estamos conseguindo agora é isso. Saímos por aí sem intenção de criar ou resolver problemas, esmiuçar polêmicas ou aceitar provocações. Bob Marley: "Don't deal with dark things". João Donato e Jorge Ben. Gente de fé reconquistada, mostramos com simplicidade a poesia e a música da vida, do que vive, do que está vivendo — os Orixás, as pessoas boas, bonitas e fortes, os peixes e a esperança. Dentro das nossas possibilidades imediatas, o nosso trabalho é bom. E é o que nos basta. Ao resto, o resto. Por exemplo: a cidade de Florianópolis (nome que deram à cidade de Desterro) não deveria constar da lista de cidades visitadas porque a produção não considerava uma boa praça (180 mil habitantes). Por insistência minha e de Gil é que ela entrou. Gal não queria e Bethânia teve um quase pressentimento de que nossa ida lá não seria boa. Quando os policiais interromperam o nosso sono e a nossa alegria, eu disse a Gal: "Parece que ter vindo a Florianópolis foi um gesto livre demais e isso subiu à cabeça do delegado". De fato, conhecidos meus de lá me diziam: "Eu não acreditava que vocês viessem, até que vi vocês aqui". Um chegou a me perguntar: "Por que vocês incluíram Florianópolis no roteiro?!" — "Por amor", eu respondi. A polícia entrou nos apartamentos de Gal Costa, Maria Bethânia, Lea Millon, Eunice Oliveira, Maria Pia de Araújo, Guilherme Araújo, Chiquinho Azevedo, Djalma Correia, Arnaldo Brandão, Perinho Santana, Caetano Veloso, Gilberto Gil, Tuzé de Abreu, Mauro Senise, Tomás Improta, Daniel e, ainda, nos dos técnicos de som e luz, alegando ter recebido uma denúncia de Curitiba. Contra quem, contra todos esses nomes? Eles conseguiram levar Gil e Chiquinho. Nós não saímos pra discutir as leis nem a moral. Nem a religião, nem a política, nem a estética. Nós não saímos pra discutir. E não discutiremos. Mas saímos com uma imensa carga de luz de vida, com amor no coração. É muito difícil alguém chegar a poder dizer isto, mas eu digo que nós somos um grupo de gente que saiu por aí trabalhando pelo Bem. E quem quer que — na polícia, na imprensa, no inferno — queira nos atacar ou nos atrapalhar, estará trabalhando para o Mal.

BOCA DO INFERNO, Nº 2, SALVADOR, AGOSTO DE 1976.

O grupo Doces Bárbaros reuniu Caetano, Gilberto Gil, Gal Costa e Maria Bethânia. A estréia do show homônimo aconteceu no Anhembi, em São Paulo, a 24 de junho de 1976. Caetano refere-se ao fato de que, aproximadamente um mês depois de iniciada a temporada, durante a passagem do espetáculo por Florianópolis, Santa Catarina, Gil e o baterista Chiquinho Azevedo foram presos por porte de maconha.
A excursão do show (que percorreu mais dez cidades) e o episódio em Florianópolis foram registrados em filme de Jom Tob Azulay. Um LP duplo, *Doces Bárbaros* (Philips), foi gravado ao vivo durante a primeira semana de shows no Canecão, no Rio de Janeiro.

IANSÃ FRANCISCO:
QUANTA LUZ

Os mais velhos nada me contaram sobre como talvez Oxalá tenha dirigido o destino de minha gente pelo lado branco. Maria Bethânia é a brecha aberta pelo raio de Iansã, através da qual nós entramos em contato com o lado vermelho. Hoje em dia todos sabemos que sem esse acontecimento nós não seríamos capazes de vislumbrar o que significa a existência de Olorum porque não estaríamos caminhando com a dificuldade necessária para sentir as forças reais que dançam sobre este planeta. Assim é essa história contada do modo certo, mas o surgimento de Maria Bethânia entre nós já era uma presença vermelha em nós antes do tempo do seu surgimento no tempo porque a gente intui que tudo se repete sempre e sempre está sempre se repetindo no amor de Olorum, assim é essa história do surgimento de Maria Bethânia entre nós como uma luz vermelha se repetindo no amor de Olorum.

Quando André Midani, chefe da empresa gravadora onde eu trabalho, me falou para trabalhar um espetáculo para Chico Buarque e Maria Bethânia, eu aceitei sem medo, sem planos, sem euforia, sem psicanálise, sem julgamento. Quando Chico me disse que a gente já tinha falado nisso antes, eu lembrei da Bahia e de Rony e disse que sim, que a gente já tinha falado nisso. Quando pensei no espetáculo, decidi que ele abriria com o "Sinal fechado" e fecharia com uma música a ser composta por Chico e por mim, tendo como tema a serena e brutal alegria de ver que coisas como Chico e Bethânia estarem aí sempre repetidamente surgindo eram incuráveis, invencíveis, indestrutíveis. Quando pedi a Chico para cantar "Quem te viu, quem te vê", ele entendeu e achou bonito. Quando pedi a Chico para cantar a "Carolina", ele se recusou e eu entendi e achei muito bonito.

Quando o Canecão fez a proposta a Bethânia e Chico, e eles aceitaram a proposta do Canecão, eu apaguei todas as idéias de espetáculo que eu tinha na cabeça e no coração e tudo que eu já contei antes, mas continuei religiosamente aceitando o que eu já não sabia o que era. Quando fui ao Canecão para ver o local e o público, Dedé estava comigo e estávamos os dois sozinhos e era a última apresentação do espetáculo *Brasileiro, profissão: esperança* e Olga do Alakê-tu estava lá e eu senti a severidade do olhar de Iansã quando ela respondeu secamente ao cumprimento que eu tentei lhe dirigir num tom demasiadamente carinhoso para as poucas relações que eu tenho com ela — que beleza! que majestade! que força de sinceridade tão profunda que me encheu de sabedoria sobre o que em psicanálise tanto se chama de aceitação das frustrações — e isso depois de ter visto emocionado o espetáculo *Brasileiro, profissão: esperança* (vimos o espetáculo e não o local e o público, uma vez que o público era atento e silencioso e o local bem equipa-do: o Canecão não é um lugar onde gente barulhenta come e bebe enquanto um show tenta se dar, mas um feio edifício onde uma gente não muito bonita mas muito aplicada se dedica com enorme seriedade ao que se chama diversão, uma gente incrivelmente "real", um lugar talvez demasia-damente "real"). Quando saímos do Canecão, eu e Dedé es-távamos com dor de cabeça de tanto chorar, por causa do modo como a gente sentiu estranhamente o tempo, vendo esse avesso do Cassino da Urca, um Rio de Janeiro dos anos 50 (as canções tão lindas de Dolores e Maria — que Deus os tenha em bom lugar) apresentado à moda dos 60 (opiniosa-mente) por e para um Rio de Janeiro demasiadamente real (um impressionante Paulo Gracindo da Rádio Nacional à TV Globo, uma linda Clara Nunes da Rádio Globo, um público como paulistas olhando para o Rio, uns filmes lindíssimos de surfistas do Arpoador).

Quando nos reunimos na casa de Chico para bolar um espetáculo para o Canecão — Osvaldo Loureiro, Ruy Guerra, Chico e eu —, várias perguntas surgiram e todas procuravam um sentido ou uma justificativa para que Bethânia e Chico se apresentassem juntos no Canecão. Quando eu disse que havia milhões de razões para explicar isso e que eu, de minha parte, só podia dizer duas (primeiro, o fato de ser uma boa grana para os dois; e, segundo, o fato de Bethânia ser de Gêmeos e de Chico ser de Gêmeos e de o show estar para estrear em Gêmeos), isso não causou nenhum mal-estar na sala.

Quando lembrei que eu era de Leão e Ruy Guerra era de Leão e Osvaldo era de Leão, isso animou a sala. Mas Chico lembrou que tanto ele quanto Bethânia estavam completando dez anos de carreira profissional. Aí Ruy Guerra falou em história e poesia e aí ele teve muitas idéias e Osvaldo decidiu coisas como transformar o Canecão em arena ou circo e botar passistas de escolas de samba. Osvaldo representava o Canecão porque o Canecão é que tinha sugerido o nome dele. Eu o achei legal de cara e achei que ele era de Leão. Ruy Guerra é muito bacana, muito apaixonado. Mas foi Chico que pegou um papel e uma caneta e armou um show. Já estava amanhecendo e Chico disse muito claramente o que queria cantar e perguntou o que Bethânia queria cantar e eu só sabia que ela queria coisa nova do Chico e "Foi assim" de Lupicínio. Bethânia estava em São Paulo representando a *Cena muda*.

Quando o show de Chico Buarque e Maria Bethânia ia estrear, Gil esteve aqui no Rio e foi comigo ver o ensaio geral. Entre a noite daquela reunião na casa de Chico e essa noite do ensaio geral eu não sei o que passou porque eu não acompanhei os trabalhos. Daí meu susto ao ler meu nome entre os créditos do show. Mas, vendo o ensaio, Gil e eu ficamos deslumbrados como diante de uma pedra muito grande como aquelas que ficam perto de Milagres. Bethânia estava cantando com orquestra com desenvoltura, sem direção de Fauzi Arap, sem bom teatro, "Sem açúcar", lançada pelos astros e pelo dinheiro na verdadeira verdade da sua profissão. Chico estava lindo, sempre cantando sozinho a fluência de suas rimas, "Flor da idade", e Gil me disse encantado: "Que barato é a gente morar na Bahia e vir ao Rio de vez em quando porque a gente vê tão claramente". Chico sempre sozinho, "Gota d'água", os seus olhos transparentes. Eu pensei em pedir para tirar o meu nome da porta porque ali não tinha nada da minha "autoria", mas depois me entreguei a Deus pensando lucidamente que ali não havia nada que fosse da autoria de ninguém.

Quando o show estreou, Bethânia estava achando ruim a declaração de Ruy Guerra no jornal, porque ali ele aparentemente tentava se desresponsabilizar do que quer que viesse a ser o show e deixava a "culpa" escorregar para a escolha do repertório dela. O Canecão estava cheio de "Rio de Janeiro", acho que nunca houve tanto "Rio de Janeiro" no Canecão antes. Muita atenção para as aspas. O Acaso foi impiedoso: o "desamparo" em que Chico e Berré foram lançados chegou até a falta de som e o "Rio de Janeiro" presente se viu diante de um pobre rico palco giratório, uns ladrõezinhos estilizados, um arremedo de escola de samba e a evidência de Bethânia cantando "Gita" (sob uma evocação que não parece ter partido da mesma platéia que reclamava quando o show terminou). Quando o show terminou Ruy Guerra me deu um beijo e ele estava alegre e éramos dois leões numa alegria acima do ego, sem autoria.

Eu amo ver este show. Amei na estréia e o tenho assistido várias vezes. Acho que é porque é uma transa sem ego, digo, sem inteligência, digo, com graça, digo, com alguma sabedoria. Sobre ego: há anos que eu penso em tentar fazer com Chico umas versões de canções de Bob Dylan para Bethânia cantar. Com Chico porque ele também é de gêmeos como Bob Dylan e Bethânia, e eu acho que ele escreve num ritmo parecido com o de Bob Dylan, deve ser por causa do signo. Vendo Bethânia cantar "Gita" eu senti que ela estava realizando por outros caminhos esse sonho meu. Um dos lances de Raul Seixas é ser uma tradução de Bob Dylan. Eu perguntei a Bethânia de quem tinha sido a idéia e ela me disse: "De Fauzi". Que lindo que também Fauzi esteja presente e ausente nisso na medida em que Ruy, eu e Osvaldo estamos para que a luz pinte. Alguma luz.

Sobre sabedoria: o que Francisco fala com os passarinhos não pode ser traduzido para a inteligência que fala sobre Francisco.

MÚSICA DO PLANETA TERRA, Nº 1, RIO DE JANEIRO, 1975.

DISCRETAMENTE AQUI

Discretamente aqui no *Verbo* porque há essa casinha na ladeirinha que sobra da Ladeira do Mauá com boa vizinhança. Sem política.

O tropicalismo foi uma árvore de mil frutos. Digo isso sem orgulho, sem remorso. Os frutos pecos e podres se espalharam pelo chão e ninguém melhor instalado para sentir-lhes o fedor do que os fuçadores de raízes. Mas o que pinta de araçá de vez não é fácil, como disse Marquinhos citando Lu no Porto da Barra, semana passada. Vida mansa.

Estou contente, até certo ponto, de vez que, como eu esperava, a minha volta ao Brasil, a minha decisão de vir morar aqui no Brasil deixou à vontade pessoas que tinham necessidade de discutir, e não apenas louvar o meu trabalho. Minha proximidade, a certeza de que eu sou real, vulnerável, traz de volta à terra minha lenda. Para minha alegria imensa, pois lá em Londres vez em quando dava por mim atravessando paredes, como um fantasma.

Vida mansa, como disse. Mas também há certas coisas que, com tempo, gostaria de rediscutir, discutir, descurtir etc. Ou seja: minha volta também me põe à vontade para conversar com algumas pessoas sobre determinadas coisas. Com tempo. Mas acontece que não só alguns saudavelmente se descontraíram para reiniciar um papo comigo, como também alguns outros se alvoroçaram doentes para me esquartejar e me lançar ao caldeirão. Assim fica impossível para mim, porque eu quero ficar aqui na Bahia um tempão, neste sol, nesta burrice, nesta preguiça e se começa logo essa excitação em torno de mim não dá pé. Quando eu estava fora eu sabia que, com a minha volta, a imprensa mudaria de tom quando falasse a meu respeito. Vim com um show descontraído, olhando para as pessoas descontraidamente na platéia, olhando descontraidamente para o presente da música brasileira, para o passado comigo dentro e com o Chico dentro e com a Elis dentro. Nada mais. Deu certo: os jornalistas se descontraíram, a fofoca carioca se descontraiu um pouco, todo mundo se descontraiu um pouco. Mas deu errado: todo mundo se desnorteou um pouco também, mais uma vez. E aí o ódio de novo. Ainda por não entender. E eu morto de preguiça. Responder mesmo, jamais. Não quero mais preocupêchons comigo.

Contudo, há, deve haver, algumas pessoas que merecem saber como eu me portaria diante de determinadas questões. Eis:

O que talvez tenha dificultado tudo desde sempre é o fato de nunca antes ter havido no Brasil uma figura popular com tanta pinta de intelectual quanto eu. Não sou um mito nacional, na medida em que Pelé o é, na medida em que Roberto Carlos o é. Nem pretendo sê-lo. O minguado mito Caetano Veloso é bem mais uma coisa assim como o mito Glauber Rocha. Mas eu apareço na televisão, um número muito maior de pessoas me conhece de cara e nome, alguns discos meus fizeram sucesso (nunca, contudo, vendi tantos discos quanto, por exemplo, Tim Maia). Como Glauber (mais ou menos involuntariamente) tornei-me uma caricatura de líder intelectual de uma geração. Nada mais. Um ídolo para consumo de intelectuais, jornalistas, universitários em transe. Só que jogando sem grandes grilos nos apavorantes meios de comunicação de massa. Isso, creio, é o que fez com que se esperasse demais de mim.

Na sua miséria, a intelectualidade brasileira viu em mim um porta-estandarte, um salvador, um bode expiatório.

Agora sente-se mais descansada ao ver que pode jogar sobre as costas de uma pessoa como eu a responsabilidade por coisas que não seriam da alçada de qualquer deus. Tais como:

A tão exaustivamente discutida (e melhor do que ninguém pelo tropicalismo, depois do Cinema Novo) necessidade que têm os povos subdesenvolvidos de imitar padrões internacionais.

A intolerância crítica por parte das gerações mais novas com relação às anteriores. (O tropicalismo tratou seus antecessores com amor e humor.) A existência da Bahia. (O tropicalismo mal tratou do assunto.) A existência do Carnaval. (O tropicalismo mal tratou do assunto.) A influência das modas culturais francesas sobre os intelectuais brasileiros (e argentinos, certamente). O episódio "É proibido proibir" resume-se no seguinte: Guilherme Araújo, meu empresário, me mostrou na *Manchete* uma reportagem sobre os acontecimentos de maio em Paris que eu não quis ler, pois tenho preguiça de ler. Lembro-me que ele mesmo virou a página e disse: é engraçado, eles picharam coisas lindas nas paredes. Esta frase aqui é linda — "é proibido proibir". Eu falei. É lindíssima. Ele falou — faça uma música usando esse negócio como refrão. Eu disse — tá. Passou. Eu não fiz. Daí ele me cobrou. Eu disse, faço. Fiz. Achei meio boba, mas bonitinha. Todo mundo na hora achou bonita. No dia seguinte eu já a achava péssima. Até hoje só gosto do ritmo e de uma parte da letra que diz "eu digo sim, eu digo não ao não". Veio o festival da Globo. Eu não tinha nenhuma música bacana para botar. Nem muita vontade de entrar no festival. Só me convenci a concorrer quando decidi pegar aquela música de que eu não gostava e fazer uma esculhambação com o festival. A canção foi escondida pelo happenning e pelas vaias. Sérgio Ricardo ficou intrigado nos bastidores ao ver minha alegria: "Não entendo como vocês podem ficar tão contentes de serem vaiados". Quando voltei para repetir a música, já o Gil tinha sido desclassificado (o que me enfureceu, porque eu achava o número dele genial), enquanto o meu "É proibido proibir" tinha merecido do júri as melhores notas. Entrei no teatro decidido a dar um esporro. E dei. Disse que o júri era incompetente e a platéia burra ou coisa assim. Tá no disco.

Até hoje me orgulho de tê-lo feito. E me congratulo comigo mesmo pelo fato de aquela canção estar esquecida. De fato, falou-se muito do escândalo, mas o disco não vendeu e, de todas as canções que eu escrevi desde "Alegria, alegria" pra cá, "É proibido proibir" é uma das menos conhecidas do público. Jamais admitirei que alguém a tome como típica do movimento tropicália ou do meu trabalho em particular.

A adesão dos filhos de família ao hábito de fumar maconha, tomar lsd ou qualquer outra droga. (O tropicalismo jamais tratou do assunto. Eu jamais tratei do assunto. Apesar de, na época, a imprensa falada e escrita ter feito todo esforço para identificar o nosso trabalho com esse tipo de coisa. Lembro-me de ter visto alguns desses imbecis que andam na televisão tentando provar por a + b que na letra de "Alegria, alegria" eu estava querendo me referir a drogas. Era de morrer de rir. Que malabarismos lógicos foram precisos! É que a imprensa é quem necessita de recorrer a essas coisas pra ir sobrevivendo. A imprensa toda sabia que excitação causava sugerir que, como na Inglaterra dos Beatles e nos Estados Unidos de Bob Dylan, os jovens músicos do Brasil também tomavam drogas terríveis. Para a perene decepção de todos — *todos*, sem exceção —, eu venho atravessando todos estes anos sem um charo. E tenho horror a porre de lança-perfume, anestesia de dentista, bolinha e bebedeira.)

Discretamente, no *Verbo*. Quero que todo mundo que gosta de mim de verdade fique sabendo que eu quero ficar mais tempo na Bahia que em qualquer outro lugar. Quero, se possível, trabalhar aqui mesmo e só sair pra dar umas olhadas aqui e ali. Era o que eu queria fazer desde sempre. Eu gosto mesmo é daqui da Cidade do Salvador. Quero que todo mundo saiba que eu continuo achando João Gilberto o maior artista brasileiro e que tudo mais vá pro inferno.

Beijos.

REVISTA *VERBO ENCANTADO*, SALVADOR, 1972.

O texto foi reproduzido na Revista do *Jornal da Bahia* (23 e 24 de julho de 1972), sob o título "Caeponto final", com a seguinte introdução: "Ruim mesmo é cheiro de bruxa queimando. Mas ainda mais malcheiroso é o corpo e a alma dos que queimam as bruxas. Dez mil vezes fedorentos são os que fantasiam as bruxas, vestem de branco e com ruge barato deixam rosadas as carinhas dos anjos e passam a exigir feitiçarias ou milagres destes seus filhos.

"Caetano Veloso virou ídolo, mito e para sua infelicidade caiu na bandeja de oferenda e pedidos da 'intelligentzia'. Se voluntária ou involuntariamente ele desceu na enxurrada não vem a mérito de questão agora. O que vocês vão ler agora é um desabafo que ele escreveu para o Verbo (que infelizmente dizem ser o último número), um desabafo mais que um desabafo, uma baforada de fel na língua tagarela desta gente toda.

Ele começa assim:"

LÁ EM LONDRES

lá em londres, vez em quando, quando me sentia longe, dava por mim.
no rio de janeiro: continua.
na sampa: mano a mano.

(mano a mano hemos quedado
no me importa lo que has hecho,
lo que haces y lo que harás).

na pernambucália: não se perca de mim, não se esqueça de mim, não desapareça.
no porto da barra limpa: que barra pesada. que preguiça. que beleza, quanto medo. quanta alegria, a chegada da caetanave tapajós na praça castro alves. nando. a chuva, quanto medo. marquinhos. o que é que a baiana tem? você já foi à bahia, nega? não?, então vá. atrás do trio elétrico, esse negócio da mãe preta ser leiteira já encheu sua mamadeira, do jeito que vai, a bahia vai virar um cocô. vá mamar noutro lugar.
na TV: uma cara de pierrot.
no municipal: resto de janta abaianada. nada.

Programa do show de Caetano Veloso e Gilberto Gil no Teatro Municipal do Rio de Janeiro, março de 1972.

PARA ILUMINAR
A CIDADE

estou escrevendo com muita pressa que é para não atrasar a saída deste disco: já é com um atraso de anos que se registra o trabalho de mautner. em 1963 néci me falou de *deus da chuva e da morte*. eu vivia lendo a revista *senhor*: vi uma entrevista esquisita desse cara que olhava os homens do alto de um edifício de são paulo e os via como formigas. um dia vi o livro e, assustado com a grossura do volume, não li. depois fiquei sabendo de *kaos*. ele era um escritor estranho de quem se falava. uma vez rogério me disse que esse escritor jorge mautner cantava muito engraçado bonito com um bandolim e que aprendera o alemão antes do português. soube que ele cantara na televisão uma canção que falava em hiroxima & bomba atômica: algumas pessoas da música popular brasileira estavam indignadas com a escolha dos temas. diziam: que temos nós brasileiros a ver com a bomba atômica? um dia nara tocou no assunto comigo, em tom de pergunta. eu não tive resposta porque não conhecia as tais canções, nara falava mais cheia de curiosidade do que de preconceito. ela parecia estar realmente querendo saber como encarar um fato tão diferente dentro da música brasileira, enquanto para outros (inclusive para mim mesmo, que nem sequer me esforcei para conhecer as tais composições) a própria estranheza deste fato aconselhava a ignorá-lo. depois veio-nos, veio-me, veio o tropicalismo, de vez em quando eu me lembrava desse nome jorge mautner e ficava curioso querendo saber, ele tinha ido embora para os estados unidos. os mutantes, que me mostraram tanta coisa, contaram-me que jorge era bacana tinha cada coisa louca, cantaram alguns trechos de canções escritas pelo jorge. não me lembro como eram esses pedaços de canções e creio que não me causaram nenhuma impressão definida, um dia tive vontade de perguntar a zé agripino.

acabou-se o tropicalismo, em londres, apareceu jorge mautner com um guarda-chuva. gostei logo dele porque ele é uma figura incrível e também porque ele foi logo me fazendo umas profecias muito boas (e que felizmente deram certo). ri muito, ele cantou "o vampiro" e essa canção me impressionou de um modo como só "charles anjo 45" havia antes me impressionado. fiquei fã de jorge mautner. suas canções têm um cheiro de liberdade criadora que eu só encontrara em jorge ben. na espanha ele ficava falando em nietzsche e nos filósofos pré-socráticos, falando em apolo e dionisius, lendo sartre nas praias da catalunha. a gente chamava ele de mestre. mas principalmente ele cantava suas cantigas de chuva com o seu bandolim. ele não tem nenhum medo do ridículo, ele parece com tudo. ele é completamente diferente de tudo o que há na música brasileira, no showbiz brasileiro. ele parece uma formiguinha com seu bandolim, um telefone. ele sabe imitar porta, vaga-lume, liquidificador. só escreve cliché, com a originalidade de um marciano. eu fiquei realmente assustado ao saber que "o vampiro" era anterior a "alegria, alegria" e "domingo no parque". "olhar bestial", que está neste lp, também. é preciso que também se saiba que, mesmo agora, depois de tantos tropicalismos, não foi fácil colocar jorge no disco: "ele é muito bom", diziam os chefes, "mas não há onde colocá-lo, o público não vai saber como classificá-lo. e isso não vende". será?

Contracapa do disco *Para iluminar a cidade*, de Jorge Mautner, 1972.

NOSSA CAROLINA
EM LONDRES 70

Nelson Rodrigues disse que o povo brasileiro e a janela e o povo brasileiro na janela etc. etc. E Nelson Rodrigues é um poeta laureado, condecorado. Entretanto as janelas, mesmo no Brasil, têm servido para fins menos líricos do que aqueles aos quais ele se refere. Atenção para as janelas no alto. As feras do Saldanha. A Avenida Presidente Vargas. O bicho brasileiro na janela. Eu gostaria de contar ao Chico Buarque de Hollanda a história da Carolina, de dizer como a história da Carolina é parecida com a história da Gatinha Manhosa. Eu um dia pensei que a música brasileira estava num beco sem saída. Então eu saí da música brasileira e caí na vida, como acontece freqüentemente com as mocinhas sergipanas que vêm morar em Salvador. E aí eu me apaixonei pela gatinha manhosa e, algum tempo depois, com meu coração volúvel do signo de Leão, pela Carolina. Eu gostaria de contar, mas não tenho talento para narrar coisas tim-tim por tim-tim. Oh God, please, don't let me be misunderstood. Devagar. Na terra de um dos seus sambas Chico Buarque contrapõe a lua e a televisão, a rua e a sala. Digamos que eu, vivendo na miséria cultural brasileira, estou nessa sala, vendo televisão. A minha irmã Carolina está na janela vendo a rua e o meu amigo Chico está na rua, vendo a lua. A minha namorada Carolina está no vídeo e o meu inimigo Chico está no vídeo. Eu estou na rua, a minha desconhecida Carolina está na janela e o meu amigo Chico está no vídeo. Permutações simples de três termos complexos. Nelson Rodrigues está no vídeo. Impermutável. O fato é que hoje eu já não penso que a música brasileira está num beco sem saída. Ao contrário, acho que só tem havido saídas. E nada mais. A tropicália tinha uma musa (uma senhora cujo nome eu não posso dizer) e uma antimusa (a Carolina). Talvez se eu dissesse o nome da musa alguém viesse a entender o significado da antimusa. Mas já há saídas demais. Não é possível nenhuma tropicália. Não procure entender nada. Chega de confusão. Sabe o que é que eu acho? — eu acho que você não precisa saber da piscina, nem da gasolina, nem da margarina, nem da Carolina. Eu gosto de Jorge Ben, de Roberto Carlos, de Chico Buarque de Hollanda, de Caymmi, de "Chuvas de verão", de *Nazarin*, de diversas coisas. Don't think twice, it's all right, mo, I'm only bleeding. Podemos ser amigos, simplesmente; coisas do amor nunca mais. Eu bem avisei: vai acabar. De tudo lhe dei para aceitar. Mil versos cantei para agradar. E agora não sei como explicar. Lá fora, amor: eu vi em King's Road, no Picasso eu vi a inglesa deslumbrante. Ela veio e sentou na mesma mesa que eu e na minha frente. Ela nem me viu. Usou meu fósforo e, quando vagou outra mesa, ela se mudou para lá. Eu fiquei pequenininho cantando a Carolina bem baixinho como em brasileiro. Tenho certeza de que nem as crianças que cantaram esse samba nos programas de calouros da televisão souberam tão profundamente como eu a beleza da Carolina. Eu sou brasileiro, os meus olhos costumam se encher de água, eu sou humilde e miserável, estou na janela. Como na Alfama, em Santo Amaro, Évora, Cachoeira. Eu sou amável e terno, medroso. Eu sou lírico como Vinicius de Moraes, como Erasmo Carlos. Eu sou manhoso e dengoso. Não há salvação para mim. Nelson Rodrigues é um poeta laureado. Condecorado.

ALEGRIA, ALEGRIA (ORG. WALY SALOMÃO). RIO DE JANEIRO, PEDRA Q ROUCA, C. 1970.

ASTHMA

Asthma parece nome de um grande místico oriental. Tal. Estou cansado do ocioriente. Não. Asthma parece o nome de um dos estágios da alma mala portátil dos cosmos damião e doú. Doúm. Dou dois. Doisdois é viajeiro. Ociorientalização é a palavra. Os issos do ofócio. Estou cansado de escrever. Estou cansado de cidades exóticas como Londres. De cidades exotéricas como Paris. De cidades. Os essos do eufácil. Cidades cedidas. O rio. O barato. O aparato de glórias e lapas e catumbis. Laranjeiras, cajus, frutas, frotas. Cidade cedida. Cidade cedida. Cidade cedida. Parado. Lépido. Pedal lépido parado. Paralelepípedo. Lei. Eidos. Parados. Pálidos padeiros parados. Pedro Pedreiro penseiro esperando o trem parado. Trapa trepa tripa tropa metralha. Trabalhadores parados esperando parindo o trem parando. O trem da mísica popular brisilaira. Mas da mísera mística asthma o nome de um grande mástico oxidental.

Estou de sacro cheio. Droga. Crime ocidental cagoete. Para dantes mais brandos e ogerisas mais sabias Tu, Tutu. Profanos e contrafanos. Ócio. Acidente. Draga. Estou cansado. Chega! Abaixo o zebundismo. Viva a Bahia. Avusa ao polvo da bahia de todos os santos q'el rey d sebastião caiu no areal. De cima. E que maciel caiu no maciel de baixo. E q pavlo francis caiu no cabeça. E q tarso de castro caiu no pau miúdo. Mas muge o monge zebu. Bobo bebe baba. Zeus zebu. Bois zebrasileiros. No rio grande do norte do sul. Longe dos bairros da saudade do salvador. Chove chumbo. Chega!

Alguém me disse que tu andas novamente. Quistorie-
essa de rock brasileiro. O roque brasileiro não deve nada ao
soul americano mas em compensação o soul americano não
deve nada à decadência dos engenhos de pernambuco.
Alguém me disse que alguém disse que o rock brasileiro não deve nada ao soul americano. Sal céu cio soul sul. Estou cansado de tanta juventude. Chega de saudade. Eu não
estou cansado de nada que eu ainda sou muito jovem para
isso. Quero é brincar de prosa poesia e proesa. Cadê os novos baianos. O cruzeiro do sul disse mal escrito que existem
os verdadeiros novos baianos e que estes a quem busco os
novos baianos são sujos imundos não tomam banho e dor-
mem embaixo das pontes e por isso não são os verdadeiros
novos baianos. O cruzeiro não é a verdadeira manchete. Fatos e fotos não é o verdadeiro intervalo. Veja não é a verdadeira realidade. Estou falando de vera. Vera. Eu quero a proesia. Eu quero as galáxias do poeta heraldo de los campos.
Quem não comunica dá a dica. Eu quero a proesia. I wanna
go back to bahia. Ou melhor: I wanna to go back to bahia.

O PASQUIM, RIO DE JANEIRO, 25 DE NOVEMBRO DE 1970.

WE GET HIGH,
WE NEVER DIE

"WE GET HIGH, WE NEVER DIE" — "A VIDA E A MORTE CALÇAM IGUAL" — "É UMA VIAGEM TÃO VIVA QUANTO A MORTE, NÃO TEM SUL NEM NORTE NEM PASSAGEM" — "ATÉ EXPLODIR CO-LORIDO NO SOL, NOS CINCO SENTIDOS, NADA NO BOLSO OU NAS MÃOS."

"JIMI HENDRIX DIES AGED TWENTY FOUR: DRUG OVERDOSE."

Mick Jagger ao receber a notícia: "WE ARE COMPLETELY STO-NED". (Como terá sido a manchete do *Globo?)*. Um bubble: "Legal, ele quis curtir o barato da morte".

Jimi Hendrix, dois dias antes de morrer: "COMECEI A PENSAR NO FUTURO. EU JÁ DEI A ESTA ERA DE MÚSICA 'TUDO', ESTA ERA DEFLAGRADA PELOS BEATLES CHEGOU AO FIM: ALGUMA COISA NOVA TEM DE VIR E JIMI HENDRIX TEM DE ESTAR NESSA".

No palco, na Ilha de Wight, não havia nada que não fosse perfeito espelhamento da maquiagem da vasta platéia: uma guerra interna frouxa nem de longe ameaçava mudar o sentido daquele acontecimento: um gauchismo tipo derrubar-as-prateleiras-as-estátuas-as-estantes-etc. não pode mesmo querer ser grande novidade dentro de um universo musical & poético que comporta os Rolling Stones de "Salt of the Earth", a busca do sal da terra fora das fronteiras da cidade-festival. No palco, na Ilha de Wight, não havia nada que não fosse o que todo mundo já sabia. No palco, na Ilha de Wight, não acontecia nada. Ele entrou sorrindo e mascando chicletes, leve, meio voando voando sobre as botas de salto alto, sorrindo, testando o som da guitarra, incrivelmente bonito, doce, muito muito bonito, as pernas enxutas, rebolando um pouco, safado, como um moleque das ruas da Bahia, sorrindo, testando o som da guitarra, vindo tranqüilo do fundo do palco. "THE JIMI HENDRIX EXPERIENCE". O apresentador anunciou errado: o conjunto que levava esse nome dissolveu-se há mais de um ano quando Jimi voltou para os Estados Unidos, onde, depois de algum tempo de silêncio, formou um novo grupo chamado Band of Gipsies. Nesse momento estavam no palco Jimi Hendrix, Billy Cox (do Band of Gipsies) e Mitch Mitchell (do Experience). Os três nunca haviam tocado juntos antes e não pareciam ter ensaiado muito para aquela noite. Jimi pediu a Mitch Mitchell que começasse a tocar enquanto ele tentava com os engenheiros de som controlar a amplificação da guitarra, que, visivelmente, não estava dando a sonoridade que ele queria. O público esperava com a paciência dormente dos hippies. Jimi vinha até a frente do palco, sorria, testava o som, voltava para os engenheiros que corriam de um lado para o outro do palco nervosos, enquanto Mitch Mitchell batia qualquer coisa e o tempo passava. Sem que o problema fosse resolvido, Jimi iniciou "Spanish castle magic" e seus companheiros o seguiram não muito assustados. Ele tocava e cantava provisoriamente: entre uma estrofe e outra ele se voltava para os engenheiros e fazia de suas improvisações um teste de som. Como nunca dava certo, começava a rir e voltava a cantar, a pulsação natural da sua música enfrentando microfonias.

Ele havia entrado em cena com um projeto difícil em mente: conseguir ligar aquela multidão sem utilizar os recursos cênicos que contribuíram tanto para a sua fama quanto a genialidade de sua música.

"Não saio daqui enquanto vocês todos não estiverem ligados."

Durante uma hora ele tocou e cantou lutando contra os amplificadores. O público parecia entre frio e assustado: eles haviam gritado e aplaudido de pé quando o nome de Jimi Hendrix foi anunciado e agora nem sequer sabiam quando um número terminava, pois, além de não haver finais convencionados pelo conjunto, cada canção ao chegar ao fim transformava-se num novo teste de som e algumas foram interrompidas na metade. No entanto, em todos os momentos, sem que nada ajudasse a percepção disso, estava presente a beleza do trabalho de um dos maiores artistas que já houve. "Vocês querem aquelas coisas velhas?" — "Todas elas", eu respondi e ele me olhou com um sorriso sacana — "Então vamos lá." Aí ele iniciou a segunda hora de sua apresentação: uma antologia de tudo o que ele deu a essa era. Sex & Blues. Ele abria as pernas e botava a língua pra fora e tocava guitarra com os dentes e punha o braço da guitarra entre as pernas e a acariciava. E o público resolvia se ligar porque agora sim reconhecia Jimi Hendrix, mas não conseguira ir muito longe: algo permanecia incômodo, havia um distanciamento. Jimi sorria sabendo o que isso significava: a frieza da primeira hora fora mais real que a animação redescoberta. Essa animação era nostálgica: tudo aquilo estava no passado e no entanto ele estava presente, novo em folha, saudável. Ele estava provisoriamente ali, mas estava ali mesmo, presente, vendo tudo. E seu olhar quebrou o espelho. Poucos dias depois ele diria a um jornalista que a era dos Beatles chegara ao fim e que ele queria engordar. Os jornais ingleses comentaram que na Ilha de Wight Jimi Hendrix havia feito a pior apresentação de sua vida. Mas seu sorriso naquele momento, a saúde com que ele movia as pernas imitando-se a si mesmo, a eternidade de sua música naquele momento — tudo isso mostrava o esboço e a exigência de um novo projeto. Essa era de música acabou. A era da música? A era do despedaçamento planejado e colorido, a era de uma juventude que se cria com o sal da terra, a era da embriaguez e do lazer mais ou menos perigoso, a era das crianças de classe média on the road, a Era da pele, dos cabelos. A Era das drogas, que, segundo o *Globo* e o *Evening Standard*, mataram Jimi Hendrix. Quem é o sal da terra? Essa última ofensiva não foi capaz de impedir que os *Globos* e os *Standards* da vida continuassem existindo. O que é o sal da terra? Que aquilo que Jimi Hendrix vislumbrou antes de morrer seja mais eficaz.

"A EXPRESSÃO 'FUNDIR A CUCA DE ALGUÉM' É VÁLIDA. AS PESSOAS GOSTAM DE QUE VOCÊ FUNDA A CUCA DELAS. EU QUERO FORMAR UMA BANDA GRANDE E CRIAR UM NOVO TIPO DE MÚSICA. AGORA NÓS VAMOS FUNDIR A CUCA DAS PESSOAS, MAS, ENQUANTO ELA SE FUNDE, NÓS VAMOS CONSTRUIR ALGO PARA PREENCHER O VAZIO."

O PASQUIM, 27 DE OUTUBRO DE 1970.

LONDON LONDON

Reouvindo Luiz Gonzaga, Lua, molhando os pés no riacho, que água fresca, nosso senhor! Uma casa com varanda dando para o norte, centro, sul inteiro onde reinou o baião: se eu mereci minha coroa de rei, colírio moura Brasil, triângulo das secas. Não é absolutamente verdade que Luiz Gonzaga tenha abastardado a música nordestina numa redução comercial. Ele criou formas novas adequadas a um público que comprava discos. Você que já conheceu Luiz Gonzaga no rádio e no disco não venha agora com onda carioca careca. Ele foi o cara que, no seu tempo, mais e melhor explorou a riqueza possível dos novos meios técnicos. Ele inventou uma forma de conjunto, um tipo de arranjo, um uso do microfone. Ele sugeriu uma engenharia de som. Se você é surdo, azar o seu. Luiz Gonzaga — como Roberto Carlos — mereceu sua coroa de rei. E a honrou.

Reouvindo os quatro crioulos e as duas rainhas da Rosa de Ouro. Relembrando a Rosa de Ouro. A melhor coisa já feita sobre música carioca. Clementina, cadê você? Onde estão os tamborins? Nasceste de uma semente, à beira de uma nascente: não podes morrer. Viver somente de cartaz não chega.

Reouvindo Gilberto Gil. A Rua de Torquato que o tempo ninguém mais canta. Ele falava nisso todo dia, coragem para suportar, beira-mar, luzia, luluza: Avenida São João em preto e cinza, hotel cineasta, Rua Chile descendo pela Castro Alves até o mar azul dois mil e um em cinerama. Rogério Duprat com seus violinos atrás do trio elétrico. Karnaval.

Reouvindo Aracy, camisa amarela. Bem chumbado, atravessado. Último desejo. Ela tem direito de dizer que todo o resto é uma "merde alors".

Reouvindo Bethânia, para dizer adeus. Onde quer que eu vá, sei que vou sozinha. Ali tem muita coisa. Estou falando da gravação de para dizer adeus naquele LP que Bethânia gravou com Edu. Ali tem tudo. Bethânia é uma beleza. E é terrível. E é assim mesmo. E aquela é uma das mais lindas gravações existentes. No mundo.

Reouvindo João Gilberto sempre e reaprendendo com ele a ouvir. Entre "bem, não vá deixar" e "sua mãe aflita" há o abismo. E "o teu jeitinho é que me mata" vai armando um encontro da voz violão com os outros instrumentos, em notas longas, criando uma sonoridade redonda, morna, que estanca de repente para deixar dançar a frase seguinte, "roda, morena cai, não cai / ginga, morena vai, não vai". E em "clemência", a flauta, que já vinha driblando a brasa, vem descansar junto da voz num intervalo de segunda maior tristíssimo. Eu acho que a música foi gravada em lá maior e, nesse caso, a "clemência" cai num si sétima e nona: a voz de João está na nona e a flauta na terça do acorde. É incrivelmente simples e bonito. Como quando ele diz "nas cordas do meu violão". O bordão em "Maria Ninguém". Tudo.

O PASQUIM, 1º DE JULHO DE 1970.

LONDRES

LONDRES Um abraço pelo ferro na boneca Moraes & Galvão + Paulinho Boca de Cantor. O disco, como de hábito, não é bom. Mas é ótimo, em compensação. Porque a gente vê que a turma é legal. Sob esse aspecto (talvez mais do que sob qualquer outro) se parece com os discos dos velhos baianos na fase tropicalista. O disco de Gil ainda vá lá, mas aquele meu era terrível. E, no entanto, ambos eram ótimos. Na verdade, eu adorei o disco dos Novos Baianos, fiquei emocionado quando ouvi. Não disse logo de cara pra o pessoal aí não querer gozar com minha cara de baiano velho etc., porque eu estou por dentro de muita coisa que a moçada não está; janelas tão abertas, meu coração via transplante no país da serenata, uma menina sentada no chão na casa de Pituba sem blusa, com um trapinho de calça Lee amarrado no tronco pra cobrir os bicos dos peitos, Rodrigo comandando o Brasa, o Brasa, Seu Catarino, não comandando nada, a turma repentina do Aplicação, a aplicação, façamos terra. Se alguém me disser que o disco é ruim, tá legal, eu também tou entendendo e os caras também tão entendendo desse ruim. Deixe comigo e eles, a gente não está querendo nem saber. Ou melhor, deixem comigo que eu deixo com eles: se virem, cuidado pra não se machucarem, mandem brasa etc. f. na b.

Um abraço especial em Baby Consuelo — sim, por que não? —, pela curtição de véu e grinalda.

Um abraço sempre de novo em Paulinho da Viola cantando, um abraço pelo seu sinal. Paulinho é um grande amor. Deve ser a pessoa de quem eu mais gosto no Rio de Janeiro que passou em minha vida. O sinal está claro, límpido, luminoso. Embora fechado, porque não há outro jeito. É um disco solar. Dá fossa, mas ele e eu não temos medo de trocadilho. Também isso podem deixar conosco. Quem sabe...

Um abraço em Gonzaga Júnior pela festa e pela erva. Pra o velho Lua eu não posso e não preciso dizer nada: continuo ouvindo e aprendendo. O milho pra o céu apontando, o feijão pelo chão enramando. O cristão tem de andar a pé. Canaã? Belo é o Recife pegando fogo na pisada do Maracatu.

Um abraço em Julinho Bressane pelo que ele fez: matou a família e foi ao cinema. O cinema é um bom lugar pra se ir. Chorei pra burro. Fui a Paris pra ver filmes porque em Londres não temos muitos. Vi *Era uma vez no Oeste* e *Satyricon* e *As aventuras de Juan Tin Tin* (Itália, Itália e Cuba) e fiquei meio cabreado: acho que já estou velho pra gostar de ver figuras mexendo na tela, pensei. O fato é que o cinema me desencantou. Um dia o Cacá Diegues me chamou pra ir ver um filme brasileiro na cinemateca, uma sessão especial. Aí já começou com um close de Márcia Rodrigues, linda, e outro da Renata Sorrah, que eu amo. Perdidas de amor, era visível. Depois o estilo livre, ligando os pontos da violência cotidiana brasileira às avessas. Um filme lírico. E as meninas ali mesmo e Antero. O filme parece que limpou a tela de todo vício e me fez gostar de estar no cinema de novo. Não sei por quê: objetivamente, *Matou a família e foi ao cinema* é um filme interessante, com uma estrutura nova etc., mas ele me pegou muito mais do que isso. Talvez Renata. Talvez tudo. A escolha daquela música do Roberto, aquela que a gente sempre soube e não se lembra. Os franceses críticos de cinema e selecionadores de festival que estavam na sala não pareceram ter entendido nada. O nosso amor é puro, espero nunca acabar.

O PASQUIM, 4 DE JUNHO DE 1970.

OLHA, GENTE:

Olha, gente: é preciso fazer uma distinção importante: uma coisa é ser consumidor de arte, ouvir, ler, gostar. Outra coisa é ser produtor de arte: você pode gostar de Assis Valente, mas não tem obrigação nenhuma de fazer o que ele fazia. Você não pode mesmo fazer nada dentro do universo de linguagem em que ele se movimentou. Já pensou se o Jorge Ben fosse dar uma de Pixinguinha?

O mar não está para peixe, Ferreira Gullar, e a barra está pesada. Aquele seu artigo (hoje talvez tão velho no Brasil e em você que isto aqui não lhe valha uma resposta) era sintomático disso. Você teme o desprezo (?) que a moçada dá ao Martinho da Vila e eu temo seu texto. Seus pontapés não batem em lugar nenhum. Por que você foi embora pra Pasárgada? Tudo isto aqui está uma merda, meu velho, e, como não há mesmo saída imediata, o cara começa a dar pontapé em tudo que está por perto: o imperialismo se dá é aqui, Ferreira. O que está longe nossos pés não alcançam: a música brasileira, a arte brasileira, a cultura brasileira, a revolução brasileira em marcha. O povo solidário na sua alegria e na sua esperança, todas essas realidades ideais, fique tranqüilo, são realmente inatingíveis pelas nossas patas.

Quero lembrar umas coisas a você:

a. João Gilberto é um dos maiores conhecedores da tradição musical popular brasileira e já o era quando os tinhorões, as urtigas e os cansanções da vida, à sombra das pontes pretas, disseram que a bossa nova era um movimento entreguista.

b. Sérgio Mendes tem sido muito injustiçado pela crítica brasileira: o fato é que sua música teve de se abrasileirar muito para fazer sucesso nos Estados Unidos. Era muito mais jazzística quando ele trabalhava aqui no Brasil e gravou aquele disco com o Tom.

Gostaria que esses pequenos detalhes fossem para você tão reveladores quanto o são para mim. Foi por assumi-los como exemplares que descobri a música de Jorge Ben superando discussões como esta que agora me vejo obrigado a alimentar com você. A música de Jorge Ben é genial porque tira de letra esse babado de ter de escolher entre rendição total à invasão internacional e uma cultura que se dedicara desde sempre a copiar, arremedar, puxar o saco da cultura estrangeira, embasbacar-se. E é por causa da música de Jorge Ben que eu estou lhe respondendo, não sem certa preguiça, aquele artigo. É que a posição nacionalista de 22 serviu para tanta coisa, e os novos Chico Buarque, os novos Gil e os novos Caetano serviram para tanta coisa que eu temo que também a música de Jorge Ben venha a ser demasiadamente útil quando a vejo namorada em artigos como o seu, depois de alguns anos de solidão no programa de Roberto Carlos.

A música popular brasileira não se renova a cada semana. É verdade. Como o povo mesmo, ela é densa, complexa, custa a mudar. Nenhum avanço real é uma pequena mudança. Eu assisti ao horror e ao espanto que causou a bossa nova, a aparição de João Gilberto. A música de Jorge Ben era bastante inteligível quando parecia ser a confirmação do que se pode diluir da bossa nova: aqui e, bem depois, nos Estados Unidos via Sérgio Mendes. Quando ela mudou de registro, ou quando nela se revelaram os elementos de uma nova linguagem que só depois seria, digamos, traduzida pelo tropicalismo dos baianos, foi desprezada por "informe", "desconexa", "louca", "alienada". E não foi exportada por ninguém. Porque isso ainda é mais difícil: não somos, como você bem sabe, um país de exportação. A exportação não pode ser um critério de julgamento: pode ser, quando desejada, uma parte do trabalho que se realiza, tão passível de crítica quanto o resto. Talvez a mais perigosa, é só. Não se trata de fazer uma jovem inglesa inteligente entender o tuaregue; não é isso que vai testá-la. Uma jovem inglesa inteligente me disse ao ouvir o tuaregue que é muito triste ver que os groups brasileiros tentam imitar as imitações que a western music faz da música oriental, em vez de utilizar seu próprio primitivismo. Eu disse a ela que é muito triste constatar que suas próprias palavras justificam o desprezo com que ela diz western music. Mas o problema não é esse. E sim tentar demonstrar que esse problema, entre outros, prova que a música brasileira não se parece em nada com um trem. Nem rápido nem lento. E que a sua escolha dessa metáfora explica por que você confunde os avanços reais com descarrilhamentos desastrosos. Essa visão linear do processo cultural é a mesma que levou alguns bons compositores da chamada segunda fase da bossa nova a desprezar as buscas de Paulinho da Viola por ele não estar por dentro de harmonia impressionista ou a considerar Tom necessariamente melhor que Pixinguinha ou a ridicularizar (em surdina, é claro) a simplicidade harmônica do Chico Buarque dos primeiros sambas. Nesse trem em que você foi para Pasárgada, Ferreira, a música popular brasileira não embarcou e muitos dos seus supostos companheiros de viagem contribuíram decisivamente para isso.

O PASQUIM, 3 DE JUNHO DE 1970.

O SOM DOS 70

O som dos 70 certamente só será audível quando nós estivermos perto dos 80. Pelo menos só então será identificável. Talvez, pelo contrário, seja ouvido de pronto e fique para sempre inidentificável. O som dos 70 talvez não seja um som musical. De qualquer forma, o único medo é que esta venha a ser a década do silêncio. À pergunta "Para onde vão os Rolling Stones agora?", Mick Jagger respondeu: "Pra trás". O que não só prova que ele está muito para a frente, como também que quem está com ele não está lá muito otimista. Nas afirmações de John Lennon & Yoko há um otimismo ingênuo explícito, mas tudo o que acontece com eles mostra que não há senão exigência desesperada de que esse otimismo seja possível. Não sem razão, a revista *Time* abre a década homenageando A MAIORIA SILENCIOSA à qual o presidente Nixon se refere quando tem de falar sobre o Vietnã.

Com a ascensão da música pop, o som dos 70, veio toda uma geração cujo universo—linguagem já começa a carecer de conflito — é o que parece sentir o John Lennon das furiosas entrevistas anti-Beatles ("Paul e Brian Epstein me obrigaram a aceitar aquela medalha. Paul sempre defendia a opinião de que devíamos continuar usando paletó e gravata. Eu queria cantar com os Stones e eles ficavam com essa mania de Beatles. Nós já tivemos de mentir demais."). Diferentemente do que acontece com os seus colegas americanos, os Beatles vêem sua rebeldia transformada em acervo do Império Britânico pelo nacionalismo provinciano insular dos ingleses. Ou melhor: descobrem-se participando desse sentimento e mesmo alimentando-o. Até a devolução da medalha, a imprensa inglesa não parecia sentir senão orgulho pelos Beatles. Toda a imprensa. E os hippies também. As entrevistas absurdas do John Lennon, seu supercasamento com Yoko Ono têm um parentesco com o surgimento dos supergroups, com o desprezo que Jimi Hendrix Experience e Cream demonstram pelas suas próprias carreiras de conjuntos: todos parecem querer destruir as certezas estéticas que vieram com eles. Seja como for, ninguém está à vontade no papel de figura definitiva de uma bela história. E tudo isso tem a ver com a sugestão de Mick Jagger: "Unless you are Fidel Castro". Uma coisa é certa: a maioria silenciosa, na Inglaterra, não exala grande simpatia pela figura de Yoko Ono. Eu vi um espetáculo em que ela aparecia gritando durante 45 minutos à frente de uma banda formada por John Lennon, George Harrison, Clapton (Cream), Delaney & Bonnie (um casal americano que encantou Beatles & Rolling Stones), Mitch Mitchell (Jimi Hendrix Experience) etc. Era a primeira vez em quatro anos (sei lá) que John & George (ou qualquer beatle) apareciam em público. Havia umas quatrocentas pessoas num auditório em que caberiam 2 mil. Por outro lado, a Scotland Yard fechou a exposição de desenhos do John alegando obscenidade: os desenhos representavam (eu ouvi dizer) cenas de cama de John e Yoko. Os 45 minutos de close do pênis de John Lennon (filme *Autoportrait*) podem ser vistos em clubes fechados. Embora nem tão fechados assim. Mas o responsável pela região de Leicester Square não permitiu que fosse exibido naquela praça o filme *Smiles*, um estudo de mais de meia hora também, não do pênis, mas do sorriso de John Lennon, feito pela Yoko: "O casal não condiz", disse o cara, "com a dignidade da praça e dos seus moradores". O que, para quem conhece Londres, soa muito engraçado. Mas eu não vou continuar falando nessas coisas. Mas nem morta. Cansei. A boneca está impossível hoje, teorizando, teorizando. Chega. Basta saber que os anos 70 ainda não soaram. E talvez não soem. O que há é Yoko Ono que não tem nada a ver com som. E o som dos 60 (Janis Joplin, Jimi Hendrix, Stones, Beatles). E o som dos 50. E o som dos 40. E o som dos 30. E o Brasil?

O PASQUIM, 26 DE FEVEREIRO DE 1970.

GAL

Gal, seu disco é bacana. Seu disco é muito bacana mesmo. Cada ano sai melhor. Cada vez que eu leio um comentário sobre cinema em revista brasileira eu gosto mais do seu disco. Cada música nova que eu faço eu gosto mais do seu disco. Cada vez que eu sinto a barra. E a barra não está leve. Cada vez que eu vejo televisão colorida, cada papo sinistro que eu alimento, cada supergroup que aparece. Seu disco é bacana. Você deve ter brigado muito por ele. Com você mesma, com alguém, com alguma coisa. Se não brigou para fazê-lo, ainda vai brigar por tê-lo feito. Seu disco é muito mais bacana do que o outro que você fez antes. Eu falo que você deve, de alguma forma, ter brigado pra fazer o disco como você fez, porque eu acho que ele é seu demais. E não é fácil a pessoa chegar inteira até o fim de um disco. Você chegou aqui, no disco, e você está maravilhosa. O show que você está fazendo com Macao deve ser terrível. Mandem notícias logo. Eu estou legal. Gil fez uma música linda para você. Venha ouvir. Eu estou apaixonado por "Pulsars e quasars". É um subblue, uma supercanção de amor gravada num disco voador de tampa de panela, um disco voador daqueles que só existem na revista O Cruzeiro. Uma estrela cabeluda desbrilha no vídeo do barraco, qualquer coisa assim. Você está mesmo uma figura dápesa. E Macao. E Mariah? Ah, põe aquela estrela cabeluda num vídeo do Pinga, atrás da Rua Rio de São Pedro. A Rua Rio de São Pedro é fogo. Você pode dizer que eu sou saudosista. Eu sou mesmo. Mas eu estou é tentando falar de "Pulsars e quasars" e Capinam, o autor da letra, é mais saudosista ainda do que eu. Agora, a cultura e a civilização, elas que se danem. Ou não. Meu nome é Gal, nasci em Santo Amaro da Purificação, Bahia, tenho 27 anos, admiro Macalé, Erasmo, Mariah, Orlando Silva, Augusto de Campos, uma porrada de gente. Mas tem certas ostras e certos teiús de brejo que nem morta! Outro dia eu fiz uma carta pra Bob dizendo isso mesmo. Agora eu estou pensando em mandar esta carta através do *Pasquim* em vez de mandar direto pra você. Porque estou falando de seu disco e, como o pessoal que compra o *Pasquim* quer mesmo é ficar por dentro (quer mesmo?), isso pode ser útil. Eu, no momento, só teria uma coisa a aconselhar a quem quer ficar por dentro — a audição do disco de Gal Costa.

É isso mesmo. Que se danem. Anyway. Ferro na boneca. Eu quero a geral, com Errol Flinn da Conceição agitando a bandeira do Esporte Clube Bahia. Quero o identifisi, o identudo-gui, o identido-ni, o identado-ca e mais uma porção dos identifisignificados novos seres que virão do fundo do céu, do alto do chão. Quero os pulsares, os quasares, os santamarenses geniais como Dinailton. Quero escrever alguma coisa que tenha o mesmo feeling do seu disco, Gal, mas não consigo. Seu disco é mesmo muito bacana.

O PASQUIM, 19 DE FEVEREIRO DE 1970.

O texto se refere ao LP *Gal*, Philips, 1969.

PRIMEIRA FEIRA
DE BALANÇO

I. PARÊNTESIS

(A julgar pelos artigos histéricos reunidos em livro pelo Sr. José Ramos Tinhorão — infelizmente o único a colocar o assunto música popular brasileira em discussão —, somente a preservação do analfabetismo asseguraria a possibilidade de fazer música no Brasil. Embora assim não esteja explícito em palavras no livro, a atuação dos artistas da classe média é — se levarmos até o fim esse raciocínio — apenas um acidente nefasto: não houvesse ocorrido isso e o futuro nos asseguraria pobres autênticos cantando sambas autênticos, enquanto classe-médias estudiosos, como o Sr. Tinhorão, aprenderiam os nomes das notas. Restando apenas saber para que aprendê-los.

Quanto a nós, resta esclarecer por que nos demoramos no comentário de um livro tão apaixonado e superficial quanto pretensioso de ser lúcido e profundo: este comentário parece-nos ter sua oportunidade justificada não apenas no fato de ser o livro do Sr. José Ramos Tinhorão o único que toca o assunto agora, mas, principalmente, na certeza de que ele representa a sistematização de uma tendência equívoca da inteligência brasileira com relação à música popular. Sem dúvida, por amor à beleza do samba, muitos salvadores têm conduzido seu pensamento de reação à inautenticidade por um caminho enviesado: ao fim de um artigo em que proíbe orquestração, nega Villa-Lobos, desanca as "tentativas nacionalistas" de Carlos Lyra, o Sr. José Ramos Tinhorão pára diante do fato absurdo e inexplicável de que João Gilberto é um artista "realmente original".)

II. EXPOSIÇÃO

(Qualquer um pode ver claro que os problemas culturais do Brasil estão bem longe de ser resolvidos. Depois da euforia desenvolvimentista — quando todos os mitos do nacionalismo nos habitaram — e das esperanças reformistas — quando chegamos a acreditar que realizaríamos a libertação do Brasil na calma e na paz —, vemo-nos acamados numa viela: fala por nós, no mundo, um país que escolheu ser dominado e, ao mesmo tempo, arauto—guardião-mor da dominação da América Latina. Se se fechou o círculo vicioso da economia e da política abjetas, isto é, se os problemas básicos estão distantes da solução a ponto de permitirem soluções às avessas, não será no campo da cultura que nos teremos aproximado de uma autonomia definitiva.

Não se pense que estas palavras demonstram a tendência simplista de estabelecer uma relação causal entre cada evento político-econômico particular e os fatos culturais: sabemos a que proximidade do ridículo tem-se chegado no afã de fazer uma ligação direta entre a construção de Brasília, a pretensa indústria automobilística e a bossa nova. Entretanto, é necessário compreender a impossibilidade de a realidade cultural extrapolar a totalidade que ela compõe.)

A discussão sobre a música popular brasileira — raramente organizada em artigos, uma só vez em livro, mas sempre sugerida em shows e na seleção de repertórios —, essa discussão difusa tem-se lançado na direção de algumas conclusões a respeito da validez cultural do movimento que se caracterizou por uma conscientização mais amadurecida da influência do jazz e que veio a se chamar, carioquissimamente, de bossa nova. Os menos ingênuos não esqueceram que há muito os elementos jazzísticos habitam os nossos gostos e os nossos ouvidos: o cinema falado é o grande culpado da deformação de excelentes vocações musicais; isto é, dó desenvolvimento técnico malbaratado de artistas como

Johnny Alf, Dick Farney: a produção desses rapazes corres-
ponde a uma alienação da classe média subdesenvolvida,
cuja meta é assemelhar-se à sua correspondente no país de-
senvolvido dominante, tal como lhe é apresentada pelas cores de sonho do cinema que é produzido para isso. Certo.
Entretanto, é necessário ir além — compreender esse processo, mas sob outro enfoque: tratando-se de arte, é sempre
perigoso fugir à perspectiva estética. Ora. Depois das inven-
ções impressionistas de Debussy, o jazz foi a maior contribuição para a música erudita contemporânea; como enriquecimento técnico e inovação formal, como nova visão criativa
— interpretativa —, crítica, enfim, como revolução cultural
no seio da música, o jazz está em toda parte. De Villa-Lobos
a Aznavour. Mesmo que incluamos, justamente, o amor pelo jazz no processo alienatório que nos levou a tentar dançar, cantar e mesmo namorar, viver como nos filmes americanos, não teremos entendido corretamente esse processo se
não atentarmos para o fato de que o conhecimento do jazz
pode representar, de qualquer modo, uma necessidade verdadeira de todos os estudantes de música, no mundo: o resultado do trabalho de Carlos Gonzaga e Celly Campello não
tem o mesmo sentido do de Luís Eça. Isto é, claramente se
diversificam os que querem a todo preço representar diante
de si mesmos e dos outros brasileiros a "grandeza" de se parecerem com os americanos porque são americanos, dos que
ouviram mais do que tudo, por todos os motivos e mais um
que é o fato de eles serem dotados do mistério da musicalidade, o jazz. Sem dúvida, a imitação grosseira da pior música
americana e a busca de igualar-se tecnicamente aos melhores jazzmen não são senão dois aspectos do mesmo processo de alienação. Mas, quando se começou a falar em bossa
nova, outra coisa tinha acontecido: o surgimento do cantor
João Gilberto em discos orquestrados por Jobim — lançando os sambas do próprio Jobim / Carlos Lyra / Vinicius de

Moraes, revivendo Caymmi & Ary e citando Orlando Silva
— o surgimento de João Gilberto tem, musicalmente, um
novo significado, cuja importância independe do fato de ele
ter, por motivos de conforto profissional, transferido residência para Nova Iorque. Porque em João Gilberto (isto é,
nos arranjos de Jobim, na composição de Lyra, de Gilberto
Gil, Chico Buarque de Hollanda, no canto de Maria da Graça, enfim, em todos que aprenderam tanto com João Gilberto) o jazz não é senão um enriquecimento da sua formação
musical, um ensinamento de outras possibilidades sonoras,
com as quais se está mais armado para compor, cantar e
mesmo interpretar, criticar, redescobrir a tradição legada por
Assis Valente, Ary Barroso, Orlando Silva, Vadico, Noel Rosa, Ismael Silva, Ciro Monteiro e o grande Caymmi. Quer
dizer, o disco chamado *Chega de saudade* — e tudo o que
veio depois com força bastante para ser fiel às suas maiores
conquistas (malgrado o inevitável degringolamento publicitário circundante) —, esse disco superou a alienação que o
antecedeu exatamente por não ter fugido ao reconhecimento dos elementos que enriqueceram inutilmente a técnica
dos seus antecessores. E nos armou para revê-los: eles tiveram a importância histórica de, seja por que caminhos que
tenha sido, nos colocar na possibilidade do domínio de uma
técnica musical resultante de um dos mais importantes movimentos surgidos em nosso século, no seio da música, e
que se tornou conhecido pelo nome de jazz.

Resta saber se tudo isso tem alguma coisa a ver com o
samba, essa forma que, levada pelos negros da Bahia, evo-
luiu no Rio e de lá ganhou o Brasil através do rádio e do
disco. Se acompanharmos a evolução do samba até onde nos
agrada ou interessa e o cristalizarmos num momento que
nos parece definitivo, poderemos nos ater ao samba de roda
da Bahia e renegar até o mais primitivo partido-alto carío-
ca; reagindo contra a possível inautentificação do samba,

muitos se voltaram para o morro e alguns acreditaram que somente lá ele existe realmente: Carlos Lyra fez um samba sobre esse assunto e foi compor com Zé Kéti e Cartola. Entretanto, o samba há muito deixou de se restringir ao morro, como houvera deixado de se restringir à Bahia. E ninguém pode de boa-fé acusar Ary Barroso de uma apropriação indébita por expressar-se em samba sem ter vivido no morro e sem ser semi-analfabeto. De resto, a parceria de Carlos Lyra com o pessoal do morro não resolveu os seus problemas de composição, que só vieram a ter sugerida a sua resolução quando ele compreendeu que é nessa tradição, representada por Ary, Caymmi, Orlando, Leo Peracchi, que se inserem os nomes de João, Jobim e o seu próprio — artistas não-primitivos cujo trabalho está além do conceito pejorativo de estilização.

(Ter atingido a consciência de que se pode saber os nomes das notas e estar a par do que vem acontecendo com elas no mundo sem deixar de ser brasileiro não é tudo. O problema do músico brasileiro é o problema da libertação do Brasil. Depois de Jobim apareceram, com um atraso de decênios, novos jazzmen subdesenvolvidos, toda a onda publicitária que se fez — na imprensa como nas próprias produções musicais — em torno da obra de João Gilberto; a reação contra isso — da parte dos que admitem que os letrados façam samba —, a princípio inspirada com equívocos e acertos nos acertos e erros da protest song, terminou por gerar uma nova onda publicitária, dessa vez fundada em demagogias esquerdizantes; tornou-se, então, comum a combinação ostensivamente ridícula das duas coisas: mocinhas alegres por todo o Brasil repetiam os passos inventados por Lennie Dale enquanto, sorriso de Doris Day nos lábios sustentando uma vocalização just jazzy, discorriam sobre os privilégios ou incitavam os pescadores à luta. Hoje (da parte dos que não admitem samba a não ser primitivo) diz-se que a volta de Zé Kéti, Nelson Cavaquinho e Cartola é a prova definitiva de que a bossa nova, mera onda superficial, dá-se por finda. No entanto, essa "volta" não parece passar de uma necessidade da própria bossa nova, um elemento exigido pela sua própria discussão interna. Não há nenhuma volta, eles sempre estiveram lá: até hoje o samba de roda da Bahia permanece a despeito de Pixinguinha. De resto, discos como *Roda de samba* e *Rosa de ouro* têm seu sucesso restrito aos universitários. Enquanto o povo — e aqui podemos dar à palavra *povo* o seu sentido mais irrestrito, isto é, a reunião das gentes — desmaia aos pés do jovem industrial Roberto Carlos.

Pelo menos por intuição, concluímos que agora a grande guinada a dar na nossa discussão é voltar ao ponto nevrálgico que a gerou: rever o legado de João Gilberto. Os grandes sambistas tradicionais continuam produzindo, mais que isso, sambistas novos surgem nos morros cariocas a despeito da corrupção das escolas de samba — os "tradicionalistas" argumentariam melhor se se apegassem à demonstração de sambas como "Coração vulgar" ou "Conversa de malandro", de Paulinho da Viola, compositor da Portela, de 23 anos. Se quisermos ser fiéis a Paulinho sem deixar de fazer samba, temos de tomar com João Gilberto a melhor lição — a que nos dá sua extraordinária intuição seletiva. Quanto aos grandes problemas — o da verdadeira popularização do samba, da sua volta como linguagem entendida e forma amada por todo o povo brasileiro, o da desalienação das massas oprimidas em miséria, slogans políticos e esquemas publicitários — esses, não os resolveremos jamais com violões.

III. INTERPRETAÇÃO

Os sons que Antônio Carlos Jobim organizou com flauta, violinos, bateria, contrabaixo, madeiras, metais e João Gilberto (canto e violão), isto é, a organização sonora que lhe foi sugerida pelo entendimento do violão e do canto de João Gilberto é, ao mesmo tempo, samba popular e música de câmara, com muitos ensinamentos colhidos no jazz. Mas não é jazz. Basta ouvir "Rosa morena", de Caymmi: um assobio malandro, uma flauta lírica parecem nascer do violão que, por sua vez, resulta das notas e das palavras da melodia; tudo compondo uma peça de forma redonda e acabada. Não se trata de uma superposição de formas nem de uma (como muitas) tentativa (desde a premissa, frustrada) de resolver uma forma pela outra: aqui não se aprimoram as fórmulas conhecidas para dar uma aparência de "jazz" ou de "clássico" ao samba que se interpreta, nem se considera o samba um mero tema a partir do qual se pode realizar uma peça "erudita" ou "jazzística". Todo o conhecimento técnico, adquirido onde quer que seja, está a serviço da recriação da forma samba, do jogo rico que se faz com seus elementos, os sons distribuem-se ritmicamente para reencontrar o gosto pelo gingado, o domínio do ritmo complexo do samba, para, daí, atingir (como poucas vezes se conseguiu) seus conteúdos: a malícia, certa nostalgia, o dengo.

É que João Gilberto é, de todos os tempos, o intérprete brasileiro que melhor compreende a bossa, esse mistério que habita o sambista, e melhor pode jogar com ela. Apenas Orlando Silva houvera intuído de forma tão completa, nuance por nuance, a musicalidade brasileira, sua filigrana. Sendo que João tem a vantagem de ser um músico mais formado: seu violão, sua capacidade harmônica lhe possibilitam estar presente em todo o instrumental que o acompanha, expandir seu canto até a brisa dos violinos, até o gemido do trombone, o ornamento da flauta. Como disse Jobim: "Quando Joãozinho se acompanha, a orquestra também é ele".

Fora da história do jazz, que é principalmente uma arte de intérpretes, raramente um cantor ou um instrumentista chegou a reformular tão profundamente toda uma cultura musical, sugerindo, inclusive, caminhos para os composito-res: dos sambas que João Gilberto lançou ("Chega de sauda-de", "Saudade fez um samba", "Insensatez", "Outra vez", "Coisa mais linda"), podemos dizer, parodiando Jobim, que também são João Gilberto. Porque através dele é que os compositores descobriram, com mais segurança, como or-ganizar seus conhecimentos no sentido de expressar-se com fidelidade à sua sensibilidade de brasileiros.

Sem dúvida, alguns aspectos da sua maneira peculiar de ver e cantar as coisas foram, de boa ou má-fé, distorcidos pe-la confusão que se faz entre o que um artista pode dar aos outros em abertura de visão e o que de mais exterior pode ser reconhecido no que há de pessoal em seu trabalho. Equí-voco que é a descoberta do tesouro para os que têm o olho fixo nas facilidades comerciais proporcionadas pela redução publicitária: a atitude poética impotente e fresca, a pirotécni-ca musical, os mil barquinhos e florzinhas e marzinhos azui-zinhos tão odiados por Narinha são o resultado final disso.

Mas os verdadeiros frutos da obra de João Gilberto não são as deformações publicitárias e sua maior conquista não é ter gravado um disco nos Estados Unidos, no qual o esfor-ço simpático de Stan Getz em tocar música brasileira não é bastante para criar interesse por nada além do próprio João cantando "Pra machucar meu coração" ou "O grande amor": os grandes frutos de sua obra são a "Marcha da Quarta-Fei-ra de Cinzas", a briga de Nara que possibilitou o surgimen-to de Maria Bethânia, as buscas de Edu, Chico Buarque de Hollanda, a necessidade de reestudar a música brasileira, o show *Rosa de ouro*; o fruto de seu trabalho é o trabalho da-queles que souberam discernir entre ensinamento e o estilo. (No fundo, o que gerou muita confusão foi o fato de o gosto poético musical de João ser aquele que só vamos encontrar realizado em Caymmi, compositor. Isto é, uma forma mui-to mais próxima dos sambas da Bahia do que do sambão.

Muitos acreditaram que o negócio era basear-se nessa diferença e alguns — porque, de resto, o grande sambista Dorival Caymmi nunca foi devidamente reconhecido em sua grandeza — acusaram Joãozinho de assassino do sambão, para eles o único verdadeiro samba.)

O fruto do trabalho de João Gilberto é o trabalho daqueles que aprenderam com ele apenas porque uma canção só tem razão se se cantar.

IV. DEPOIMENTO

O que chamamos, hoje, de música popular não passa de uma forma vulgar de expressão poético-musical. Na medida em que se tornou um jogo inculto e semi-erudito de formas várias, de elementos colhidos em diversas tradições, tendendo a quedar desligado de qualquer tradição e, sendo vinculável a cultura nenhuma, impotente de impor-se, ela própria, como tal. Isto é: o samba, passando a ser divulgado pelo rádio e pelo disco (vale dizer — por e para a classe média), mostra uma linha de evolução clássica (no sentido de coerente com a organicidade evolutiva de uma cultura) bastante tênue e interrompida, perdida no emaranhado flutuante da mediocridade. Ou ainda: os sambas primitivos da Bahia, os partidos-altos e sambas de morro cariocas etc. são uma cultura; mas o resultado global do que sai em disco e se ouve no rádio não significa absolutamente nada. Mais: é diluída na incultura apátrida que o artista que necessite vai buscar a possível continuidade evolutiva de uma forma de expressão das mais importantes na sugestão de uma cultura brasileira; e através do mecanismo comercial que exige essa diluição é que ele leva à feira os seus trabalhos.

É a duras penas que o samba aflora com espontaneidade em Ary; possivelmente ninguém perfez uma obra como a de Caymmi: a tendência de ampliar os meios expressivos esteve sempre a serviço da vulgarização.

Penso que esse ainda é o nosso problema, ou melhor, que o movimento que surgiu com o nome de bossa nova valeu principalmente por nos exigir a colocação desse problema. Vejo que é a muito duras penas que se conseguem alguns momentos de organicidade em nosso trabalho; que raramente alguma coisa reconhecível se adensa para logo depois se perder na confusão: a gente faz um samba quase sem querer de tão bonitinho, exulta por acreditar ter realizado um bom momento na trajetória dessa linguagem — eis que são tão poucos os músicos ainda capazes de ouvi-lo, enriquecê-lo, compreender o que ele pode significar, aprender com ele ou, no correr da História, reensiná-lo; e mesmo esses têm poucas oportunidades de responderem uns aos outros. É simples: se eu componho porque gosto do samba e tento — tendo aprendido a cantar com Ciro, Noel, Lyra, Caymmi — voltar ao lirismo simples do samba de roda e lançar o resultado disso para o futuro, isto é, para Gracinha, Chiquinho, Edu, Berré, aí eu me concedo pensar que estou fazendo alguma coisa e creio na validez de continuar fazendo, mas se a tentativa que exigia ser entendida e complementada termina por transmitir-se numa linguagem fragmentada ou, mesmo quando se insinua uma unidade semântica, por vender-se na feira de retalho onde suingue, cool, renascença, poesia brasileira moderna, blue, esquerdismo, bop e até samba são comprados em quantidade de liquidação, aí tem-se de reconhecer que não se está dizendo nada.

Com os meios de divulgação servindo-se da mediocrização das massas, o samba e sua discussão interna são do interesse de uma elite. Os grandes sambas tradicionais do Rio de Janeiro cada vez se afastam mais do Carnaval. Sem demagogia, temos de reconhecer que mantemos acesa a brasa do samba graças ao interesse de uma facção da juventude universitária pelo futuro da cultura no Brasil. E isso diz respeito a todos nós — de Edu a Batatinha. Quando João Gilberto, de volta aos Estados Unidos, recusou-se a cumprir um contrato em São Paulo, um jornalista afoito acusou-o de temer a concorrência com a "nova fase" da música brasileira e de estar desatualizado em relação a ela. Eu acho que a gente não se deve deixar enganar: estamos ainda na primeira etapa; a inevitável eclosão da bossa nova é, comercialmente, natimorta e, culturalmente, vive safando-se do comércio, tanto quanto precisa dele, o que lhe possibilita apenas andar bem devagar. Estamos tentando achar a linha perdida. Há uma facção da juventude brasileira que não aceita com facilidade a aplicação que se faz — na interpretação de fenômenos publicitários que sustentam algumas mocinhas tão suburbanas quanto Emilinha Borba e rapazes a meio caminho entre beatle e Francisco Carlos como ídolos — de frases (mais ou menos inteligentes) ditas na Europa a respeito de juventude e "ritmos alucinantes" porque, encontrando-se bem mais diante de uma realidade difícil mas palpável do que do caos, não as pode considerar aplicáveis a ela própria. Bem mais preocupados em assumir e resolver essa realidade, os jovens brasileiros exigiram-se rever suas tradições e criar uma cultura verdadeira que os sedimente como brasileiros. No seio da música, esta é a primeira investida: as primeiras discussões que foram postas ainda não foram ultrapassadas. Esta terminou sendo, também, a primeira investida publicitária, em grande escala, da música brasileira: na feira onde balanço, bostelá e monkey se equivalem, é que tentamos vender a nossa busca do samba em paz.

ÂNGULOS, REVISTA DOS ALUNOS DA FACULDADE DE DIREITO DA UNIVERSIDADE FEDERAL DA BAHIA, 1965.

DISCOS

A FOREIGN SOUND I

Então o mundo começou com um big bang. Não só as criaturas mais estranhas na galáxia mais remota aparecem falando inglês nos filmes: o próprio universo surgiu emitindo uma expressão tipicamente inglesa. Era tão parecido com bang-bang que o cientista britânico que a criou não resistiu. Por que não bubble gum? — enquanto eu me deleitava em inventar piadas como essas, meu amigo Zé Miguel Wisnik (que contribuiu com a frase "Se tudo começou no big bang só podia acabar no Big Mac") lembrou a tirada que Nelson Rodrigues repetia em suas crônicas sobre futebol: "O mundo começou num Fla-Flu". Nelson certamente estava se referindo à importância transcendental das partidas em que o Flamengo e o Fluminense se enfrentavam, mas ele também nos trazia à mente o sentimento de certas tardes de domingo, luminosas, ainda que envoltas em mistério. O fato é que "Fla-Flu" soa muito mais como o sopro divino do que a cena de duelo de caubóis proposta pelo cientista inglês. E, no entanto, o maior escritor brasileiro do século XX, Guimarães Rosa, fez o personagem central de sua obra-prima *Grande sertão: veredas* dizer: "E Deus, se vier, que venha armado".

Frank Sinatra: "O rock-n'-roll cheira a coisa forçada e falsa. Ele é cantado, tocado e escrito em sua maior parte por brutamontes cretinos e, por meio de sua quase imbecil reiteração e suas letras maliciosas, lúbricas, pornográficas, sujas, se tornou a música marcial de todos os delinqüentes de costeleta que existem na face da terra. É a forma de expressão mais feia, brutal, desesperada e nociva que tive a infelicidade de ouvir".

Miles Davis: "O que mais me chateava era que os críticos estavam começando a falar de Chet Baker na banda de Gerry Mulligan como se ele fosse a segunda vinda de Jesus Cristo. E ele tocando igual a mim — pior do que eu, mesmo quando eu era um drogado da pior espécie".

Chet Baker: "Sim, eu espero que Deus exista, assim eu posso agarrar ele pelo pescoço e ele tá fodido".

Elvis Presley: "Eu tenho medo é que eles botem ela numa coisa moderna demais... Eles vão dar a ela alguma música que eu tenho medo que seja mais do tipo Julie London. Eles tinham que dar a ela algo como o que Connie Francis canta. Alguma coisa com tripas e garra".

Um personagem em *O cinema falado*, longa-metragem que dirigi em 1986: "A língua inglesa é um assunto importante para quem quer dominar a música porque é a língua da dominação. Eu quero dominar a música. Meu mestre quer dominar o domínio. Eu vou ensinar música a ele".

Carlos Fernando (ex-vocalista do Nouvelle Cuisine, uma banda de São Paulo cuja curiosa condição de ser um grupo brasileiro com nome francês que toca música americana fascinava Oscar Castro Neves): "Não gosto de Chet Baker como cantor: aquelas notas sem vibrato com a voz tremendo no fim. O estilo anos-sessenta de Nina Simone é chato: a voz também treme e não há verdadeiro vibrato. Cantar bem é Sarah Vaughan. Ela ainda é a ponta-de-lança. O negócio é: as improvisações de Ella e tudo de Sarah. E, quanto a cantores, meu favorito é Mel Thormé...".

Eu acho que sonhei que li num jornal do Rio uma entrevista com Pat Metheny em que ele diz: "Estou de saco cheio de ouvir jornalistas daqui me perguntarem sobre a importância que alguns músicos brasileiros tiveram em meu desenvolvimento musical. A música americana tem me influenciado muito mais. A música americana tem tido também influência maior sobre os músicos brasileiros que vocês sugerem que me influenciaram do que a música brasileira jamais poderia ter sobre um músico americano".

Caetano Veloso: "Ivan Lins é música; Nirvana é lixo".

Bob Dylan: "Talvez algumas pessoas gostem da suavidade de um cantor brasileiro. Eu já desisti de fazer qualquer tentativa de atingir a perfeição".

Jaques Morelenbaum: "Os americanos pensam que 'Feelings' é realmente uma música americana; eles também pensam que os irmãos Wright inventaram o avião".

Por todo o mundo há pessoas que gostariam de achar um meio de agradecer à música popular americana por ter enriquecido e embelezado suas vidas. Muitos tentam. É o que faço aqui.

ENCARTE DO CD *A FOREIGN SOUND*, 2004

Escrito originalmente em inglês, e traduzido pelo próprio autor.

A FOREIGN SOUND II

A idéia de fazer *A foreign sound* é muito velha. Na verdade, quando estava em Londres (de 1969 a 72), conversando com amigos, já falava disso e pensava em fazer um CD com repertório anglo-americano quando voltasse ao Brasil. Trinta anos se passaram e a idéia, a forma de fazer ou não este CD, mudou muito.

Há cerca de dez anos fui a Nova Iorque completamente decidido a não fazer mais esse trabalho. Bob Hurwitz, presidente da Nonesuch, me cobrou e eu disse que a idéia não existia mais, que eu a achava sem interesse. Bob insistiu, disse que eu era a única pessoa do mundo que poderia gravar Cole Porter e Bob Dylan num mesmo CD. No avião de volta ao Brasil, pensando na conversa com Bob, me animei. Lembrei de "It's alright, ma", do Bob Dylan (de onde saiu o título do CD que afinal fiz), pensei em gravar só com voz e cello, com Jaques Morelenbaum fazendo o que Dylan faz no violão e que parece o "Se entrega, Corisco", de Sérgio Ricardo para *Deus e o Diabo*. Sempre tive grande intimidade com o repertório anglo-americano, sou fã não só do auge dos anos 20, 30, 40 e 50, mas também do pós-rock-n'-roll, cujo maior representante é Bob Dylan.

Depois disso, a idéia do disco voltou a esfriar. Fiz *Circuladô*, e *Livro* e *Prenda minha* e *Noites do Norte* e *Noites do Norte ao vivo*. Fazendo *A foreign sound*, sofri muitas vezes por não fazer outras coisas que estava inspirado a fazer. Também, virou um pouco lugar-comum para músicos de minha geração visitar a grande canção norte-americana. Há uma espécie de desafio na feitura deste CD. Gravei-o agora porque posso fazer qualquer coisa.

Quando fiz *Fina estampa* (1995), já pensava na questão de mexer em uma área de maior poder, que é a língua espanhola. A língua portuguesa é um gueto: embora haja muitos falantes dentro do mundo português, há muito poucos fora dele. Inglês é muito mais poder do que espanhol. Parece que ambiciono ampliar o mercado, entrar no grande mundo! Tenho ambições até maiores do que essa, mas não exatamente essa. Cantar as canções americanas é voltar a pontos de minha vida e da cultura de massas do século XX. Tenho ternura pelo material. Eles produziram a canção pop mais bonita do mundo, todas essas músicas já foram cantadas pelos melhores. O nível de composição e de execução dos americanos é um paradigma para o Ocidente.

A foreign sound é um disco atípico — tomei liberdades maiores na seleção, que é alienígena para quem quer que seja. Não supunha que pudesse fazer nada de relevante. Pode ser que as minhas gravações suscitem algum interesse enviesado. Não espero mais do que isso.

RELEASE DO CD *A FOREIGN SOUND*, ABRIL DE 2004.

EU NÃO PEÇO DESCULPA

As risadas e os sustos que as conversas com Mautner sempre provocam excitaram minha imaginação de modo especial nos encontros que tivemos entre outubro e dezembro de 2001, o que me levou a desejar fazer um disco em colaboração com ele. A amizade que mantemos desde que nos vimos pela primeira vez, em Londres, no começo da década de 1970, é e foi sempre muito importante para mim. Mas nunca tive tão clara em minha mente a pergunta sobre minha verdadeira ambição quanto durante esses papos mais recentes: certamente o que ambiciono não é a fama e menos ainda a riqueza "material"; será a poesia?, a política? ou... a profecia?

Foi essa hipótese da ambição profética que me levou a propor a Mautner o disco conjunto. Porque Jorge é uma improvável mistura de paganista com profeta de Israel. Daí é que vem o fascínio que sua curiosa personalidade paraliterária, paramusical e parapolítica (sua instigante personalidade *tout court*) exerce sobre mim. Sem dúvida, é dessa combinação que vieram suas inclinações de adolescência para liderar movimentos com características quase fascistas, o que, paradoxalmente (?), o levou aos altos círculos do Partido Comunista e, sobretudo, à produção de um romance assombrosamente forte chamado *Deus da chuva e da morte*. A experiência, na extrema juventude, de debruçar a imaginação mítica sobre informações secretas da política pesada deu-lhe uma visão única (e mais contraditória na aparência do que na realidade) de como se joga com o poder no mundo. Uma visão que ele não cansa de reconstruir, de virar, atualizar.

Os terríveis acontecimentos de 11 de setembro de 2001, envolvendo Nova Iorque, cidade amada por ele e por mim, e repercutindo na situação de Israel, país que adoramos, e no vasto islã, que nos fascina e nos remete à pergunta pelo destino da idéia central do povo judeu, o monoteísmo, nos levaram a conversas sobre o mundo, o Brasil, a vida dos homens. Nessas conversas, às vezes eu sentia medo. Pois bem: foi para espantar o medo que decidi pedir a Jorge que deixássemos tudo desaguar em canções. Depois de vê-lo, no Carnaval de 2002, em Salvador, cantar o "Hino do Carnaval Brasileiro", num trio elétrico, em meio a um verão singularmente amargo para mim, entendi que o disco teria de ser feito logo que eu voltasse para o Rio. As canções que fizemos não lembram ou ilustram essas conversas de que falei. São, em geral, canções pop-paródicas: elas exibem o distanciamento que Mautner mantém em sua permanente metamorfose apaixonada. Fazem rir e podem fazer chorar.

Algumas eu fiz sozinho, mas não as teria feito se não fosse para um disco com Jorge Mautner. Tudo no disco tem a ver com o clima dele — ou com o clima a que ele me transporta. Hipertropicalista, porque tropicalista *avant la lettre*, Mautner não pode conceber o que venha a ser uma necessidade de criar-se o antitropicalismo (uma necessidade genuína que muita gente mais jovem confessa sentir — o que não deve ser confundido com as, talvez, mais freqüentes manifestações de mesquinhos desejos de substituição de celebridades): ele reanima as motivações elementares daquele movimento, que são, afinal, as mesmas que movem seus principais líderes: eis por que Gil foi chamado para cantar conosco o meu "Feitiço" (uma resposta ao "Feitiço da Vila", de Noel) e para pôr música nos versos de "Coisa Assassina", de Mautner. É não apenas o Gil tropicalista que está ali: é o Gil que excursionou com Mautner nos anos 1980 com o show *O poeta e o esfomeado*. Mas Mautner é hipertropicalista tam-

bém porque ele não foi, à época do movimento, um tropicalista: estes eram bossa-novistas que se subvertiam; Mautner
era, tal como Raul Seixas, um amante do rock-n'-roll e das
baladas country norte-americanas (além dos sambas-canções
de Adelino Moreira) que exibia (até no texto de seus primeiros livros) desprezo pela bossa nova. De fato, ao gravar com
ele "Todo errado" (de onde, afinal, saiu o título do disco),
pensei muito em Raul e nas coisas da letra de "Rock'n' Raul".
Assim, *Eu não peço desculpa* é também uma continuação
de "Rock'n'Raul", essa canção que me parece tão grandiosa
quão mal compreendida. Gravei "Lágrimas negras" e o "Maracatu atômico" porque acho esta uma obra-prima obrigató-
ria e aquela uma das mais belas canções sobre a tristeza já
feitas. E porque queria pontuar o disco com lembretes do peso da obra de Jorge. Pedi a ele que escolhesse algo meu para
regravar: ele chegou ao estúdio com essa "Cajuína" que ele
acreditava ser puramente nordestina e se revelou tão eslava
em sua voz e em seu violino que Kassin, que produziu o disco comigo (ou para mim), resolveu adicionar palmas e um
fole (que às vezes toca uma terça menor em choque com a
terça maior de um acorde recorrente). Sem Kassin, aliás, este
disco não seria o que é. Kassin, que conheci através de Moreno — que, por sua vez, o conheceu por intermédio de Pedro
Sá —, é um talento imenso e muito peculiar. Totalmente do
mundo dos novos miniestúdios com ProTools, informadís-
simo, inspiradíssimo, ele tem tão pouco medo do ridículo
quanto Mautner — e a mesma capacidade de estar sempre
roçando a paródia. Tem também um suingue inacreditável.
Seu baixo bate no tempo de modo tão gostoso e moderno
(sem fazer sotaque de baixista suingado de jazz-fusion) que
parece que não tem ninguém tocando, que é o próprio tempo dizendo-se, sem um ego chato para atrapalhar. Pedro Sá,
Davi, Domenico, Moreno e outros músicos convidados en-
travam e saíam da sala minúscula do estúdio.

Nelson Jacobina estava sempre lá: o grande Nelson, o Carneirinho, principal parceiro de Jorge (não só o mais freqüente, como também co-autor das obras-primas). Fabiano, pilotando, só transmitia tranqüilidade, doçura e segurança. Tarta, quase que só doçura. Havia também uma foto da Luana Piovani pregada na porta, do lado de dentro do estúdio. Dizíamos que ela era a nossa padroeira: ela foi a madrinha da bateria do nosso samba. Um dia eu a levei lá. Em carne e osso. Parecia uma visão irreal. Ela ficou até o fim da sessão. Todos os rapazes ficaram extasiados. Ninguém se recuperou ainda direito. Quem canta seus males espanta. Este disco é para a gente atravessar estes tempos de homens-bomba, especulação globalizada, dengue e insegurança. Com a ajuda da lua de Jorge — e das Luanas — chegaremos vivos a outro ambiente.

RELEASE DO CD *EU NÃO PEÇO DESCULPA*, 2002.

NOITES DO NORTE:
AO VIVO

Há muita reação na imprensa contra o hábito de se fazerem discos nascidos de shows que nasceram de discos. Pessoalmente, tenho mantido uma opinião diferente. Por um lado, gosto do calor da música registrada fora dos estúdios; por outro, considero saudáveis as revisitações de repertório e as reiterações de estilos que esse tipo de disco favorece. Naturalmente, como de qualquer fonte, de tal procedimento podem surgir obras muito boas, obras aceitáveis e obras más. Entendo que a reação contrária se justifica pelo risco de comercialismo banalizante. Mas eu gostaria de ver um rigor crítico maior por parte de quem exibe tanta antipatia pelo mercado, pelo sucesso e pelas gravadoras. Sendo um medalhão transviado, eu tenho feito, em minha própria carreira, escolhas singulares quanto a isso. Como ninguém manda em mim (fora de casa), teimosamente faço discos de shows de discos, mas não faço como se espera que eu faça. O de *Fina estampa* estava alicerçado em inéditas fortes: "Cucurrucucu paloma", "Lábios que beijei", "Você esteve com meu bem", "O samba e o tango" etc. O de *Livro* (*Prenda minha*), na ausência total de canções do disco de estúdio.

Agora, *Noites do Norte*. Bem, desta vez terminei aprovando uma documentação completa do show. É o disco de show mais disco-de-show que já fiz. Não só está lá todo o repertório (e na ordem em que entra em cena!), mas também toda a impureza técnica das apresentações do show em sua primeira fase, quando ele ainda não estava tão maduro quanto agora. Como no caso de *Prenda minha, Circuladô* ou *Fina estampa*, não fiz pessoalmente nenhum trabalho pós-produção em estúdio para corrigir o que não me parecesse bem em minhas atuações vocais. Só que naqueles outros discos houve uma seleção: como se tratava de parcela pequena do repertório total, dava para escolher o que estava mais limpo. Houve também, naqueles casos, uma providencial mudança na ordem das canções. Neste aqui vai tudo. Para mim, o disco é um tesouro por causa do trabalho dos instrumentistas. O som que resulta das amarras das guitarras de Davi e Pedrinho com os couros de Cesinha, Márcio, Junior, Du e Jó — no diálogo singular que esse som mantém com o arco musical de Jaques Morelenbaum — é uma máquina poderosa. Ela produz enlevo e libertação. Lembro dos ensaios: todas as minhas idéias se traduziam com assustadora presteza em levadas e timbres da guitarra de Davi; precisão vigorosa por parte dos percussionistas (com Márcio sempre liderando); em intervenções sábias de Pedrinho; em perfeita segurança por parte de Cesinha — tudo isso com a interpretação geral classificadora de Jaques, sempre explicando o que estava se passando musicalmente e mostrando como fazer com que tudo se desse com mais clareza e consciência. Ele conseguia isso falando com calma e — o que é mais eficaz — tocando com inspiração. Foi também Jaquinho quem, depois de organizar nossa mente musical nos ensaios, entrou em estúdios e dirigiu a produção, orientando a recriação dos sons na mixagem. Como gravamos no dia do meu aniversário, eu tive (e posso dar aos compradores do CD) Lulu Santos de presente. Assim, embora peça desculpas por eventuais demonstrações de inabilidade de minha parte, aconselho a compra e a audição desse CD duplo e extensíssimo, onde, sobretudo por causa dos instrumentistas, se pode entrar em contato com uma milagrosa parte do que de mais vivo se faz em música no Brasil.

RELEASE DO CD *NOITES DO NORTE: AO VIVO*, NOVEMBRO DE 2001.

OMAGGIO A FEDERICO
E GIULIETTA

Eu estava em Nova Iorque mixando *Circuladô* quando recebi a carta de Maddalena Fellini me sugerindo, em nome da Fondazione Fellini, que eu fizesse uma apresentação em Rimini em homenagem a Federico e Giulietta. A irmã de Federico me contava que Giulietta chegara a conhecer a canção que eu escrevera sobre ela e que ficara tocada. Maddalena deplorava (quase tanto quanto eu) que o casal tivesse morrido sem que um encontro pessoal nos tivesse sido concedido pelo acaso, o destino, Deus, os deuses. Ela tinha lido minhas declarações à imprensa italiana de amor à poesia do cinema de Masina—Fellini. Amor que se destacava como algo especial dentro da minha admiração pelo cinema italiano dos anos 40, 50 e 60. O fato de isso encontrar resposta no misterioso amor de alguns italianos famosos e anônimos pela minha música levou-a a considerar a oportunidade de um tal concerto. A carta me arrebatou.

No dia em que finalmente cheguei a Rimini para cantar, minha voz apresentou um tipo de problema que eu até então desconhecia: bem no fundo da laringe, algo quase me impedia de emitir qualquer som, embora os sons que, com um incômodo sem dor, eu conseguia produzir saíssem consideravelmente límpidos. De modo que o controle da afinação e sobretudo das intensidades me limitava exasperantemente. Estava frio e úmido em Rimini, mas havia também uma emoção grande demais em mim. Essa emoção envolvia tristeza, orgulho exaltado e vagos medos ligados ao sentido da minha vida.

O show que tínhamos preparado já me aproximava de uma atmosfera mágica e, tanto nos ensaios quanto na hora de nos apresentarmos, o grau de inspiração dos músicos me enternecia e me assombrava. Eles me pareciam beatificados. Eu sabia que ia cantar "Giulietta Masina" e, portanto, "Cajuína" e "Lua, lua, lua, lua". Estava certo de cantar "Trilhos urbanos" também, pois era preciso pôr tudo na perspectiva de minha meninice em Santo Amaro, onde eu vi os filmes de Fellini pela primeira vez e de onde me vem esse sentimento de recuperação metafísica do tempo perdido que é semelhante ao sentimento que percebo nesses filmes.

Pensei em cantar o tema do palhaço de "La dolce vita" e, obviamente, "Gelsomina", sem letra. Alguém me conseguiu o disco de Katina Ranieri cantando os temas fellinianos de Nino Rota com letras adicionadas a eles por autores italianos. Mas eu queria manter o clima metafísico do palhaço na noite de Marcello com o pai e decidi ater-me apenas à melodia. Mesmo assim, o desejo de combinar os sons do meu português santamarense com as notas de Rota me levou a escrever uma letra da qual terminei gostando muito. O difícil título ficou "Que não se vê", embora eu cante uma estrofe do "Come tu mi vuoi" de Amurri e outra da "Gelsomina" de Galdieri.

Em *Noites de Cabíria*, Rota aproximou-se mais do que nunca da canção napolitana dos sons do Sul na quase-canção "Li arì li irà". Então eu aproximei *Cabíria* da "Luna rossa", a canção napolitana que mais me comoveu na adolescência. E é sempre a mesma lua-luna, a faculdade de Coimbra, a voz da lua.

Eu não poderia deixar de cantar "Chega de saudade", que foi tão fundamental na formação da minha sensibilidade quanto *La strada*. E que é a canção-emblema da música popular brasileira moderna. No show, nós a apresentamos de forma talvez demasiado ligeira (nos dois ou três sentidos), como que confirmando a irônica ternura com que olhamos aqueles que procuram os brasileiros em busca de alegria.

O ouvinte do disco é poupado, com este texto, das longas falações a que me entreguei durante a apresentação. Eu estava tão emocionado e tão imbuído do senso de importância do evento que não tive vergonha de às vezes falar por nove minutos entre uma canção e outra. Em mau italiano e com a garganta ameaçada.

Antes de cantar "Nada", eu contei a história do "faquir Eli". Esse "faquir" apareceu em Santo Amaro para jejuar em espetáculo por 25, trinta ou quarenta dias, não lembro mais, e instalou-se numa loja desocupada no Beco do Lactário, o qual saía da Rua do Amparo em frente à minha casa. O faquir Eli tinha apenas um companheiro que parecia servir-lhe de empresário, assistente e mestre-de-cerimônias. Esse companheiro falava por um microfone renovando os anúncios do jejum e tocava sua seleção de discos. Era fascinante e melancólico ouvir nas tardes quentes e letárgicas de Santo Amaro as vozes de Chico Alves e Dalva de Oliveira cantando "Tristeza marinha". Havia uma gravação que também se repetia muito, era o tango "Nada" vertido para o português por Ademar Muharran e transformado em samba por Waldemar Reis. Enquanto o faquir jazia dentro da urna de vidro sem tampa, a palavra "nada" ecoava pelas ruas. Foi também do alto-falante do faquir Eli que me vieram as notas meio exóticas, meio nostálgicas do "Num mercado persa", de Ketelbey. Isso foi no início dos anos 50. Quando *La strada* passou, eu encontrei não-sei-quê de parecença entre o tema de "Gelsomina" e o "Mercado persa". E lembrei do faquir e da atmosfera de espetáculo popular ingênuo e das músicas na tarde. O "Nada", de Waldemar Reis, ficou fundamente ligado a *La strada* de Fellini dentro de mim. Quando, alguns anos depois, vi *Noites de Cabíria*, estremeci ao ouvir o "Mercado persa" na cena de Giulietta com o hipnotizador.

Por isso é que o "Mercado" introduz "Coimbra" — que vai fechar o espetáculo com a palavra saudade, que é a palavra-emblema da língua portuguesa e é o nome do que eu sentia (e sinto) em relação a Federico e Giulietta, uma saudade infinita por nunca tê-los visto em pessoa, por ter conversado com eles (muitas vezes) apenas em sonhos. "Coimbra" que, por sua vez, sempre ouvi por trás dos temas cromáticos de Rota e que afinal apareceu numa cena de *Il bidone*.

A parecença entre o tema de *Amarcord* e a segunda parte do "Coração materno" talvez se deva ao mesmo gesto de fazer pastiches de árias de ópera que o melodramático Vicente Celestino compartilha com Rota (ou com o músico popular que aparece tocando acordeom no filme). Quando, no show, expliquei as razões para cantar o "Coração materno", Tonino Guerra, o roteirista dos últimos filmes de Fellini (e de quase todos os de Antonioni), exultou com minha afirmação de que "Coração materno" (reaproveitamento de um velho conto popular no qual um jovem enamorado arranca o coração da mãe para trazer como prova de amor à sua amada) era, como Fellini, sentimental e popular, e que Fellini, sendo sentimental e popular, era um grande artista. Uma combinação muito difícil. Guerra me disse que ficou particularmente interessado na minha observação de que é fácil ser-se sentimental, talvez menos fácil ser-se popular, mas não é difícil ser-se popular quando se é sentimental; agora, é dificílimo ser-se sentimental, popular e um grande artista. Isso só é dado aos muito grandes.

"Ave Maria", que a gente ouvia todos os dias às seis da tarde pelo serviço de alto-falante, ou pelo rádio, na voz de Augusto Calheiros, foi e é, para muitos brasileiros da minha geração, a expressão da tristeza sem nome que avassala as ruas, as praças e os corações das pequenas cidades de países católicos na hora do anjo. Essa mesmíssima tristeza que Fellini desvelou como ninguém.

Há uma canção que, não tendo nenhuma ligação direta com os filmes de Fellini, nem sendo um marco equivalente a ou contemporâneo do meu encontro com tais filmes, se impôs desde que a proposta para o show me foi feita: "Chora tua tristeza". Trata-se de um samba bossa-nova composto por Oscar Castro Neves quando ele tinha dezessete anos. Obra menor do movimento, essa canção, na singeleza da letra de Luvercy Fiorini, traz um conselho de purificação pelo pranto indulgente que a transforma num comentário involuntário e redentor de toda sentimentalidade. Canto-a, ouço-a, como se fosse uma reza. Só uma oportunidade como essa do show para Fellini me levaria a cantá-la em público.

É mais ou menos no mesmo espírito que "Come prima" se inclui no repertório. Ela, por ser italiana e possuir a graça inocente com que o kitsch urbano é abordado em Fellini, está mais perto de seus filmes do que "Chora tua tristeza".

"Let's face the music and dance" é a canção de Irving Berlin que Fellini escolheu para *Ginger e Fred*. Pusemos o tema de *La dolce vita* como introdução e frisamos o parentesco dos temas de Rota com as composições americanas dos anos 20 e 30. Nós a tocamos como se fôssemos uma banda fuleira que toca na rua para esmolas. Meu problema de voz aparece muito aqui, mas a atmosfera geral (e a dinâmica em particular) faz do número um momento encantador para mim.

"Patricia" está em *La dolce vita* e estava em todos os bailes do Ginásio Estadual Teodoro Sampaio, em Santo Amaro. Na letra da hilariante versão brasileira (que teve grande êxito por aqui na época) a frase que termina com a palavra "malícia" tinha sílabas demais e impedia a gostosa paradinha do original de Peres Prado.

Um tema de *Amarcord* serve de introdução à velha marcha carnavalesca "Dama das camélias", que entra aqui como uma referência remota a *E la nave va* e uma homenagem a Pina Bausch. Como Fellini, sou apaixonado por Pina.

E aconteceu de, em sua peça *Cravos* (*Nelken*), ela usar uma gravação dessa marchinha cantada pelo coro do corpo de bombeiros do Rio. Era curioso que toda a companhia dançasse por entre cravos enquanto o coral cantava, na velha gravação, sobre a vida se resumir a flores em perfume. Perguntei a Pina se ela sabia o que dizia a letra da música. Ela me contou que comprara o disco no Rio muitos anos antes, sem saber do que se tratava. Ao preparar *Nelken*, achou que aquela era a música certa para aquela coreografia. Devo confessar que, ao fazer essa homenagem velada a Pina Bausch (e a ela em *E la nave va*), pensei que era significativo que a marchinha brasileira fosse sobre a "Dama das camélias", a personagem de *La traviata*, talvez a mais famosa das óperas, e que *E la nave va* é um filme que gira em torno da ópera.

"Dama das camélias" para Pina Bausch, "Patricia" para Anita Ekberg, "Que não se vê" para Marcello Mastroianni, "Coração materno" para Tonino Guerra, tudo para Fellini e Giulietta, minha Daia, Nossa Senhora da Purificação e Lambreta.

ENCARTE DO CD *OMAGGIO A FEDERICO E GIULIETTA: AO VIVO*, 1999.

LIVRO

Às vezes penso que minha profissão tem sido perseguir Chico Buarque. Mas é uma perseguição amorosa. E tem dado tão bons resultados já faz tanto tempo, que desta vez, ao contrário do que aconteceu com "Você não entende nada" — música que nomeei "Sem açúcar" (parafraseando "Com açúcar, com afeto") porque à época julgavam haver entre nós uma rivalidade reles —, não temi pôr o nome "Pra ninguém" na canção que, como o "Paratodos" de Chico, lista virtudes de colegas. Chorei tanto quando Chico, em sua casa, me mostrou "Paratodos", que estava certo de nunca fazer nada para macular esse sentimento. "Pra ninguém" surgiu — sem título — a partir da vontade irresistível de mencionar a gravação de Nana de "Nesse mesmo lugar" e, quase ao mesmo tempo, a de "Arrastão" por Tim Maia. Começou-se a insinuar uma lista que eu julgava impossível de pôr em música à medida que ia fazendo exatamente isso. O título se impôs, apesar dos resquícios de supercuidado, porque ele, além de ecoar "Alguém cantando" ("como que pra ninguém..."), evidenciava o critério de eleições intransferivelmente pessoais, o que fazia da canção uma espécie de "festa íntima da música". A peça de Gabriel o Pensador me comove e exalta de modo semelhante à de Chico, embora em registro diferente. São grandes canções de congraçamento. Já "Pra ninguém" é uma meditação sobre o mistério do cantar (não se cita ninguém cantando nada de sua própria autoria) e do ouvir cantar. E é uma avaliação extratécnica e supracrítica que, no entanto, conclui com a colocação crítica e tecnicamente correta de João Gilberto em seu posto. É o João Gilberto de quem sempre emanam idéias para repertório e para tratamento de material, das quais sempre se bebe sem sempre se dar o devido crédito.

"Na Baixa do Sapateiro" aqui é literalmente tirada de sua versão violinística. E essa é sua razão de ser, de estar no repertório.

Reencontro algo de Chico em "Livros". Algo além do fato de termos os dois escrito livros. A composição é buarquiana como nenhuma outra minha, embora — lembrando outra vez Gabriel — surja ali uma espécie de Chico Buarque Science.

Insisto em que há Chico em "Os passistas", aquelas "poses nos retratos" e alguma coisa mais. Embora as mesóclises sejam um capricho bem meu. E a melodia esteja mais perto do Ary de "Rio de Janeiro" por João Bosco. (A canção é quase um remake de "Isso aqui o que é?".) Fiquei pasmo ao ler no livro *Duas meninas*, de Roberto Schwarz, uma breve análise do estilo dos passistas de escola de samba que parece uma oposição simétrica à minha canção. Ou melhor: parece uma observação das mesmíssimas sutilezas julgadas com sinal de valor trocado.

Louco para deixar Chico em paz, falo de "Manhatã", filha de uma cruza de Sousândrade com Lulu Santos (que merece mais do que a canção). Chico não está próximo da nossa (minha e de Lulu) visão de Manhattan. As referências aos produtores de rhythm'n'blues não seriam do interesse dele (embora talvez o fosse a menos audível leitura, em "Livros", do trecho em que Julien Sorel, numa gruta da montanha, escreve um quase-livro ao cair da tarde e o queima quando a noite vai terminar). O desejo de combinar moderna percussão de rua baiana com sons cool sofisticados nasceu da reaudição dos discos de Miles Davis com Gil Evans e da "Baixa do Sapateiro" de João durante a excursão de *Fina estampa* pela Europa. "Manhatã" foi onde isso mais claramente se realizou.

"Onde o Rio é mais baiano" é o samba que eu fiz para a Mangueira em agradecimento a ela por ter-nos escolhido — Gal, Bethânia, Gil e eu — como enredo de seu desfile de anos atrás (será que podemos parar de pensar em Chico?). Como em "Os passistas", o samba carioca tocado nos timbaus baianos ganha um timbre e uma alma diferentes. E quando passa para "samba reggae"...

Compus "Um Tom" perto do nascimento de meu filhinho mais novo. O belo nome que lhe demos (o mesmo de Tom Jobim, o mesmo de Tom Zé, o mesmo de Tom da dupla Tom e Dito, mas principalmente o nome dessa entidade musical, dessa instância da música) me sugeriu um cântico para ser acompanhado por percussão tonal. Aqui é em Milton que a gente começa a pensar. Eu queria ficar num tom só (com sexta e nona) e fazê-lo espalhar-se por sinos, berimbaus, gamelas, marimbas. Jaques Morelenbaum transformou essas idéias numa peça de grande beleza, como só ele poderia fazer.

"How beautiful could a being be?" Meu filho mais velho, Moreno, me deu de presente esse canto único, roda de samba de uma frase só, em que um inglês filosófico ("could a being be" parece trecho de Heidegger traduzido para o inglês) é usado para soar como um singelo e enigmático refrão africano. Moreno ainda trouxe sua voz pura, seu violão tenor, seus amigos maravilhosos (David Moraes e Daniel Jobim — que diz "HOW" — e Pedro Sá e Quito) e ainda Belô Velloso, Narinha Gil e Paulinha Morelenbaum para fazerem o coro feminino.

"Alexandre" é para parecer um daqueles Jorges de Ben Jor (com efeito, Alexandre, o Grande, é identificado com São Jorge em alguns lugares por onde passou em sua marcha para a Ásia), exaltado à maneira de Tieta (como nos blocos afro), mas com uma referência à homossexualidade misturada ao gênio militar que talvez pudesse se encontrar num épico de Renato Russo, nunca num de Jorge Ben Jor.

"Não enche" é uma homenagem a "Se manda", de Jorge Ben. Eu adoro essa canção de extravasar agressividade para com a mulher. Adoro canções assim. Todo homem tem desejo de poder gritar contra essa personagem que sempre diz (como na genial letra de Paula Toller): "Longe do meu domínio, cê vai de mal a pior".

"Doideca" inspirou-se nas conversas de Hermano Viana sobre a onda techno. É mais um exemplo de meu interesse em comentar o ar dos tempos. Sobretudo é um caso de *faking the fake*: tudo acústico arremedando o eletrônico. A semelhança com as coisas de Arrigo é proposital: eu não queria fazer uma mera imitação de *jungle*, ou *drum'n'bass*, ou seja lá o que for: queria lançar um comentário sobre o interesse de quem produz esse tipo de música pela música erudita moderna que os próprios consumidores de música erudita desprezam. Num desses casos, é impossível não pensar em Arrigo e em Zappa. Armei a "série" de doze sons e fiz com que ela se repetisse e se invertesse ou espelhasse. Claro que eu adoraria ouvir um longo remix de "Doideca" numa rave, com a moçada das festas da Valdemente repetindo em coro "GAY Chicago negro alemão bossa nova GAY!". Mas, como em "Odara" — que nunca foi esquecida, mas nunca entrou nas discotecas —, acho que vou me contentar com ter feito o comentário.

Gravar longos trechos de "O navio negreiro" significou reconsiderar o aspecto popular que esse belo poema retórico não pode perder. Com a percussão, ele volta vivo, claro, irresistível. Moreno me deu outro presente na forma desse canto de capoeira que ele aprendeu não sei onde — e que ficou deslumbrante no timbre do coro feminino que ele próprio tinha escalado para "How beautiful could a being be".

Fiz "Você é minha" para a Paulinha porque às vezes me surpreendo de ter tão perto de mim uma mulher tão imponente. Aí lembro que lhe disse essa frase quando ela ainda tinha uns catorze anos. Jaquinho e eu reforçamos as semelhanças com "Você é linda" porque achamos graciosa a ilusão de que eu tenho um estilo próprio de canção de amor.

Assim como "Na Baixa do Sapateiro" é uma faixa do disco de *standards* brasileiros (um *Fina estampa* luso-americano) que venho sonhando e adiando, "Minha voz, minha vida" é uma faixa do disco de canções minhas de que gosto e que foram gravadas por outros, nunca por mim mesmo, com que também sonho e que também adio. Ambas são, no entanto, faixas legítimas deste *Livro*: a de Ary, pelo já dito sobre João Gilberto; a minha, pelo irresistível efeito da combinação da percussão de rua com a composição cool e as cordas celestiais.

Mas o disco — que se chama *Livro* porque estou lançando um livro que quase não me deixou tempo para gravar, embora não tenha me impedido de chegar a um resultado sonoro em geral caprichado —, o disco é de Márcio Vítor (nem acredito!), Du e Jó, Gustavo de Dalva, Leo Bit Bit, Leonardo, Boghan, esses percussionistas baianos que encheram o estúdio de uma vibração quase insuportável de tão intensa; é de Carlinhos Brown, que armou o "Navio negreiro" para mim e indicou — um por um — esses seus brilhantes discípulos; é de Beta, que veio com a sua majestade e trouxe emoção ao trecho do poema de Castro Alves como eu não poderia; é de Luiz Brasil, que escreveu arranjos de metais tão complicados de executar quanto ricos em imaginação; é de Marcelo Martins, que fez os sopros fluírem tão elegantemente em "Os passistas" que o disco abre com extrema gentileza; é de Moogie, que, embora tivesse às vezes de ir a Los Angeles (e depois tenha me levado para aquele estranho local para mixar as faixas), soube sempre descobrir e inventar sonoridades originais e eficazes; é de Marcelo Costa, que organizou o falso falso de "Doideca" e o maracatu de "Livros"; é de Pedro Sá, que com sua guitarra fez de "Livros" uma província progressista da Nação Zumbi; é de David Moraes, esse grande músico, que trouxe ao samba de Moreno toda a riqueza que o autor esperava e algo mais; é de Jorge Helder, Zeca Assunção, Fernando, Dadi; é dos músicos todos, cordas e sopros; de Ramiro, com seus berimbaus afinados e sua precisão absoluta; finalmente é de Jaques Morelenbaum, que fez do meu sonho de grande banda cool uma realidade em "Manhatã", e de minhas idéias para "Um Tom", uma peça muito sua que é uma pequena obra-prima. Além de ter feito tudo o mais.

RELEASE DO CD *LIVRO*, 1997.

FINA ESTAMPA

Para mim, o destino ideal deste disco é aprofundar o diálogo com algumas pessoas que, espalhadas pela América Espanhola, vêm há algum tempo generosamente prestando atenção à minha música. A ambição de aumentar o número dessas pessoas, embora me pareça legítima, é secundária e só surge como subproduto do desejo da gravadora para a qual trabalho de "ampliar o mercado" hispano-americano para os meus discos. O que importa, no entanto — e o que define o perfil desta "fina estampa" —, é que, apesar de ser aparentemente um gesto dirigido para fora das fronteiras brasileiras, para fora da minha língua e da minha cultura, trata-se antes de um movimento para dentro de minha memória mais íntima e para o interior do Brasil: na cidadezinha de Santo Amaro, na Bahia, onde nasci e vivi até os dezoito anos, ouviam-se, nos anos 40 e 50, canções cubanas, mexicanas, argentinas, paraguaias ou porto-riquenhas que marcaram a formação de toda uma geração. Elas são "minhas", estão ligadas a recordações de família e de amizade que me dão uma espécie de direito sobre elas — e sem dúvida lhes dão um imenso poder sobre mim. Se hoje sou capaz, às vezes, de até mesmo conversar em espanhol (se o interlocutor não fala português), devo-o aos boleros e às rancheiras, às rumbas e aos tangos, aos merengues e às guarânias. A única coisa que posso dizer é que foi com muita dor e dificuldade que deixei de fora um número pelo menos tão grande de canções igualmente representativas disso e, portanto, igualmente adequadas a este disco quanto o das que gravei. E que o número das que gravei — e de que não quis abrir mão — é maior do que a gravadora desejaria.

A seleção dos títulos obedeceu, assim, a um critério autobiográfico. Mesmo "Um vestido y un amor", colhida no último álbum de Fito Paez, refere-se a uma lembrança da primeira vez que o vi e ouvi, há muitos anos, na televisão em Buenos Aires, sem procurar nada nos canais de TV, e sem que ninguém jamais me tivesse falado dele, e logo o destaquei — e o fiz até publicamente — pela evidência do seu talento. Naturalmente, para que fossem conhecidas de um bando de adolescentes em Santo Amaro, quase todas as canções tinham que ser o que se chama de "standards". Algumas não chegaram a isso — como "Mi cocodrilo verde" — e outras já estavam quase esquecidas, como "Rumba azul". Esta última — assim como "Maria la O" ou "Lamento borincano" — não é uma canção dos anos 50, mas estava sempre lá, como as outras, no repertório das orquestras de baile, nas tardes de piano de minha irmã Nicinha, no serviço de alto-falante, na vitrola de Tote Marinete. E "La golondrina" era o tema de abertura da novela radiofônica *O direito de nascer*, que parece ter durado todos os anos do meu crescimento. Quando eu estava exilado em Londres, essa canção ressurgiu para mim pela primeira vez cantada, e por um coro — numa cena pungente do filme de Sam Peckinpah, *The wild bunch*, em que o grupo de caubóis americanos passa por entre crianças mexicanas miseráveis.

Não entendo a letra de "Maria la O", que aliás nunca aparece cantada duas vezes da mesma maneira. Há uma barafunda de pronomes e umas ordens invertidas que são ininteligíveis. No entanto, a beleza misteriosa e insinuante da canção nada perde com isso. A letra de "La golondrina" chegou-me também envolta em dúvidas. Escolhi trechos que fizessem sentido. Vi que, cantado, tudo aquilo faz todo o sentido. "Fina estampa" sempre me fascinou por ser, à primeira vista, uma canção feita por uma mulher sobre um homem à maneira das canções feitas por homens sobre mulheres. Mas o fato é que, como a palavra "vereda" em português só é usada para designar uma trilha no mato e nunca uma rua ou estrada urbana, esse deslumbrante "cavalheiro" (ou cavaleiro?), que esconde e exibe o sorriso por sobre um chapéu, sempre me pareceu uma visão de Oxóssi, o orixá da religião afro-baiana a que, dizem, pertenço e de quem, portanto, teria as características. Desse modo, *Fina estampa* me parece o título certo para um disco tão requintado e delicadamente orquestrado por Jaques Morelenbaum — e em que canto com tanto cuidado —, ao mesmo tempo que funciona como uma referência a um eu meu bonito, representado na figura do orixá entrevisto nas palavras da valsa de Chabuca. Andar, andar.

Eu não sabia todas as letras por inteiro. E, mesmo nos casos em que parecia saber, não confiava no espanhol de minha memória de menino. Precisei pedir auxílio, e Manolo Calderón e Tânia Libertad, da Cidade do México, foram prestimosos e solícitos. O artista plástico Luciano Figueiredo também contribuiu com gravações de orquestra de Lecuona, que, por sua vez, Fabiano Canosa lhe conseguira. Mas foi aqui no Rio que eu encontrei a fada-madrinha do repertório deste disco na pessoa de Márcia Rodrigues, a bela e inteligente carioca que fora a Garota de Ipanema do filme de Leon Hirszman, inspirado na canção, sendo a melhor coisa daquele filme — e que também protagonizou a obra-prima de Júlio Bressane, *Matou a família e foi ao cinema*, na qual ela é uma das mais belas visões à história do cinema brasileiro, cantando "When I'm sixty-four". Essa moça tem um arquivo de gravações hispano-americanas (ela liderou por algum tempo um programa de rádio especializado nisso) e não só desfez dúvidas, como também apresentou canções que eu não conhecia e fez sugestões que, de outro modo, não me ocorreriam. "Tonada de luna llena" me foi apresentada por ela (Simón Diaz me foi apresentado por ela!) e "Vuelvo al Sur", que eu já conhecia do filme de Solanas, me foi sugerida por ela.

Isso de aprofundar o diálogo me levaria a canções novas (ou novas para mim) de qualquer jeito. Não poderia ficar, na memória e na autobiografia. "Tonada de luna llena" é, para mim, a descoberta de um mundo. "Vuelvo al Sur", no casamento da prosódia argentina com a batida da bossa nova — Piazzolla e João Gilberto fundidos pela primeira vez? —, é a realização sonora da sugestão já presente em Solanas de ampliar o campo semântico da palavra Sul para abranger todo o nosso subcontinente — e, agora, todo o hemisfério austral. Mas o que traz verdadeiramente profundidade a esse desajeitado diálogo é o trabalho musical feito por Jaques Morelenbaum sobre as canções escolhidas. A seriedade, a competência, o carinho e a carga de emoção que ele colocou nos arranjos dizem mais sobre o empenho de dignificação da postura cultural latino-americana do que milhões de palavras ou atos políticos.

O trabalho gráfico e plástico realizado e conduzido pelo refinadíssimo cantor/desenhista Carlos Fernando — que, vencendo a barreira da minha própria timidez, propôs à genial Anna Mariani que fotografasse a fachada da Ordem Terceira de São Francisco para a contracapa — reafirma esse empenho.

Naturalmente, além das muitas canções na mesma linha das gravadas e que, no entanto, ficaram de fora, há lacunas de outra natureza que me mostram a *incompletude* do projeto. Não há um só exemplo do que se produziu no Chile nos anos 60 e, sobretudo, sinto a ausência dos cubanos do período comunista. Não há Parras nem Jara nem Silvio Rodriguez nem Pablo Milanés. Cheguei a planejar gravar "Volver a los diecisiete", mas desisti diante do que já se fez de maravilhoso com esse tema — no Brasil (Milton!). Cheguei também a pedir sugestões a Chico Buarque sobre o repertório de Rodriguez e Milanés. Mas, embora ao ouvi-los em maior quantidade e freqüência minha admiração tenha crescido ainda mais, terminei por sentir que a inclusão de uma canção assim traria um gosto de "pesquisa" ou de responsabilidade que não condizia com o clima do disco. Ainda assim pensei em gravar "Yolanda", que eu idolatro, mas, de novo, a gravação brasileira de Simone com Chico me pareceu insuperável. Além disso, a essa altura o disco já tinha dezesseis faixas. Fica para outra? Não sei. Mas considero a ausência desses autores um defeito grave deste trabalho. Embora eu saiba que não se pode — nem se deve — fazer tudo.

RELEASE DO CD *FINA ESTAMPA*, 1994.

TROPICÁLIA 2

O falsete de Milton Nascimento é um dos mais belos sons produzidos pela espécie humana hoje sobre a Terra. Assis Valente não merecia aquele casal de biógrafos espíritas que teimaram em tratar sua vida sexual no mesmo clima obscurantista de dissimulação e subterfúgios que era a regra no tempo em que ele viveu e que provavelmente contribuiu para levá-lo ao suicídio. Roberto Silva é uma sombra da ponte que leva de Orlando Silva e Ciro Monteiro a João Gilberto — uma linha evolutiva não presente na consciência dos outros grandes da época, que só viam o lado americano da modernização: os Alfs e Alves e Farneys, os Cariocas... Djavan é timbre áspero em nota doce. Paulinho da Viola, Tom Jobim e Chico Buarque são alguns dos homens mais bonitos que eu já conheci. Quando vi Prince pela primeira vez na TV americana, pensei: Miles Davis gosta disso. Amália Rodrigues, Ray Charles, Camarón de la Isla: lições do canto inevitável. Tudo em Michael Jackson é feito de matéria pop: sua grande música, sua grande dança, sua vida mínima. Em nossos dias só ele tem a mesma carga de popismo de Marilyn ou Elvis ou Elizabeth Taylor. Perto dele, Madonna parece uma mera teórica. Tudo o que não era americano em Raul Seixas era baiano demais.

CONTRACAPA DO CD *TROPICÁLIA 2*, 1993.

O texto intercalava, indistintamente, fragmentos escritos por Caetano Veloso e por Gilberto Gil; publicam-se aqui apenas os primeiros.

ESTE É UM DISCO
DE 25 ANOS

Este é um disco de 25 anos para comemorar os 26 anos de tropicalismo. Foi concebido inicialmente como um meio de fugir às outras formas de comemoração que nos eram propostas o ano passado. No dia da festa de oitenta anos de Jorge Amado, no sobrado que servia de camarim para muitos artistas e de camarote para muitos políticos, diante de convites para uma celebração de bodas de prata do tropicalismo com praça pública, sinfônica e honrarias oficiais, virei-me para Gil e sugeri: por que não comemoramos os dois sozinhos, fazendo um disco à parte, um disco que valha por si mesmo como uma reafirmação da garra tropicalista? Gil animou-se com a idéia e eu comecei a ter idéias e ele começou a fazer canções. As primeiras idéias foram prefigurações das canções "Cinema Novo", "Rap popcreto", "Haiti" e "Aboio", e da regravação de "Wait until tomorrow". As primeiras canções foram "Dada", "Baião atemporal", outras lindas do Gil que não foram incluídas no disco e "Desde que o samba é samba", que eu já vinha fazendo desde muito antes de imaginar que este disco seria feito. Aos poucos foram se insinuando "Nossa gente" (na Bahia, às vésperas do carnaval, essa canção do Olodum era a paixão de todo mundo e nós não quisemos resistir ao desejo de também gravá-la), "Tradição" (um velho sonho meu era ouvir essa música registrada de modo a não esconder seu encanto e outro sonho era cantá-la numa gravação), a volta de "Cada macaco no seu galho" (Gil e eu não lembrávamos que já a tínhamos gravado antes em disco — a sensação de que essa música de

Riachão cantada por nós dois era a marca registrada do dueto se confirmou com a deslumbrante redescoberta do número num antigo especial da TV Globo gravado no Municipal em 72 e a decisão de regravá-la reforçou-se pelo reconhecimento de uma linha soteropolitana que vai de Riachão a Carlinhos Brown, pela graça que encontramos nesse chamar a Bahia de mãe preta cujo leite "já encheu sua mamadeira" e pelo desprezo com que tratamos toda conversa sobre separatismo), "As coisas" (Gil enamorou-se dos textos de Arnaldo Antunes no seu belo livro de mesmo título e fez uma canção mais para o rock-n'-roll moderno e nós nos enamoramos da canção). As gravações se deram em clima bastante tranqüilo. Eu e Gil sempre nos demos muito bem juntos — este disco poderia ser uma comemoração de redondos trinta anos que nós nos conhecemos. Talvez seja isso mesmo, embora não tenha sido esse o pretexto inicial. Nestes trinta anos, embora nunca tenhamos brigado, as queixas mútuas que talvez precisássemos calar não se tornaram embriões de mágoas. Num período de que me lembro sempre com saudade, fiz, com A Outra Banda da Terra, uma série de discos em que eu assinava a produção para poder trabalhar sem produtor. Eu estava tomando uma atitude de resistência contra a produção padronizada de gosto "internacional" que era a mania do mercado e da crítica no Brasil até então. Uma onda que Gil, ao contrário, fazia questão de mostrar que não temia. Minha atitude era ainda mais incômoda porque eu queria que minha resistência fosse reconhecível mesmo sem as aparências de um trabalho marginal ou experimental: meus discos de então eram compostos de faixas pop ("Odara", "Tigresa", "Tempo de Estio", "O Leãozinho" etc. etc.), apenas diferindo dos outros a que eu queria me opor pelo espontaneísmo das sessões de gravação com a conseqüente impressão de desleixo técnico. Como tanto o "pop" quanto o "internacional" (mas eu queria que lembrassem que também o "experimental") tinham sido marcas do tropicalismo, eu me sentia na obrigação de ser mais exigente com o Gil (e também com a Gal) do que com qualquer outro colega. E cheguei a fazer declarações irônicas e agressivas sobre o LP *Realce*. Gil, numa entrevista, disse que eu tinha apenas uma atitude aristocrática enquanto ele era um operário da música. Eu respondi, também numa entrevista, que o que ele vinha fazendo sugeria mais um executivo da música do que um operário. Mantive desde então um tom de crítica velada ao que me parecia popismo fácil em Gil e Gal e louvação explícita à nobreza de Bethânia em sua série de discos extremamente pessoais e alheios aos vícios do mercado. Recordo tudo isso aqui porque essas sutis diferenças (para mim tão esclarecedoras) não foram muito entusiasmantes para os jornais e seus leitores (talvez porque não tenhamos brigado), e fica parecendo que nada aconteceu. Um dia Peter Gabriel veio me ver no estúdio da PolyGram. Acho que tinham lhe falado de uma gravação minha em que eu misturava escola de samba com teclados (era o "É hoje" da União da Ilha no LP *Uns*). O fato é que ele, muito gentil, se mostrou entusiasmado com a idéia e decepcionado com o resultado. Eu próprio, ouvindo ao lado dele, achei tudo muito "sujo", o som empastado. Ele então me aconselhou: o artista não deve produzir os próprios discos, a presença do produtor que se ocupará de conseguir, organizar e criticar os sons é necessária, para deixar o artista fazer sua coisa com calma e o resultado geral terá maior clareza. Fiquei com isso na cabeça e, logo depois, Vinícius Cantuária me comunicou sua decisão de deixar a banda pra trabalhar seu próprio repertório e me sugeriu que criasse uma banda nova. Veio o *Velô*, em que eu parti para outra solução: fazer uma excursão com o show antes de gravar o disco e gravá-lo com os arranjos amadurecidos. Pedi a Ricardo Cristaldi, o tecladista da banda nova, para atuar como produtor na fase de acabamento do disco. Só depois é que eu fui fazer a experiência com Guto Graça Mello, Arto Lindsay e Peter Scherer. Liminha é um tropicalista histórico, de primeira hora. Foi comigo — e na época do tropicalismo — que ele começou sua vida profissional como (excelente) contrabaixista. Depois é que ele foi tocar com os Mutantes, em sua versão progressiva dos anos 70. O famoso produtor que imprimiu sua marca de sonoridade no rock Brasil dos anos 80 e trouxe desembaraço tecnológico para todos os discos de Gil dos últimos anos — esse é um personagem novo para mim. Foi extraordinariamente produtivo trabalhar com ele, que assumiu o papel propriamente do produtor — eu e Gil assinamos a co-produção apenas porque já fomos para ele com planos de arranjo muito definidos e porque algumas coisas ("Nossa gente", "Desde que o samba é samba", "Baião atemporal") gravamos enquanto ele estava em Los Angeles. É deslumbrante ver como se desenvolveu de perto sua grande musicalidade: suas intervenções como baixista e como arranjador foram arrasadoras. Quase nunca tivemos de discutir por causa de seu entusiasmo com esse ou aquele efeito técnico que me parecia vício de gosto. Gil é que reagia mais à sua incapacidade de tolerar irregularidades de andamento quando as bases não eram gravadas com "click". No todo, o time de produção se deu bem. O resultado é um disco que, para nós, é satisfatório o tempo todo e, em muitos momentos, fundamente emocionante. Sempre quis gravar "Desde que o samba é samba" com Nico Assumpção. Sempre quis gravar "Cinema Novo" com Rafael e Luciana Rabello. Rafael trouxe o Octeto Brasil e Dininho e Guerra Peixe. Gil sugeriu Serginho Trombone para escrever os arranjos de "Nossa gente", e "Tradição". Gil e eu escolhemos juntos a dupla Carlos Bala e Arthur Maia para ser a base de "Nossa Gente". Chamei Dadi e Marcelo Costa para "Dada". Gil chamou Celso Fonseca para "Baião atemporal". Liminha teve a idéia de convidar Brown e a Timbalada para tocar "Cada macaco no seu galho", eu e Gil achamos certo por causa da relação que fazemos entre Brown e Riachão, mas temíamos que Brown agora não tivesse tempo. Brown passou no Rio, foi ao estúdio, Liminha sugeriu, ele aceitou logo e fomos para a Bahia gravar aquela música mais "Wait until tomorrow". Esta última eu tinha planejado fazer cool, só com os violões acústicos, mas a experiência com a turma de Brown nos conquistou. "Dada" teria de ter um violoncelo, e naturalmente queríamos Jaquinho Morelenbaum. Como este estava em turnê pela Europa e não voltaria a tempo, aceitamos a sugestão de convidar Lui Coimbra e este convidou Rodrigo Campelo para escrever os arranjos dos cellos com ele. Além de ficar maravilhoso, a frase de "Os mais doces dos bárbaros" que Campelo incluiu no contraponto funciona tanto como um abraço no Jaquinho (que faz variações sobre ela na abertura do show Circuladô) quanto como uma referência a outro momento em que Gil e eu cantamos juntos, no grupo Doces Bárbaros. A ausência de Jaquinho terminou rendendo para mim outra alegria, tão grande quanto a tristeza de não tê-lo no disco: Liminha, tendo ouvido que meu filho Moreno estudava violoncelo, sugeriu que tocasse as frases solitárias de "Haiti". Como tudo correu bem, Liminha pediu a Moreno que também fizesse as intervenções em "As coisas". Moreno trouxe seu amigo Pedro Sá ao estúdio e eu aconselhei Liminha a usá-lo na mesma faixa. Todos ficaram entusiasmados com sua técnica e inspiração. Outro amigo de Moreno já tinha gravado (de modo não menos entusiasmante) a flauta de "Baião atemporal": Lucas Santana, da família de Irará à qual Gil se refere na letra (a mesma a que pertence Tom Zé). O pai de Lucas, Roberto Santana, foi quem me apresentou a Gil. Pedro Sá trouxe outro amigo deles, Daniel Jobim, filho de Paulinho, neto de Tom, para tocar teclados. Nara, filha de Gil, tinha sido a causa da escolha de "Wait until tomorrow" porque, aos dois anos, na época do tropicalismo, ela pedia para a gente botar na vitrola essa canção de Hendrix mais vezes do que as outras que nós já ouvíamos tanto. E, como desde então ela cantava o refrão, nós a chamamos para cantá-lo agora conosco. Assim cresceu o tom de festa em família e a sucessão de gerações que permeia o disco e que nos fez constantemente pensar em Pedro: era impossível não vê-lo tocando bateria no estúdio, às vezes parecia que ia se tornar impossível não vê-lo ali. Quando vivo, ele me inspirava, entre outras coisas, um grande respeito. Agora, desejo que as coisas se façam dignas da memória dele. Rita Lee, Arnaldo Baptista, Sérgio Dias, Rogério Duprat, Tom Zé, Torquato, Capinam, Gal — não estão presentes "diretamente" no disco (fora um velho "quem" de Gal em "Rap popcreto"). Mas nós sabemos que eles participam deste trabalho ainda mais do que do resto de nossas atividades.

RELEASE DO CD *TROPICÁLIA 2*, 1993.

BICHO

Acabada a excursão dos Doces Bárbaros, de novo, sozinho, recomecei a compor. E é principalmente das canções que surgiram nesse período que se compõe o repertório deste novo disco. A primeira que pintou foi a que veio a se chamar "Gente". Fiz primeiro a música, pensando em colocar sobre ela uma letra qualquer que pudesse ser cantada por mim e por um coro feminino, em cima de uma base rítmica gostosa. Estava querendo fazer um disco todo de melodias doces sobre ritmo quente. E coloquei, de fato, uma letra qualquer. Depois de pronta eu achei louca. Hoje acho que "Gente" é uma canção linda e emocionante e louca como os Doces Bárbaros e a considero uma homenagem à experiência que os Doces Bárbaros foram para mim.

"Gente" ainda não estava de todo pronta quando fiz, sem pensar, a melodia do que veio a se chamar "Tigresa". Algumas pessoas estavam conversando aqui na sala de som da minha casa e eu não estava a fim de prestar atenção na conversa delas. Fiquei tocando violão e assoviando e cantarolando qualquer coisa. Fui dormir sem planos de voltar a pensar nela, uma vez que meu projeto era compor canções doces e suingadas. Mas a música era linda mesmo e resolvi fazer uma letra. Mas não sabia o que dizer com palavras, uma coisa que ficasse dentro do clima que já era para nós essa melodia. Mas também não quis forçar muito a cabeça. Um dia estava com Moreno vendo um seriado de televisão no qual apareciam uns meninos indianos que andavam com um elefante e encontravam outro menino, que era selvagem e não sabia falar e reagia como um felino. Quando eles tentavam se aproximar do menino selvagem, um grande tigre vinha protegê-lo. O menino tinha sido criado por aquele tigre que, na verdade, era fêmeo. O fato é que pensei que tigre fêmeo diz-se tigresa, e aí estava a palavra. Dessa palavra parti para inventar uma letra que mantivesse o clima da música. Imaginei logo uma mulher e queria algo assim como uma história. Essa mulher foi se nutrindo de imagens de mulheres que conheço e conheci, e essa história foi se nutrindo de histórias que vivo.

Terminou pintando também um pouco de história, uma vez que o interesse que as pessoas da minha classe e da minha geração uma vez demonstraram pelo assunto política aparece datado. Mil pessoas me perguntaram quem é a "Tigresa", ou para quem a música foi feita. Pois bem. Depois da mamãe tigresa da televisão, a primeira imagem de mulher que veio à minha cabeça foi a de Zezé Mota, e isso está bem evidente nas unhas e na pele. Mas terminei descobrindo que os olhos cor de mel são da Sônia Braga, embora não deixem de ter um parentesco com os cabelos da menina Maribel. Mas Bethânia e Gal já estavam lá. E Norma Bengell, Clarice, Claudinha, Helena Ignêz, Maria Ester, Silvinha Hippy, Marina, muitas outras meninas que eram bebês em 1966, Suzana e Dedé. Por fim a "Tigresa" sou eu mesmo. É minha primeira canção parecida um pouco com Bob Dylan.

Voltando ao projeto das músicas doces suingadas, apareceu a melodia de "Odara", que é uma palavra que aprendi com Waly Salomão. Digo que aprendi com Waly porque foi ele que passou essa palavra para mim com o valor semântico que ela tem na letra da canção. Claro que já tinha ouvido na voz de Clara Nunes num desses sambas sobre religião negra. Também nos ambientes de candomblé essa palavra é usada. Mas não sei exatamente em que sentido. Em Itapoã, "odara" quer dizer bom, bonito, bacana. Quando comecei a gravar o disco, estava convencido de que "Odara" era a mais bonita das canções que eu tinha feito ultimamente. Até hoje não encontrei bons argumentos em contrário.

Fiz "Leãozinho" para Dadi. Gosto de chamá-lo de Leãozinho porque ele é um lindo menino do signo de Leão, que é também o meu signo. Disse a ele: "Vou fazer uma música para você". Aí comecei a fazer uma melodia em cima do título já escolhido. A letra saiu quase ao mesmo tempo que a música.

Sempre tive (e talvez tenha hoje mais que nunca) a vontade de ampliar o repertório de possibilidades sonoras dentro do campo de criação de música popular no Brasil. Quando musiquei "Triste Bahia", escrevi a Augusto de Campos: "Quero que o resultado pareça ao mesmo tempo folclore e ficção científica". A paixão compartilhada com Gil pela Banda de Pífaros de Caruaru, desde 1967, era a expressão dessa vontade. O tropicalismo foi um espernear contra um cercado pequeno. A gravação londrina de "Asa branca" foi um primeiro esforço de concentração no sentido de realizar algum som a mais. O *Araçá azul* — depois da música para o filme *São Bernardo,* de Leon Hirszman — foi o luxo de entrar no estúdio sem nada e deixar esse desejo fluir para que eu, assim, pudesse testá-lo. O nordestino fanhoso, o negro rouco, o índio, o marciano, o árabe, o indiano, o roqueiro distorcido, os Smetaks, o insólito — tudo isso é a minha identificação. A letra para a pipoca moderna. O chinês, o japonês, o baiano. Havia planejado fazer muitos sons "de índio". Queria fazer um disco de canções doces com suingue e queria trabalhar em casa uns sons "primitivos".

Assim, sobre uns sons de assovios superpostos que eu havia armado aqui, procurei colocar umas palavras e usei como tema ou pretexto um desenho que tinha feito com lápis de cor e que veio a ser escolhido depois por mim para ser a capa do disco. A música se chamou "A grande borboleta".

"Two Naira Fifty Kobo" foi o apelido que o pessoal deu ao motorista que trabalhava pra gente em Lagos. Ele ouvia música dia e noite. É uma figura inesquecível. Fiz uma melodia em Lagos mesmo, sentindo o clima das músicas que ouvia por lá. Quando cheguei à Bahia, depois do carnaval, fui pondo as palavras que, afinal, ficaram tão bonitinhas. "Two Naira Fifty Kobo" é a minha canção da *Refavela*.

"Frases" foi a primeira música de Jorge Ben que me impressionou profundamente. Achava tudo aquilo que veio antes muito lindo e agradável, mas "Frases" me impressionou pela força de poesia, pela liberdade de linguagem. Isso em 1966. Bem antes do tropicalismo. Acho que essa foi uma composição inaugural da nova poesia de Jorge Ben, da nova poesia brasileira. E agora eu a gravei.

O disco chama-se *Bicho*. Principalmente por causa do desenho que escolhi para a capa. Eu já tinha feito esse desenho e o achava bonito. Quando fui olhando para o repertório que gravaria, vi que tinha muitos nomes de animais envolvidos. Aí pensei em qualquer coisa de animal, Guilherme Araújo me disse: "Esse seu disco será um jardim zoológico". Eu olhava para o desenho daquela borboleta astral e pensava: "Bicho da vida, esse é o bicho da vida". Quase coloco o nome do disco de *Bicho da vida*. Depois reduzi para *Bicho*. Achei mais sintético, menos retórico.

Acredito que o fato de os músicos brasileiros se tratarem, uns aos outros, de bicho, e também o fato de a palavra estar em toda caricatura que se faz de hippie nas novelas e nos humorísticos da televisão, e também de ser nome de jornalzinho de cartoon e comics, tudo isso se enriquece com esta minha redescoberta da palavra, que, por sua vez, sai também enriquecida de tudo isso. Palavra gasta, palavra intacta.

JORNAL DO BRASIL, JULHO DE 1977.

É EXATAMENTE O QUE
EU ESTOU PROCURANDO

Eu estava querendo fazer um show depois do disco *Bicho* e arranjar uma banda de peso. Isso para que o show tivesse o pique de música de peso, música mais animada, para dançar mesmo. Pensei em procurar o Oberdan Magalhães, líder da banda Black Rio, para que ele me aconselhasse. Eu sabia que ele estava transando uma banda e um trabalho com o Dafé. E até pensei que fosse um trabalho fixo. Pensei "de todo modo eu vou telefonar porque ele conhece todo mundo aqui no Rio". Quando eu estava pensando nisso, ele pintou na minha casa. Trouxe a fita do elepê e pediu a minha opinião. Eu achei espetacular. Já tinha ouvido alguma coisa no disco do Dafé, mas nem sabia o nome da banda, nem nada. Sabia que eles queriam fazer uma coisa funk. Aí, o Oberdan me disse que a banda era uma coisa separada, com disco e nome. Achei genial. E pensei "seria ideal uma banda com esse nível, com esse peso, tocar comigo". Mas não propus ao Oberdan por modéstia, pensei que não interessasse. Mas ele próprio me perguntou com quem o Gil estava tocando, pois eles queriam tocar com alguém. Comigo mesmo se eu quisesse. Eu disse, "puxa, é exatamente o que estou procurando". Porque o show é bem uma apresentação da banda. Eu estou presente, a minha transação se dá por inteiro. É bacana, mas é bem mais uma apresentação da banda. E eu fiz questão que fosse assim, porque eles são músicos muito bons. No Brasil, tem muito instrumentista bom, muito músico bom e não tem muito mercado. E quanto mais a gente puder trabalhar nesse sentido, melhor. Esse aspecto tem muita importância para mim.

O nosso trabalho foi assim: eu mostrei o meu repertório ao Oberdan e aos outros componentes da banda e eles concordaram. Acharam uma boa. Durante a feitura, eu fiquei bem. Eu ofereci o repertório e não fiquei omisso, dizia o que achava legal e o que não achava. Mas interferência propriamente musical eu procurei não exercer nenhuma. Primeiro, porque eles são músicos de 10 mil anos-luz a mais do que eu. Eles são instrumentistas de muita transação musical. E eu tenho uma relação respeitosa com eles. Hoje em dia, eu tenho a cabeça mais livre e por isso é que deu para fazer exatamente esse trabalho. O sentimento musical deles é muito jazz-Rio. Quer dizer, samba e jazz carioca, que é a formação musical de quase todos eles. Agora, o resultado é de nível elevadíssimo. Musical, profissional e sob todos os pontos de vista. E cada um deles, individualmente, é um grande músico. Então, eu conseguir, hoje em dia, conviver numa boa num trabalho com esses músicos é uma coisa espetacular. E eu acho que é espetacular para o ambiente. O que eu vi ontem na estréia, o que eu pretendo continuar vendo na temporada, tanto aqui como nos outros lugares em que a gente se apresentar, é que isso é uma coisa boa. Uma coisa que realmente é produtiva para o ambiente de música no Brasil.

REVISTA *MÚSICA*, Nº 14, [1977].

Optamos por inserir este texto na seção "Discos" tendo em vista o registro ao vivo (gravação de Mazola; assist. Liminha) do show "Maria Fumaça, Bicho, baile show" (em que Caetano se apresentou com a Banda Black Rio no Teatro Carlos Gomes, Rio de Janeiro, no segundo semestre de 1978): *Bicho baile show*, CD, 2002 (incluído na caixa "Todo Caetano").

MANIFESTO DO
MOVIMENTO *JÓIA*

respeito contrito à idéia de inspiração. alegria. saber a calma
para ir perder a pressa para estar. inspiração quer dizer: todo esforço em direção a esforço nenhum, nenhum esforço
em direção a todo esforço em direção a esforço nenhum. todo esforço em direção a nenhum esforço em direção a todo
esforço em direção a nenhum. todo esforço em direção a nenhum esforço em direção a todo esforço em direção a nenhum esforço em direção ao todo.

nenhum círculo vicioso é vicioso a ponto de impossibilitar o
verde, o aparecimento do verde, a esperança no aparecimento do verde, escravo livre da insensatez azul e do equilíbrio
amarelo.

respeito contrito à idéia de inspiração. jóia. meu carro é vermelho. inspiração quer dizer: estar cuidadosamente entregue
ao projeto de uma música posta contra aqueles que falam em
termos de década e esquecem o minuto e o milênio.

inspiração: águas de março.

o sexo dos anjos. e não fazemos por menos.

RELEASE DO DISCO *JÓIA*, 1975.

196

MANIFESTO DO MOVIMENTO
QUALQUER COISA

I nada de novo sob o sol. mas sob o sol.

II evitar qualquer coisa que não seja qualquer coisa.

III cantar muito.

IV soltar os demônios contra o sexo dos anjos.

V a subliteratura. a subliteratura e a superliteratura. e até mesmo a literatura.

VI por que não?

VII jazz carioca. samba paulista. rock baiano. baião mineiro.

VIII jazz carioca feito por mineiros. samba paulista feito por baianos. baião mineiro feito por cariocas. rock baiano feito por paulistas.

IX e até mesmo a música, por que não?

X mas sob o sol.

XI a década e a eternidade, o século e o momento, o minuto e a história.

XII exemplos: a obra de jorge mautner. a pessoa de donato.

o papo de gil. o significante em maria bethânia. o significado em elis regina. baiano e os novos caetanos etc.

XIII fama e cama. sempre de novo deitar e criar.

XIV salvador dali no fantástico.

XV o show da vida.

XVI bob dylan live.

XVII qualquer coisa é radicalmente contra os radicalismos e, paradoxalmente, considera ridículo tal paradoxo, ridiculamente não vê nenhum paradoxo nisso. decididamente a favor do advérbio de modo.

XVIII a televisão está melhor do que o carnaval. insistir no carnaval.

XIX e de novo sob o sol. e sempre.

RELEASE DO DISCO *QUALQUER COISA*, 1975

BARCO VAZIO

Há muitos e muitos anos que não há nada a dizer. João Gilberto, Roberto Carlos, Jorge Ben. Ninguém é profeta fora de sua terra. Bob Dylan. Ninguém. A doce música brasileira com turbinas a jato-propulsão, nada mais. Não há proposta, nem promessa, nem proveta, nem procela. Ninguém. Janis Joplin. Apenas meu pai, minha mãe e eu e meus irmãos, a quem dedico estes restos de empolgação. O gênio é uma longa besteira: eu quero a geral. Agradecimentos especiais a Vivaldo Costa pelas histórias do Cinema Olympia. Há o enigma e a falta de paciência para decifrá-lo, no momento.

Oportunamente apresentaremos para vocês algo mais... mais... mais... mais... mais... sei lá... algo mais divertido — disse o palhaço vaiado. Assim esperamos — disse a platéia, já agora morrendo de rir. O grande sucesso do palhaço. Esta e outras histórias não serão contadas agora porque não há tempo. Viva a rapaziada. Não há tempo para lengalengas. Pepeu, pegue sua guitarra e toque! Tristes tropeços, trastes típicos, tristes trópicos, antigos trocadilhos. Viva a música. Viva Alice e a carne-de-sol com pirão de leite. Viva a sorte e o bom humor. Viva o Esporte Clube Bahia. Mais um: Viva as inúteis conquistas da linguagem. ADEUS.

PROGRAMA DO SHOW *BARRA* 69, COM GILBERTO GIL, NO TEATRO CASTRO ALVES (SALVADOR), 20 E 21 DE JULHO DE 1969.

ALEGRIA, ALEGRIA

Que maravilhoso país o nosso, onde se podem contratar
quarenta músicos para tocar um uníssono. (Miles Davis,
durante uma gravação.)

antes havia orlando silva & flautas e até mesmo no meio
do meio-dia, antes havia os prados e os bosques na gravura
dos meus olhos, antes de ontem o céu estava muito azul e
eu & ela passamos por baixo desse céu, ao mesmo tempo
com medo dos cachorros e sem muita pressa de chegar do
lado de lá.

do lado de cá não resta quase ninguém, apenas os sapatos polidos refletem os automóveis que, por sua vez, polidos, refletem os sapatos assim per omnia até que (por absoluta falta de vento) tudo sobe num redemoinho leve, me
deixando entrever um resto de rosto ou outro, pedaços,
amém. marina sabe a história do pelicano etc. etc., o peito
aberto e rasgado etc. etc., mas que nada: quando a gente não
tem nenhuma necessidade de ir para os states não há mesmo mais esperança. eu gostaria de fazer uma canção de protestos de estima e consideração, mas essa língua portuguesa me deixa (louco) rouco. os acordes dissonantes já não
bastam para cobrir nossas vergonhas, nossa nudez transa-
tlântica. e no entanto Ele é um gênio: quem ousaria dedicar
este disco a João Gilberto? quantos anos você tem? como é
que você se chama, quando é que você me ama, onde é que
vamos morar? os automóveis parecem voar os automóveis
parecem voar por cima (mas mais alto que o caravelle) dos
telhados azuis de lisboa, dos teus olhos, dos mais incríveis

umbigos de todas as mulheres em transe, dos teus cabelos cortados mais curtos que os meus, meu amor, porque eu não quero, porque eu não devo explicar absolutamente nada.

P.S.: Gil, hoje não tem sopa na varanda de Maria.

CONTRACAPA DO LP *CAETANO VELOSO*, 1968.

DOMINGO

I. Gal participa dessa qualidade misteriosa que habita os raros grandes cantores de samba: a capacidade de inovar, de violentar o gosto contemporâneo, lançando o samba para o futuro, com a espontaneidade de quem relembra velhas musiquinhas. Por isso eu considero necessária a sua presença neste disco em que se registra uma fase do meu trabalho em música popular, algumas das canções que eu fiz até agora. Por isso, e também porque desde a Bahia que nós cantamos juntos, desde lá que ela faz com que meus sambas existam de verdade. Não há defasagem de tempo entre a composição e o canto: cada interpretação sua tem a mesma idade da canção. Todas as minhas músicas que apareçam aqui foram feitas junto dela e um pouco por ela também. Ouso considerá-la como parte integrante do meu processo de criação: este é um disco de "Gal interpretando Caetano" mesmo nas faixas de outros autores ou quando sou eu mesmo quem canta as minhas. Gal cantando o que quer que ela goste, isso já é minha música, e quando eu canto ela está presente. O seu canto (como o de Gil ou o de Bethânia) tem sido sempre meu parceiro.

II. Eu gosto muito de cantar. Mas jamais consegui gostar muito de cantar as minhas composições. Um velho baião, uma canção antiga, o último samba de um amigo, isso é bom de cantar: uma música que eu mesmo tenha inventado me aparece informe pela proximidade e eu desconfio de tudo que escrevi. Neste disco estou enfrentando uma experiência nova: ouço essas coisas que fiz transformadas em música por Dori, Menescal e Francis e procuro amá-las despreocupadamente, tento aceitá-las como prontas (não há mais como compô-las) — cantar as músicas que eles me devolveram, não aquilo que eu lhes dei.

III. Acho que cheguei a gostar de cantar essas músicas porque minha inspiração agora está tendendo para caminhos muito diferentes dos que segui até aqui. Algumas canções deste disco são recentes ("Um dia", por exemplo), mas eu já posso vê-las todas de uma distância que permite simplesmente gostar ou não gostar, como de qualquer canção. A minha inspiração não quer mais viver apenas da nostalgia de tempos e lugares, ao contrário, quer incorporar essa saudade num projeto de futuro. Aqui está — acredito que gravei este disco na hora certa: minha inquietude de agora me põe mais à vontade diante do que já fiz e não tenho vergonha de nenhuma palavra, de nenhuma nota.

Quero apenas poder dizer tranqüilamente que o risco de beleza que este disco possa correr se deve a Gal, Dori, Francis, Edu Lobo, Menescal, Sidney Miller, Gil, Torquato, Célio, e também, mais longe, a Duda, a seu Zezinho Veloso, a Hercília, a Chico Motta, às meninas de Dona Morena, a Dó, a Nossa Senhora da Purificação e a Lambreta.

CONTRACAPA DO LP *DOMINGO*, 1967.

CINEMA

SOU PRETENSIOSO

Sempre quis ser cineasta. *O cinema falado* é, até agora, o único filme que dirigi. Portanto seria impossível ele não ter uma grande importância para mim. Importância não apenas afetiva: as questões que ele suscita dentro e fora do seu próprio âmbito são pertinentes ao diálogo que mantenho com quem quer que acompanhe o andamento do todo do meu trabalho. Por isso me interessa defendê-lo. Não será uma defesa crítica: para isso eu precisaria afetar imparcialidade e o esforço talvez não valesse a pena. Mas, justamente por observar que outros precisam fazer mais esforço do que eu para afetar imparcialidade diante do meu filme, sou levado a concluir que tenho de defendê-lo, não das eventuais acusações ou restrições, mas da confusão e do mal-entendido. Preciso limpar um pouco a área em que ele se move para poder continuar eu mesmo a mover-me com um mínimo de liberdade.

O cinema falado foi lançado, fora de competição, no Fest-Rio, o mais badalado festival de cinema do Brasil na década de 80. Recebi um convite para apresentá-lo no festival de Brasília mas declinei por duas razões: o convite para o Rio chegara antes e o de Brasília vinha com um estranho recado assegurando que o filme "ganharia o festival" se eu o retirasse do FestRio para pô-lo lá. Esse recado (ainda que não tenha partido dos organizadores do evento) foi o primeiro golpe com que uma certa violência mental que ronda o mundo do cinema me atingiu. O choque seguinte se deu na sessão de lançamento. O cineasta Arthur Omar, de quem até então eu desconhecia até o nome, gritou frases agressivas da platéia e xingou nominalmente o diretor e o produtor do filme, causando um tumulto que resultou na sua expulsão da sala de projeção. Foi convidado a sair por seguranças do festival. Mesmo assim, voltou mais duas vezes. Isso tudo começou quando ainda se projetavam as primeiras seqüências do filme. No entanto, num artigo que saiu na grande imprensa quando do lançamento do filme em DVD, li que Omar gritou impropérios "uns dez minutos antes de acabar a projeção". E que "a platéia de amigos e fãs de Caetano Veloso que lotavam o auditório do Hotel Nacional vaiou Omar em peso; esparsos aplausos foram ouvidos". Na verdade, a algazarra que se criava por causa dos gritos de Omar não permitia discernir vaia ou aplauso: ouviam-se apenas chiados e pedidos de silêncio. A única vaia que se ouviu em peso naquela noite dirigia-se ao próprio filme. E eu me orgulho muito dela. Foi quando, na longa seqüência em que Dedé Veloso e Felipe Murray falam sobre cinema, um deles diz palavras irreverentemente críticas sobre o então cultuadíssimo *Paris,Texas* de Wim Wenders. A platéia vaiava *O cinema falado* porque este ousava pôr na boca de um dos seus antipersonagens palavras diretas de desaprovação crítica ao cineasta da moda. Me pergunto por que o artigo que li apresentava uma versão tão distorcida daqueles fatos. É, de todo modo, muito significativo que nele se conclua que *O cinema falado* teria "talvez passado em brancas nuvens se não tivesse sido feito por quem foi". É ruim, hein! Imagine-se o filme de um estreante anônimo que contivesse uma longa discussão crítica sobre a fala no cinema (e sobre o cinema no Brasil) encenada como um diálogo amoroso entre uma mulher e um rapaz, sob música de Walter Smetak; um texto de Thomas Mann sobre casamento e homossexualidade dito em alemão por um jovem caboclo numa praia do Rio, sob música de Shoenberg; um trecho de "Melanctha", de Gertrude Stein, traduzido pelo próprio diretor, interpretado por Regina Casé entre uma estação de favela, ao som de Billie Holiday; um poema concreto de Décio Pignatari dito por um negro bonito mas totalmente inocente de literatura, nu, em cópula estilizada com uma moça branca, ao som da *Manon Lescaut* de Maria Callas; a mesma Regina Casé, literalmente contracenando com a câmera-na-mão de Pedro Farkas, num ferino estudo cômico de Fidel Castro em entrevista televisiva; uma senhora de mais de oitenta anos cantando (bem) "Último desejo", de Noel Rosa, com sotaque baiano; um pintor fazendo de sua própria cara uma peça cubista para declamar a desqualificação de Picasso formulada por Claude Lévi-Strauss (com música de Varèse); uma pergunta de Heidegger sobre o futuro da civilização ocidental pronunciada por uma menina de sete anos, entre flores, sob música de John Cage; um diálogo de *Sansão e Dalila*, de Cecil B. DeMille, dito, em tradução brasileira (mas com legendas no inglês do original), pelo casal que fala de cinema, simulando um assalto em que um apartamento de luxo em São Conrado substitui a rica tenda de Dalila que Sansão assalta no filme de Hollywood, enquanto se ouve a versão brasileira da "Canção de Dalila", o tema de Robert Young para aquele filme, cantada por Emilinha Borba etc. Não. As únicas nuvens brancas que se formaram sobre o inescapável interesse de tais idéias e imagens se devem ao fato de o filme ter sido feito por quem foi: um artista conhecidíssimo em sua área, inclusive por usar de procedimentos semelhantes (e tom semelhantemente pretensioso) em canções, discos, livros, shows e entrevistas. Essa careta de esforço para parecer imparcial ilustra o desacerto da abordagem desse e de outros comentários de que *O cinema falado* foi objeto.

Diz-se, por exemplo, que me vali da estrutura dos filmes de Godard e de Bressane para compor o meu, mas que aqueles dois diretores apresentam, em suas obras fragmentárias, um fio imperceptível de narrativa, enquanto *O cine-*

ma falado é uma coletânea de curtas. É notório que Godard é uma referência fundamental para mim. Em entrevistas, no livro *Verdade tropical,* em toda parte, repito que o cinema de Godard foi um dos principais inspiradores do Tropicalismo. Na metade dos anos 80, eu tinha muito claro em minha mente o que tinha sido e o que é Godard. Pois aquele era exatamente o momento que se seguiu à sua segunda vinda, a qual se deu com *Sauf qui peut, la vie.* Eu tinha acabado de brigar publicamente com o ministro Celso Furtado, com o presidente José Sarney e com o rei Roberto Carlos por causa de *Je vous salue, Marie.* Como tivera a idéia de fazer um filme em que a fala (e a fala tendentemente ensaística) predominasse, decidi fazê-lo de modo tão nitidamente antigodardiano quanto minhas gravações de "Asa branca", "Mora na filosofia" ou "Podres poderes" são antijoãogilbertianas. Godard é um cineasta do ritmo. Seus planos têm ritmo interno, mas esse ritmo está subordinado ao ritmo do fluxo, à "música da luz". A composição do quadro nunca se esgota em si mesma, como acontece em Antonioni. Bergman, que não gosta de nenhum dos dois, considera o grande pecado de Antonioni a paixão pelo quadro em detrimento do fluxo: ele não poderia usar o mesmo argumento contra Godard. E de fato não o faz. Ele não gosta de Godard por causa da exibição de cerebralismo e, sobretudo, pela recusa da narrativa dramática. Mas o ritmo de poesia que Godard busca (e freqüentemente consegue, caso contrário seu cinema cai num "audiovisual" inconsistente) é o ritmo de que eu quis deliberadamente fugir ao fazer *O cinema falado.* Admitir ser influenciado por alguém que se admira muito é imodéstia. Não podemos nos sentir merecedores com tanta facilidade. Assim, escrevi, dirigi e montei (com Mair Tavares) *O cinema falado* com a mais firme decisão de não fazer nada à maneira de Godard. E nunca disse o contrário. De fato, só fiquei à vontade para colocar pessoas no filme falando sobre "imitar Godard" por me sentir seguro de estar longe de tentar fazê-lo. As falas/cenas têm a aparência de objetos estanques, o estilo visual é irregular e descontrolado, a escolha dos atores e o jeito de levá-los a trabalhar está mais para Pasolini, enfim, tudo é feito de modo a evitar aproximações com o que considero o estilo Godard.

Por outro lado, apesar de aparentar compor-se de cenas isoladas fechadas em si mesmas, *O cinema falado* não é uma série de curtas. Os filmes de Godard — mas sobretudo os de Júlio Bressane — freqüentemente me faziam pensar sobre o problema da duração. Me parecia sintoma de alienação que tantos filmes pudessem mostrar-se tão conspicuamente livres das convenções narrativas e teimassem em durar cerca de uma hora e meia. Esta questão permanece um mistério para mim. E me leva a considerar que certas longuras de cenas nesses filmes exercem a função de tapar buraco. Como, no caso dos dois diretores citados, as iluminações poéticas explodem com grande intensidade apesar disso, penso que o mistério talvez se explique pelo amor inocente que ambos dedicam ao cinema, o que os teria levado a negar tudo o que banalizou o longa-metragem médio, menos a duração média de longa-metragem. É como se eles dissessem: isto aqui é que é um filme de verdade, essas coisas lindas é que se devem fazer num filme, não as vulgaridades do cinema convencional. Mas eles não ousam fazer um filme com quinze horas, outro com três minutos e ainda outro com 25 segundos de duração: com uma metragem demasiado longe da hora-e-meia dos filmes de cinema, eles se sentiriam colocando toda aquela beleza em outra coisa que não um filme. Pensei muito nisso ao planejar *O cinema falado*. Agora, por que *O rei do baralho* ou *Prénom Carmen* não são considerados um punhado de curtas embaralhados? (Aliás, o cinema de Bressane é abissalmente diferente do de Godard, mas vamos deixar isso para outra hora.) Há uma ironia específica na escolha do tema de *O cinema falado*: as falas políticas e sociológicas, em uma palavra, teóricas, dos filmes do Cinema Novo sempre soaram falsas. Os cineastas daquele movimento parece que estavam mais apaixonados pela política e pela vida intelectual do que pelo cinema. Este era como que um meio para que um misto de militância e intelectualismo se exercitasse. Mas o fato é que isso contribuiu para a força de originalidade do cinema brasileiro que nos anos 60 e 70 chamou a atenção do mundo. No meu filme, eu quis tratar do assunto oscilando entre a mofa e a exaltação. Levando às últimas conseqüências o defeito construtivo, fiz um filme de falas conteudísticas sobre a fala conteudística no cinema. Esse é o assunto explícito do filme e o atravessa de ponta a ponta. Às vezes (como quando a imagem da moça branca e do moço preto nus volta rapidamente em meio ao capítulo intitulado "Pintura"; ou quando Maurício Mattar cita Lorca anunciando que aparecerá nu mais tarde; ou quando Paula Lavigne, depois de repetir, com a voz da menina do *Exorcista*, "fuck me, fuck me", ecoa, ainda usando a mesma voz, o *Grande sertão* de que Hamilton Vaz Pereira recita longo trecho muitos minutos antes, dizendo "no meio do redemoinho" etc. etc.), apenas às vezes, há indicação de inter-relação temática entre as cenas; mas isso é feito com parcimônia, e não é absolutamente necessário para que a unidade do filme se afirme. Essa unidade aparece quando se chega à seguinte constatação: a rigor, todas as cenas de *O cinema falado* pertencem ao capítulo intitulado "Cinema", são extensões dele. Escrevi, no texto que distribuí à imprensa no lançamento do filme, que "*O cinema falado* não é um filme: é um ensaio de ensaios de filmes possíveis para mim e para outros". Isso era o máximo que eu podia dizer sobre o caráter fragmentário do filme. Mas é óbvio que a declaração também diz algo sobre sua unidade. Afinal, o filme é todo feito de cenas de pessoas falando textos teóricos ou poéticos, sempre numa semi-encenação de ação pouco definida que em geral nada tem a ver com o texto dito. Esse é um procedimento imperativo que amarra o filme a seu tema único. A dança é o elemento recorrente que faz contraponto. Nem então nem agora eu admitiria que se trata de uma série de curtas-metragens. Nada contra uma série de curtas. Outro dia recebi de Jorge Furtado um DVD que continha todos os seus curtas: quem me dera *O cinema falado* tivesse um terço da riqueza cinemática que há naquele disquinho. Um dos melhores filmes brasileiros de todos os tempos é *Céu sobre água*, de José Agrippino de Paula, um curta-metragem mudo (há apenas música indiana adicionada às imagens) feito em super-8. Não tenho o fetiche do longa, como Godard ou Bressane: se quiser fazer um filme totalmente transgressor, ele terá a duração que o que quer que o inspire exija — e duvido que ela coincida com a hora-e-meia convencional do longa-metragem. Fiz *O cinema falado* como exercício para em seguida fazer filmes narrativos. A duração de longa era já um aceno ao cinema popular. Gosto do cinema como arte de massas. Acho que há muita poesia no mero fato de ele o ser. E no fato de alguém que faz filmes constatar isso (na verdade, grande parte da beleza dos filmes de Godard e de Bressane vem dessa constatação, embora eles tenham crescentemente se definido pela criação de um cinema erudito — e talvez aqui estejamos do outro lado da moeda da questão da longura).

Faço sempre, dentro de mim, um paralelo entre *O cinema falado* e o disco *Araçá azul*. De fato, sempre disse que o *Araçá azul* parece a trilha sonora de um filme "de arte" amador. E é notória a minha volta, depois dele, aos discos de canção popular típicos. É bem verdade que todo disco meu, de antes e de depois do *Araçá azul*, é sempre um atípico disco de canção popular típico. Creio que assim também seriam (serão?) meus outros longas-metragens: atípicos exemplares de típicos filmes populares. Por essa razão, o fato de Augusto de Campos mostrar-se reticente diante de *O cinema falado* e francamente entusiasta em face do *Araçá azul* me dá o que pensar. Claro que entendo que a Augusto (que gosta muitíssimo mais de música do que de cinema) um disco experimental lacônico (não há textos discursivos no *Araçá azul*) agrade mais do que um filme sufocado por falações prolixas, ainda que isso venha matizado de ironia e que o experimentalismo seja ostensivo. Mas não sou nenhum idiota: fiz *O cinema falado* sem ter experiência na direção de filmes; no entanto, o filme é menos canhestro do que o *Araçá azul*, disco que fiz depois de anos de trabalho profissional na área da música popular. Deixei muitos defeitos em *O cinema falado* de propósito, enquanto fiz grande esforço para superar defeitos do *Araçá azul*, em vão. O refrãozinho do "mulato nato", da faixa "Sugar cane fields forever", eu o inventei sentindo um suingue bonito que eu próprio não pude reproduzir na hora da gravação (em nenhuma das várias tentativas, em dias diferentes, que fiz de gravá-lo bem) — e isso por causa da minha insegurança musical, da intolerável limitação do meu talento para a música. Não há nada que se lhe compare em *O cinema falado*. Ao contrário: a seqüência das falas sobre artes plásticas está mais no nível do meu tão invejado disco do Walter Franco. A ingenuidade das peças orquestrais de Perinho Albuquerque, um gênio musical autodidata então ainda muito verde para escrever música de vanguarda, também me esfria quando ouço o *Araçá azul*. O mesmo se dá com os efeitos eletrônicos em "Tu me acostumbraste". E mesmo as vozes superpostas de "De conversa" estão chapadas, sem profundidade e sem riqueza de textura. Já em *O cinema falado*, Dedé Veloso e Felipe Murray foram escolhidos para superar o modo pouco articulado (no caso dela) ou de articulação artificiosa (no caso dele) de falar porque os dois eram conhecidos em nosso círculo de amizades. E a superação se fez com grande êxito. Eu os convidei com absoluta certeza de que seria assim. E assim foi. E se por algum surpreendente acaso assim não fosse, não haveria o filme. Teimosamente quis que a cena mais longa do filme, e justo aquela que fala sobre a fala no cinema, fosse interpretada por dois amigos meus que partiriam de seus problemas de dicção. E eles não exibem problemas de dicção no filme. Quem o faz é Antonio Cicero, que, no entanto, foi convidado porque lê poesia e prosa (em várias línguas) como poucos. Mas Cicero odiava o conteúdo do que eu lhe pedi para dizer. E não se sentiu à vontade diante da câmera — além de enfrentar uma ventania que dificultava a captação do som. Deixei assim mesmo defeituosa a cena — e não a mudei de posição no filme: por um capricho de experimentador, não quis mexer na ordem que tinha preestabelecido no roteiro. A vitória de Dedé e Felipe, o embaraço de Cicero, o desaviso de Wellington Soares, tudo aponta para aquilo que Roberto Correia dos Santos ressalta, no mais belo artigo escrito sobre *O cinema falado* saído à época do seu lançamento: o amadorismo fundamental de todo o meu trabalho. Esse amadorismo, na música, é, em parte, conseqüência da limitação de minha acuidade; no cinema, também em parte, é causa dos gestos desabusados; em ambos, uma defesa feroz de alguma verdade minha. Pretendo tê-lo mantido nos bem-acabados shows e discos que se seguiram a *Caetano* e *O estrangeiro*. E continuar mantendo-o nos discos e filmes que venha a fazer, por mais polidos que se apresentem. Sou pretensioso.

PARECE UM
FILME MENOR

O cinema brasileiro ainda não tinha se encontrado com a música popular do Brasil. Claro que todos sabemos de *Alô, alô, Carnaval!*, das chanchadas da Atlântida e de *Quando o Carnaval chegar*. Não esquecemos tampouco a colaboração de Sérgio Ricardo com Glauber Rocha em *Deus e o Diabo na terra do sol* ou a utilização da vitalidade de Jorge Ben por Cacá Diegues em *Xica da Silva*. Há o Mário Reis, o Lamartine Babo, o Sinhô e o Noel de Júlio Bressane — e gravações de marchinhas e sambas dos anos 30 em todos os filmes deste. Há Chico e Menescal em *Bye, bye, Brasil* e Ruy Guerra na *Ópera do malandro*. E o Diegues destro que hoje celebramos com sucessos em série começou com *Veja esta canção*. Mas não é preciso esquecer que "A voz do morro" identifica *Rio, 40 graus* para constatar que *Cazuza* marca o primeiro encontro verdadeiro do nosso cinema com a nossa música popular. No sentido de o cinema estar aqui à altura das virtudes e vantagens da canção, de suas conquistas tanto nas áreas baixas quanto nas altas da produção cultural.

Muitos filmes brasileiros novos têm se aproximado dessa comunicabilidade a um tempo extensiva e profunda que sempre foi natural na canção. Mas *Cazuza* é o primeiro a ser assim e ter a música como tema. Não se trata mais de um cinema que pode mostrar-se superior à música em aspectos que a ela não interessam, sendo falho em quase tudo o que ela domina. Não. Aqui é um grande filme sobre música — e que se dá pela música — em que a nossa conhecida competência em lidar com ela se acompanha de uma competência cinematográfica de mesma natureza. É o primeiro grande filme musical brasileiro.

Era de se temer que um filme biográfico (quase não há biografias aceitáveis no cinema mundial) — e sobre um artista cuja presença real ainda está fresca em nossa lembrança — resultasse em desastre. Mas *Cazuza* é um dos mais arrebatadores retratos de personagem romântico que se pode ver projetados numa tela. Sandra Werneck e Walter Carvalho, os diretores, e Daniel Filho, o produtor (o filme tem um saudável gosto de filme-de-produtor), reuniram elementos que se potencializam uns aos outros de forma quase milagrosa: os atores (sobretudo Marieta Severo e o sublime Daniel de Oliveira), a direção de arte, o tom dos diálogos e principalmente o tratamento dos números musicais (as remixagens de números do Barão Vermelho, feitas por Guto Graça Mello, em que as vozes de Daniel e do próprio Cazuza se alternam e se fundem sem que a gente perceba as trocas), tudo concorre para criar uma empatia entre a obra e as platéias que enobrece a face popular do cinema e populariza alguma coisa misteriosa da experiência poética autêntica.

Alguns críticos, embora não pudessem esconder o arrebatamento, deram mostras de desconforto com o tom literário ou o caráter intencional das falas do personagem central. Confesso que em mim o estilo de diálogo encontrado para o filme não provocou mal-estar. Ao contrário. As falas sempre como que ditas por alguém inspirado intensificam o espírito romântico do filme e do seu personagem. Elas são fundamentais para que *Cazuza: o tempo não pára* produza o abalo emocional que atinge mesmo aqueles que se crêem envergonhados ao ouvi-las.

Muitas vezes lamenta-se que não haja roteiristas hábeis no Brasil. Mas aqui é uma sorte que não tenha chegado alguém com idéias para guinadas na história ou construção de conflitos. O filme ganha muito com ater-se a acompanhar o jovem poeta em episódios que o definam e em performances que o revelem. Com isso o roteirista Fernando Bonassi contribuiu para que *Cazuza* parecesse um filme menor, em que cremos que a beleza vem do assunto tratado, e não do próprio filme. Quando, na verdade, estamos diante de um filme que é grandioso justamente porque nos convence de que seu tema o ultrapassa. É como se não fossem a fotografia e a montagem que criassem o encanto, mas a grandeza dos fatos retratados que imprimisse sabedoria aos cortes e textura às imagens. O que é perfeitamente adequado a uma obra romântica e sobre o romantismo. Ver a refeitura da apresentação do Barão no Rock in Rio ou ouvir a "Vida louca", de Lobão, na voz de Cazuza quando este é carregado por Bené para dentro das ondas do mar; sentir-se entre Daniel e Marieta quando eles reproduzem um diálogo de Cazuza com sua mãe dentro de um túnel urbano aonde ela fora levar a gasolina para abastecer o carro do filho desleixado — esse é o tipo de experiência de que se precisa para chegar a estados de intensa comoção.

A explosão do rock brasileiro nos anos 80 foi um acontecimento de grande importância. Que o cinema tenha vindo (ou ido) até onde a música está, justamente quando decidiu contar a história do mais romântico dos representantes desse fenômeno romântico, é um sinal de saúde: o Brasil já sabe e pode dar consistência à construção de seus mitos.

JORNAL DO BRASIL, CADERNO B, 15 DE JUNHO DE 2004.

FELLINI E GIULIETA

Um dos acontecimentos mais marcantes de minha formação pessoal foi assistir a *La strada,* aos quinze, no Cine Subaé, em Santo Amaro da Purificação, a cidadezinha no interior da Bahia onde nasci. A cara de Giulietta Masina ficou no fundo de minha alma como se fosse uma instância metafísica universal. Mas o que me fez chorar — e passar o dia inteiro sem poder comer — foi constatar que Zampano, cambaleando na praia na cena final, olhava pela primeira vez para o céu. Eu pensava repetidas vezes abismado: é a história de um homem que nunca olhou para o céu e só o faz depois de destroçado. As estrelas do Louco — as estrelas que o Louco reencontrava nas pedras e em Gelsomina — revelavam-se agora ao brutamontes por intermédio da ausência de quem ele não soubera reconhecer como único amor maior de sua vida, como seu destino.

Passei o resto da adolescência sonhando que conversava com Federico e Giulietta. Nessas conversas eu quase desvendava o mistério de minha própria vida. Nas tardes assombrosas, eu passava horas tocando o tema de *La strada* no piano. Santo Amaro era a cidade dos *Vitelloni:* seu Agnelo Rato Grosso, um açougueiro mulato semi-alfabetizado que tocava trombone na banda de música, saiu do cinema chorando e dizendo: "Este filme é a vida da gente".

Depois vimos *Le notti di Cabiria* e a maestria de Fellini e de Masina se confirmou madura e exuberante: aqui Masina realmente era, mais que um rosto ou uma entidade, uma atriz extraordinária. E Fellini, um diretor com pulso para grandes cenas de multidão, atmosferas urbanas complexas e onirismo transbordantes. Ainda hoje, acho *Cabiria* o filme mais perfeito que ele dirigiu.

La dolce vita seria o primeiro de uma série de filmes em que aquelas características de grandiosidade diziam que tinham chegado para ficar. Era um filme inquietante: fui vê-lo umas dez vezes quando ele foi lançado em Salvador. Foi o maior triunfo de Fellini e parece ter-lhe, a um tempo, aberto e fechado todas as portas da criação. Daí em diante, ele passou a fazer filmes que pareciam precisar mostrar que ele podia fazer tudo o que quisesse, mas as produções que lhe eram possíveis é que o prendiam nessa estranha espécie de liberdade.

Uma liberdade real, no entanto — uma liberdade de manter-se em contato com os pontos essenciais de sua verdade pessoal —, essa liberdade nunca o abandonou. Ela ressurge a cada instante em que a magia se instaura inesperadamente numa cena, na relação do som ou do silêncio com o movimento das personagens, na reconstrução inspirada da observação profunda de um aspecto da realidade. Para mim, isso é tão verdadeiro que, mesmo depois de parecer escravizado pela profusão de fantasmas e de bizarrias que todos esperavam de um filme dele, obras como *E la nave va...* e *Amarcord* se provaram tão perfeitas, a meus olhos, quanto *Le notti di Cabiria* — e tão profundas quanto *La strada*. Com efeito, *E la nave va...* é um dos maiores filmes do final do século.

Sou de um país estranho. Fellini se orgulhava de o título de *La strada* ter se mantido no original em todos os países do mundo. Ele não sabia que no Brasil o título tinha sido mudado para o mais vulgar — mas não impertinente — *Na estrada da vida*.

Faço música popular e sou apaixonado por cinema. Minha música está cheia de imagens invisíveis que vieram das grandes telas. As imagens escondidas no mais fundo de meu som, as que marcam mais decisivamente seu sentido, vieram dos filmes de Fellini.

O GLOBO, SEGUNDO CADERNO, 4 DE OUTUBRO DE 1997.

Acompanhava o texto a informação de que Caetano escrevera "este texto sobre o show que fará na Itália" (referência ao espetáculo *Omaggio a Federico e Giulietta*, realizado a 28, 29 e 30 de outubro de 1997, no Teatro Nuovo di San Marino).

A VOZ DA LUA

O melhor filme de Fellini (*Noites de Cabíria*) e o seu pior (*Julieta dos espíritos*) são com Giulietta Masina. Isso, a meu ver, demonstra quão inexoravelmente o desenho dessa figura e o espírito dessa mulher atravessam a totalidade da obra desse artista tão genuíno quanto se pode admitir que um cineasta o seja.

Não tenho dúvidas em atribuir a uma autêntica deformação profissional de críticos e diretores de cinema o destacarem eles *8 e 1/2* de entre os filmes de Fellini para inclusão nas (de resto necessariamente furadas) listas de "melhores de todos os tempos"; uns e outros se satisfazem com a fruição das intermináveis e nem sempre muito autênticas confissões sobre como sofrem os homens que dirigem filmes e com as pouco convincentes tiradas metalingüísticas feitas por um cineasta que, definitivamente, não é "do código", e sim "da mensagem".

Claro que a piada anti-Antonioni ("hoje em dia estão na moda os filmes em que não acontece nada — pois bem, no meu vai acontecer TUDO") é genial, e há todo o brilho das seqüências de "memória", além de maravilhosos retratos de irritantes jovens senhoritas aspirantes ao estrelato. Mas, no total, o filme deixa a clara sensação de algo desequilibrado, com o peso dado a certas seqüências — e a duração delas relativamente a outras e ao tempo total do filme — não propriamente legitimado. É um problema conseqüente à auto-indulgência da segunda metade de *La dolce vita* — quando o ex-colaborador neo-realista resolveu soltar de vez a imaginação (e, diríamos, vulgarmente mas com muita propriedade, dada a chatice da seqüência da última festa em que Mastroianni faz um sermão atirando penas de um travesseiro pela sala, a franga).

Ela já vinha de certa polêmica com alguns setores do suporte crítico do neo-realismo, cujas exigências considerava uma prisão: nem só da vida material dos homens pobres, queria ele dizer, deve viver o cinema, mas também da imaginação e da aventura espiritual de todos os homens. Mas foi aproximando-se de uns poucos personagens extraídos de ambiente materialmente miserável que ele encontrou a libertação; os pobres de *A estrada da vida* (o Brasil é o único país que traduziu o título de *La strada*), por serem funâmbulos e saltimbancos, trabalham eles mesmos com o imaginário e, portanto, permitem ao diretor passar quase imperceptivelmente para a zona do sonho, sem abandonar os trapos e os cortiços que eram a marca registrada da escola, e para a zona do espiritual, sem perder a força bruta da anônima tragédia física dos desvalidos desse mundo que era a substância dos filmes de seus mestres.

Antes disso, ele já tinha dado mostras claras de que caminhava nessa direção: *Abismo de um sonho* (*Lo sceicco bianco*) e *Os boas-vidas* (*I vitelloni*) são justamente os filmes que deram ensejo à deflagração da discussão entre os neo-realistas ortodoxos e Federico Fellini. Mas *La strada* não apenas levou até muito mais longe o gesto do cineasta, como também — e isto é que é o mais importante — venceu a discussão e acabou com ela.

Estou convencido de que algo do impacto produzido por esse filme em tantas pessoas de minha geração se deve ao fato de que ele representou um triunfo ideológico sobre a ortodoxia neo-realista. Mas isso só se fez possível por Giulietta. Suas delicadas caretas, tão gráficas quanto as de Charles Chaplin e tão etéreas quanto as de Harry Langdon; o ritmo do seu corpo pequeno, tão vivo como o de um pequeno animal vivo e tão simplificado e convencional quanto o de uma figura de desenho animado, decidiram a grandeza do filme — e a ultrapassaram: Gelsomina se tornou, como D. Quixote, como Carlitos, como Hitler, como Mickey Mouse, como o Crucificado, uma imagem concentrada que vem ao mundo nitidamente para dizer o que só ela diz.

Ao mesmo tempo, e por isso mesmo, sua figura passou a ser uma espécie de assinatura de Fellini. Mas, expondo uma figura que é, antes de tudo, uma assinatura de si mesma, Masina passou a ser um problema da identidade autoral felliniana — um problema que ele, tendo a grandeza de reconhecer que se originava no fato de ter sido desde o início uma solução insubstituível, dedicou-se a recomeçar a resolver a cada dia, com um carinho e um cuidado admiráveis.

Ouvi de muitos amigos meus italianos e informados palavras duras contra ela: "Giulietta Masina representa tudo o que há de pior na Itália"; "O que atrapalha Fellini é o lado sentimental e carola, ou seja: Giulietta Masina" etc. O próprio Glauber me disse em Londres, em 1971, vindo de Roma, respondendo a uma minha pergunta sobre Fellini: "Ele continua lá, o problema é que ele não se separa daquela anã horrorosa". Eu não posso deixar de pensar nessas observações cada vez que revejo aquela magnífica cena de *Amarcord*, na verdade uma parábola, em que um louco sobe ao topo de uma árvore imensa e permanece ali durante horas aos gritos de "quero uma mulher", sem que nada ou ninguém consiga tirá-lo de lá ou apaziguar sua insatisfação: só a chegada de uma freira anã é capaz de acalmá-lo e fazê-lo pôr de volta os pés no chão. Não posso deixar de pensar em Giulietta quando vejo essa freirinha — e em Fellini gritando seu enigmático desejo da árvore arquetípica.

A mulher do diretor em *8 e 1/2*, interpretada por Anouk Aimée, é o alvo das confissões de culpa de uma caricatura de marido burguês, o qual, no entanto, sendo um artista, vive obcecado na construção de fantasmas. Separa-se aqui o que na "vida real" está inextricavelmente amalgamado: a mulher de Federico Fellini, diferentemente da do Marcello do filme, é o fantasma número um, aquele que abriu a porta para toda a legião. Giulietta Masina estava representada ali sempre mais autenticamente nas figuras grotescas ou angelicais — nas crianças, nos adivinhos, nos velhos malucos — do que na imagem a um tempo reivindicativa e resignada da mulher do diretor, papel que ela própria, de resto, parecia desempenhar à perfeição na vida de Fellini.

A tentativa de ir adiante no enfrentamento dessa questão — também de realizar um *8 e 1/2* para Giulietta — levou-o a *Julieta dos espíritos*, em que é dado à própria Giulietta o papel de mulher burguesa. A escolha de um ator fisicamente parecido com Fellini não significava apenas uma compensação para o fato de, desta vez, o marido não ser cineasta. Essa escolha confirma a deliberação de tocar em áreas perigosas — e que se revelam tão mais perigosas quanto mais se é inconsciente da grandeza do perigo. A beleza de Mastroianni era uma convenção estética, como a urbanidade moderna de Anouk Aimée uma simplificação para efeito de comunicação. Agora víamos na tela, tentando livrar-se da falange de espíritos que ela mesma trouxera para ali, uma Giulietta cuja atmosfera lunar e lunática parecia aprisionada a uma aparência distinta — e cujo gênio para o grotesco-angelical estava preso a um compromisso com o que se costuma chamar de "uma boa atuação".

Numa entrevista dada aqui no Brasil, ela declarou que não gostava muito de *Julieta dos espíritos* e que considerava seu trabalho ali não muito bom, reafirmando que sua melhor atuação tinha sido em *Noites de Cabíria*. Possivelmente, na história do conflito felliniano com relação à presença de Giulietta em sua vida e sua obra, *Julieta dos espíritos* foi idealizado como um presente para a mulher e para a atriz. Se o foi, foi quase um presente de grego. Todas as tolices que são ditas a respeito da atriz Giulietta Masina se devem a esse filme — não pelo julgamento que se faz de sua atuação nele, mas porque ele cria em torno dela — e com valor retroativo — uma expectativa equívoca.

Uma expectativa que põe em discussão coisas muito acima das quais ela se colocou irremediavelmente desde o início. Ela repetia sempre que aquela Giulietta de *Julieta dos espíritos* não tinha nada a ver com ela. Eu acrescentaria: nem a mulher do diretor de *8 e 1/2*, nem a mulher em *Cidade das mulheres* — se não quisermos chegar até Gelsomina e encontrar ali toda a culpa de Federico por ser uma pata sobre aquela flor. Não, nem a freirinha. Nenhuma dessas imagens parciais da mulher poderia aspirar a representá-la. A estrutura e a inteireza de *E la nave va...*, o imenso navio de *Amarcord*, a valsa de Nino Rota para o palhaço de *La dolce vita*, essas aparições que inundam a alma chegam mais perto. Ela é a voz da lua.

Os franceses não admitem o cômico feminino. Lévi-Strauss e Godard já se manifestaram veementemente a esse respeito. A tradição americana da mulher engraçada — sobretudo a combinação, na figura da loura burra, do ridículo com o sexual — parece-lhes uma aberração. Há um acerto universal que permite e estimula que a comédia se sirva do sexo, mas não o sexo da comédia. O amor — claramente na sua acepção de eufemismo para sexo — aparece como incompatível com o humor numa canção de Irving Berlin. A mulher-palhaço, que os franceses não concebem e que foi levada, na América, aos extremos de Mae West, Lucille Ball e Judy Holliday, é uma entidade que representa em si mesma um desafio. Buscando tocar essa linha tênue que liga Giulietta Masina a Marilyn Monroe (a rainha das louras-burras e seu avatar mais transcendental), eu, que nasci no país que produziu o genial poema:

Amor
humor

— o mesmo país onde nasceram Dercy Gonçalves e Regina Casé —, escrevi, em meados dos anos 60, este estranho paradoxo: "Giulietta Masina, considerada sem atrativos, representa uma mulher que vende o próprio corpo no filme *As noites de Cabíria*. Marilyn Monroe, que representa o tempo todo, nos filmes e na vida, uma mulher cujo corpo tem alto valor de venda, é considerada uma mulher atraente. Mas, por sob a maquiagem e as roupas grotescas que foram desenhadas para ridicularizar a prostituta do filme, percebe-se um corpo pequeno mas firme e bem torneado; enquanto por trás da pintura e do figurino composto para criar o glamour da outra, adivinha-se a flacidez dos músculos e a desproporção das partes".

O estereótipo do palhaço triste já era gasto quando *La strada* foi concebido e realizado. Giulietta foi fator decisivo para que a abordagem por Fellini desse lugar-comum reluzisse de originalidade. O fato de ela ser uma mulher foi fator decisivo para que isso se desse através da sua pessoa. As histórias de Fellini com Sandra Millo e outras mulheres opulentas, sua paixão deslumbrada e publicamente alardeada pela beleza de Anita Ekberg, a própria confissão auto-analítica da obsessão por mulheres imensas como tendo origem em sua infância, tudo isso exacerba o contraste entre, de um lado, o ideal de mulher que Fellini supostamente compartilha com sua platéia, e, de outro, a pequenina provinciana católica e caricata que é sua mulher real.

Mas os bons resultados do paciente cuidado de Fellini para com essa mulher e a entidade que ela veio a incorporar em seus filmes (não podemos falar no cuidado dela para com ele) são perceptíveis na tranqüilidade com que ela incluiu, num texto que escreveu sobre *La strada,* muitos anos depois do seu lançamento, a declaração: "Eu queria ser o personagem que Anita Ekberg interpretou em *La dolce vita"; e na força da permanência da perspectiva instaurada por *Noites de Cabíria* quanto à questão do desenvolvimento do conseguido em *La strada*: ali há virtuosismo numa área que é só dela, há uma obra rica e acabada que faz com que possamos dizer — contradizendo sua afirmação de que "Fellini é um artista, eu sou atriz apenas, e basta" — que a mulher que morreu anteontem foi uma grande artista e que não basta ser ator ou atriz, mesmo grande, para entrar no páreo com ela, que nos leva a rever sempre melhor *Julieta dos espíritos* e a ver da maneira certa *Ginger e Fred,* e também a entender o sentido maior da mesura feita por Chaplin numa entrevista ao *New York Times:* "She is the actress I admire the most" ("Ela é a atriz que eu mais admiro").

p.s.: quando eu era adolescente, sonhava com freqüência que encontrava Giulietta Masina e Federico Fellini, e conversávamos. Não sei o conteúdo dessas conversas, mas lembro a intensidade da emoção. Assim, defendendo meus próprios fantasmas benfazejos contra a fúria esnobe da crítica, que, por vezes, precisou tentar empurrá-los para baixo na escalada do alpinismo intelectual, fiz uma canção com o nome dela e a gravei num disco. Algum tempo depois, eu estava em Bari, no Sul da Itália, dormindo num hotel, e minha mulher atendeu uma chamada telefônica de Roma, "da parte da senhora Giulietta Masina", que queria saber de mim e da canção. Só fui informado quando acordei, algumas horas depois. Não tinha tempo de parar em Roma na minha viagem de volta para o Brasil. Paolo Scharnecchia, um amigo italiano que é um grande conhecedor de música e tinha acesso aos Fellini, ofereceu-se para entregar o disco a ela. E o fez. Voltei à Itália por duas vezes depois disso, e dessas vezes ficando em Roma. Ela não me procurou mais. Concluí, sem nenhuma surpresa, que ela não gostou da música.

FOLHA DE S.PAULO, CADERNO MAIS!, 3 DE ABRIL DE 1994.

Escrito dois dias depois da morte da atriz, em 23 de março.

FORA DE TODA LÓGICA

O telegrama de Roberto Carlos a Sarney, congratulando-se com este pelo veto a *Je vous salue, Marie,* envergonha nossa classe. Gustavo Dahl ao menos disse que há muito tempo deixou de ser cineasta, antes de pedir respeito por um governo que não parece querer dar-se ao respeito; D. Arns prefere que esqueçamos um assunto que "já se tornou chato". Não! Eu não esqueço. Fernanda Montenegro não esquece. Sabemos que o veto é uma violência cultural e uma vergonha política. Eu jamais barganharia com Celso Furtado ainda que fosse a total moralização dos direitos autorais pela estupidez de minimizar o escândalo sob o pretexto de que Godard é um falso gênio. Não aceito o veto e acho que nenhum artista digno de nome pode aceitá-lo.

O artigo de Paulo Francis, "Ave Sarney", fala por mim e exatamente nos termos que eu gostaria de me expressar. Exceto no que diz respeito ao filme em si. É engraçado. Todos os que se manifestaram contra o veto apressaram-se em se manifestar também contra o filme. A revista *Veja,* em editorial, xingou a mãe de Godard. Roberto Romano diz que o filme é prosaico, e Paulo Francis que é "entrópico". São todos tão insuspeitos como Austregésilo de Athayde. Eu não. Se quando os bispos, o presidente da República e os organizadores do FestRio tentaram fazer a gente de besta, eu gritei e pedi explicações; se quando o ex-ministro da Justiça ia estudar uma decisão, enviei um telegrama pedindo a liberação; e se agora insisto no assunto e convido meus colegas (ao menos os de música popular, para compensar a burrice de Roberto, já que os cineastas estão tão tímidos) a exigir do presidente uma revisão da sua posição, não é apenas por um senso cívico (temos de ter um mínimo, banana!), mas sobretudo porque me sinto esteticamente comprometido com o filme. Para mim é outro escândalo que ele não tenha encontrado nenhum apoio crítico, fora o parecer do chefe da Censura, que o proibiu a contragosto, o singelo "é lindo" de Fernando Lyra, que não pediu demissão, e a resenha escrita por uma moça de boa vontade na revista *Isto É*, que considerou o filme "uma missa". O artigo do professor José Arthur Giannotti é uma exceção. Mas, tal e como Romano e, como este, trabalhando com conceitos com os quais não estou muito familiarizado, vê o filme perpassado por uma "ladainha racionalista". Sem dúvida, suas observações sobre o drama da virgem representando a diferença entre sexo e carne através da inversão da relação corpo-alma dizem algo sobre a beleza do filme.

Mas a "acusação" de racionalismo não pode ser aceita sem discussão. Eu acompanharia mais facilmente a argumentação de Paulo Francis, apenas para chegar a conclusão oposta: é certo que em *Je vous salue, Marie*, toda vez que se esboça um sentido, este é anulado e as coisas se espatifam bem à nossa frente. Mas não é o mesmo que acontece quando a gente lê os *Títeres da Cachiporra*, de Lorca, na verdade todo Lorca? O poema se desvencilha dos seus sensos grosseiros que ameaçam a cada passo a instauração de sua luz que deve ser nova e única e irredutível. O que é que acontece em cummings? E mesmo em Pound? Ou será que só compreendemos o canto retórico contra a Usura? Pode-se dizer que, se a Roberto Romano *Je vous salue, Marie* parece desprovido de poesia, a Paulo Francis ele parece supersaturado dela. Para um, não pode haver poesia na paisagem urbana contemporânea (tudo o que não for tafetá chamalotado púrpura é prosaico), para o outro, certas liberdades formalmente reconhecidas como direito do poema invadiram a vida cotidiana e assim se perderam todos os parâmetros: basta molhar de tinta o rabo de um burro e virar-lhe o traseiro para a tela. Aquela velha história. Suponho que Romano fez certa confusão entre prosaísmo e racionalismo, e Paulo Francis entre lirismo e baderna. Já Giannotti (o que melhor viu o filme) parece se ressentir apenas dos restos de cacoetes racionalistas (Freud?) que sem dúvida fazem parte do "sotaque" de Godard. Este, nas suas entrevistas, mesmo deixando a tática poética de desfazer sentidos invadir a conversação, disse coisas muito mais simples e mais claras, que servem melhor a quem queira, como eu, esboçar uma defesa do filme.

Godard encontrou, há muito tempo, meios de montar uma imagem em movimento com uma imagem estática, sem que se perca a leveza do corte e a fluidez da seqüência. Em *Je vous salue, Marie*, a alternância, sem tropeços, das imagens intensamente movimentadas de uma moça que joga basquete com a imagem de uma lua imóvel é, para além da maestria formal, uma dança do intelecto entre os signos visuais: a bola, o corpo, a lua, a barriga, a alma, o feminino, o branco, a terra-céu. Godard é um artista moderno, crítico, complexo, que foge do fantasma da autoconsciência. Muitas vezes essa fuga vale a pena: *Je vous salue, Marie* é um momento privilegiado desse drama. Não faz sentido falar em cartão-postal diante de uma cena de campo, de jardim ou de sol, que justamente fala de todos os cartões-postais, libertando deles toda a paisagem e libertando-os da abominação de terem matado toda beleza, redescobrindo assim também neles a sua beleza própria. Não faz sentido falar em revista *Playboy*, quando se despe o nu da farda do nu. Não faz nenhum sentido falar em intenções sensacionalistas se o artista que resgatou Hollywood e sua indústria do sensacional expõe com delicadeza sua atração pelo assombro que é pensar a maternidade virginal não como mito apaziguador da angústia infantil perante a natureza carnal e sexual da concepção, mas como a dádiva incomensurável daquela que aceitou negar sua sexualidade para encarnar esse mito necessário à vida. E que, por isso, é uma metáfora da aceitação da vida mesma pela matéria. E da matéria pelo espírito: a alma tem um corpo. "O filme é a prova do que é possível, pois acontece sob nossos olhos. O medo. O sangue. A alegria." Faz sentido dizer que a concepção virginal de Maria não poderia se dar sem José: as deslumbrantes tomadas da mão que tenta se aproximar da barriga ("Eu te amo!") que não se deixa tocar são o canto doloroso (apesar do intelectualismo francês e da finura impressionista do estilo, o filme faz pensar não apenas em Lorca, mas nos *cantes flamencos*) a falar de um corpo que possui uma alma que aprende a aceitar a aceitação não aprendida, mas nem por isso menos dolorosa, do inexplicável por uma alma que possui um corpo. Seria outra coisa o milagre da concepção numa virgem solitária. Pelo carinho com que olha a mulher, pelo contraponto sutil nas oposições entre o sagrado e o profano, pela escolha do viés religioso para encontrar o poético no bruto cotidiano. *Je vous salue, Marie* se aproxima, mais do que qualquer outro filme de Godard, de *Vivre sa vie* (a alma ficava depois do lado de dentro da galinha; a prostituta na tela via Santa Joana na tela e chorava). Só que *Vivre sa vie* era elegíaco e *Je vous salue, Marie* é o hino à alegria. Os animais do presépio contra o céu. O presépio como os nus da *Playboy* e os cartões-postais. Uma voz de mulher sussurra: "Obrigada, Maria, por todas as mulheres".

Dizem que o filme dá sono. A mim me deixou acordado em Paris até o amanhecer, chorando e falando. Lembro que disse mil coisas, mas as palavras que li, na *Folha*, do próprio Godard, se o Espírito tivesse me dado, naquela noite, concebê-las, eu me teria calado em seguida, tranqüilo, sabendo-me de posse do que tinha experimentado: "Maria é uma personagem muito próxima do artista, que aceita sem compreender, que recebe antes de dar, que acolhe a palavra fora de toda lógica, e que lamenta não poder aceitar tudo e todos com mais felicidade".

Uma cantora de voz vazia chamada precisamente Madonna repete o refrão "like a virgin". Aqui na Bahia o machismo grita "Pega ela aí, pega ela aí. Pra quê? Pra passar batom". O que me deixa indignado é que o filme que o atraso político impede os brasileiros de verem (inclusive com agentes da Polícia Federal apreendendo vídeos) seja exatamente um dos mais belos e instigantes que eu já vi. Roberto Carlos teve problemas com os bispos no início da carreira por causa da inesquecível canção "Quero que vá tudo pro Inferno". Parece que recebeu pressões para escrever "Eu te darei o céu". Tais pressões o impressionaram demais. Todo mundo esqueceu? Vamos manter uma atitude de repúdio ao veto e de desprezo aos hipócritas e pusilânimes que o apóiam.

FOLHA DE S.PAULO, 2 DE MARÇO DE 1986.

UM FILME
DE MONTAGEM

1. *Barravento* é um filme cheio de intenções. Como todos os filmes que têm surgido do movimento Cinema Novo, ele não é uma obra gratuita: é uma tentativa de cinema vinculado com a verdade e a cultura do Brasil. Um cinema que supere a nossa pré-história (chanchada) e redima os erros dos que tentaram iniciar uma arte brasileira do filme, mas que correram para o preciosismo alienado ou que não saíram da intenção de fazer cinema caboclo. (Vera Cruz; produtores independentes).

Até que ponto *Barravento* atinge esses objetivos? Até onde ele supera a obra preciosista cuja força de mensagem social fica apenas na intenção? Aqui começa a discussão sobre o filme.

Desde o início sentimos que *Barravento* é uma obra caracteristicamente Cinema Novo, em que as intenções surgem claras, mas os resultados não têm a sua força. Como em *A grande feira*, tenta-se lançar a mensagem social sem rodeios, diretamente: ela está nas falas dos personagens quase em tom de discurso. Porém, se no filme de Roberto esses discursos surgem motivados por situações e, desse modo, são prolongamentos da ação dramática, Glauber levou isso às últimas conseqüências: a relação dramática entre o discurso e a ação é anulada pela montagem e a mensagem surge acintosamente pura e seca. Enquanto em *A grande feira* Roberto Pires tenta camuflar a doutrinação de diálogos, criando assim uma discussão dialogação-mensagem que ele não pôde superar, Glauber lança a sua mensagem como mensagem, e se para isso foram utilizados personagens de ficção, estes são despersonificados pelo corte e o filme torna-se dialético.

Glauber percorreu muitos caminhos antes de realizar sua montagem dialética e ficou nítido que ela não foi bolada previamente, mas surgiu como exigência final de superação de uma incerteza e uma insegurança na direção. Insegurança e incerteza que resultariam na confusão eclética e na total incomunicabilidade de idéias.

II. A montagem, em *Barravento*, se exerce num plano acima do corte de imagem para imagem: a figura de Pitanga chamando os pescadores à consciência de classe, montada sobre o plano dos pescadores remendando a rede em silêncio, é um choque dialético neo-eisensteiniano, estabelecido entre a imagem e a fala. Embora exista uma motivação dramática entre os dois planos, ela é destruída pelo corte. Não é Firmino discutindo com os pescadores, mas o grito pela tomada de consciência em antítese com a inércia e a alienação. Também o close de Aruan jogado bruscamente em meio à cena da sentinela de Chico deixa de ser a particularização dramática de um personagem para ser o choque entre um ambiente místico e as palavras: "Peixe se pesca é com rede, com tarrafa; peixe se pesca é no mar, não é com reza, não". O drama é destruído: resta um poema documental um tanto neo-realista, contraponteado por violentas falas revolucionárias.

III. Firmino dos Santos personifica a consciência, a exigência da justiça para a raça e para a classe. A luta contra a alienação dos mitos, contra a derivação para Iemanjá de problemas que devem ser resolvidos aqui na terra entre os homens. Todo o filme é uma discussão entre os métodos de vida do povo praieiro e a revolta desse personagem que tem a força do rosto bonito de Pitanga, um ator impressionante.

Firmino consegue lançar a semente da revolução no meio dos pescadores: Aruan quebra o encanto e nega Iemanjá. No final, Firmino tenta atrair aquela gente para o caminho de Aruan ("É ele que vocês devem seguir. O mestre é escravidão"); os pescadores, porém, seguem o mestre lentamente, a caminho do mar, no místico enterro de Chico. Mas Aruan continua andando para a frente.

Esta, a história que Glauber anula com o corte. Ou, pelo menos, que fica reduzida a um mero sustentáculo da dialética em que o filme redundou. Sustentáculo do documentário poético daquelas vidas paradas (tese); dos discursos revolucionários que, em meio à ação dramática, perdem a característica de diálogos, ao tempo em que os personagens se desindividualizam e se abstraem na idéia revolucionária (antítese).

VI. A discussão sobre *Barravento* reside na maior ou menor força comunicativa dessa dialética. Não acreditamos que este filme tenha, com o público, o contato que glorificou *A grande feira*: é uma obra clara enquanto pode ser como mensagem política, mas não faz concessão ao gosto do público que ainda vai ao cinema em busca da alienação, que encontra na TV e nos filmes americanos. Glauber sempre desprezou a concessão e agora sentimos como ela é perigosa: o que "ficou" de *A grande feira* foi a alienação para o drama burguês que existe no filme. *Barravento* rompe definitivamente com o convencional. Mas isso leva a um rompimento com o gosto do povo, para o qual, obviamente, sua mensagem é dirigida. Acreditamos numa preocupação do público com relação ao cinema brasileiro, sabemos que, com relação ao cinema nacional, o povo se porta de modo diferente; que ele tem confiança e esperança no cinema baiano e que o nosso cinema não deve decepcioná-lo. É obrigação do cineasta conquistar definitivamente a confiança desse povo para o nosso cinema, porque para ele o realizamos. *Barravento* não é um filme pequeno-burguês: sua mensagem social ficará mais do que a de *A grande feira*, porque não há dispersão. Mas, sendo um filme chocante para o gosto do povo, é um perigo para as relações cinema-público na Bahia.

Contudo, acreditamos que agradará mais ao pequeno-burguês semiletrado do que ao povo mesmo.

DIÁRIO DE NOTÍCIAS, SALVADOR, C. 1962.

OS GRANDES
DO MOMENTO

Depois de um período pouco profícuo, o cinema mundial volta à velha moda da obra-prima, com o surgimento de novos realizadores geniais (como Alain Resnais e François Truffaut) e com o retorno, em grande forma, de "velhos" imensos (como Visconti e Rossellini).

Se o estrondoso "renascimento" tem como centro a Itália, de onde saiu a maior parte dos grandes filmes, a França (que possui uma bela tradição cinematográfica) segue-a de perto, com alguns moços "cobras", que, em meio à tremenda balbúrdia de *nouvelle vague,* realizaram fitas fabulosas.

Muitas dessas obras do grande cinema moderno já foram exibidas no Brasil e algumas na Bahia. Dos que vimos, escolhemos os cinco grandes, que são: *A doce vida* — Federico Fellini, depois de ter surpreendido o mundo com *I vitelloni* e, em maior escala, *La strada,* escandaliza-nos, agora, com o seu *A doce vida,* filme tremendamente bem realizado e que se tornou, desde o seu lançamento em Cannes, onde foi premiado, um mito.

Mas, por baixo do choque e do escândalo, esconde-se uma obra forte, terrivelmente pessimista, que traz a visão felliniana do mundo com maior largueza e profundidade que nunca. Aqui Fellini lança o olhar para o comportamento das classes de nossa sociedade, e se aterroriza diante da morte da burguesia. O Cristo é a sua meta e a moral cristã esmagada é a sua dor. A angústia metafísica tem culpa sobre o comportamento social. Mas ele não sabe que a formação social produz a angústia. Ele sente que a única solução seria uma volta à pureza cristã, mas sabe que o Cristo já não preencheria o caos interior de cada homem.

Para ele, não há solução. Seu filme não chega a conclusões e ele não tem esperanças; mas experimenta, com assustadora profundidade, a angústia do homem em nosso tempo e fez o seu estudo em grande linguagem. *Hiroshima, meu amor* — o filme de Alain Resnais, o jovem francês que veio de uma carreira de curtas-metragens geniais, é, antes de tudo, uma revolução estética no cinema.

Traz para o filme as experiências antes feitas em literatura, utilizando, para isso, a teoria eisensteiniana da montagem como recriação do monólogo interior. A palavra (o grande problema do cinema sonoro) em Resnais entra como elemento integrante de uma unidade raramente conseguida em cinema. O valor do poema de Marguerite Duras (o texto do filme) não pode ser medido em separado, desde que a palavra e a imagem em *Hiroshima* se completam, sublinhadas pela música, num todo funcional indissolúvel.

Essa é a técnica que Resnais utiliza para a recriação do drama subjetivo de sua personagem, que desce às profundezas filosóficas do estudo da memória humana. O drama da lembrança e do esquecimento da morte.

A aventura — a visão de Michelangelo Antonioni do que seja cinema é personalíssima. Eis por que seus filmes são inteiramente diferentes. Ele vem do período despojado do neo-realismo e é a partir do estilo simples que chega à realização de filmes trabalhados com o cuidado da mais fina inteligência.

Ele não é retórico como Fellini e seu filme não tenta dizer algo que não pode. Apenas olha o homem. Não cria histórias, como Visconti, para dizer o que pensa do momento atual. *A aventura* não é senão uma situação. Mas o seu olhar sobre o homem é tão agudo, sua análise é tão objetiva que cada gesto, cada olhar, cada palavra num filme seu levam até onde Visconti chegou através de lúcida dialética. *A aventura* é um pequeno drama entre personagens de nosso tempo, cujas reações, cujos comportamentos psicológicos são a marca do homem atual, são a revelação do seu modo de sentir, de pensar, são o desnudamento de seus problemas.

De crápula a herói — o último filme de Roberto Rossellini é uma obra que ainda traz aquela simplicidade estilística do neo-realismo, embora já não seja realizado com a "câmera na mão". Aqui Rossellini cria um belíssimo drama humano, partindo de um estudo da transformação dos sentimentos, pela guerra. Quando seu personagem, depois de ter passado por ser o "Generale Delia Rovere", um general da resistência italiana, sendo um crápula consumado, pratica, ao final, um último ato heróico, não existe apenas a necessidade "mística" do heroísmo, mas a exigência da solidariedade humana, a necessidade do companheirismo.

Rocco e seus irmãos — o filme de Luchino Visconti é, em nossa opinião, o maior dos grandes filmes modernos. A objetividade com que encara os problemas do homem atual, discutindo dialeticamente o seu drama social, faz dessa obra, magnificamente bem realizada, um dos maiores acontecimentos artísticos do mundo moderno. Criando um drama humano de força incrível, Visconti estuda a decadência do homem premido pela sociedade burguesa, a alienação, a consciência e o engajamento.

Mas não se desespera diante da impossibilidade da bondade e do amor em nossos dias: ele espera e trabalha por um mundo onde o homem se reencontre nas suas melhores qualidades.

O ARCHOTE, Nº 17, SANTO AMARO, BAHIA, 11 DE MAIO DE 1962.

HUMBERTO,
FRANÇA E BAHIA

Embora vivendo nesta cidade tão próxima a Salvador, a maioria de nós não sabe que a capital da Bahia está se tornando o centro cinematográfico do Brasil. Não só pela existência de um Clube de Cinema que promove estágios culturais, cinematográficos e festivais retrospectivos, mas também, e principalmente, pelo trabalho de uma equipe de jovens cineastas, produtores, atores e iluminadores que estão realizando, aqui na Bahia, a despeito de tudo, o renascimento do cinema nacional.

Filmes como *A grande feira, Festival de areias, O pátio, Rampa, Barravento* provam a existência de uma atividade surpreendente e (o que é mais importante) de uma consciência artística e social em formação. Nomes como os dos realizadores Roberto Pires e Glauber Rocha, dos produtores Rex Schindler, Braga Netto e Davi Singer, dos atores Helena Ignêz, Antônio Sampaio, Geraldo D'el Rey e Luiza Maranhão estão intimamente ligados à História do Cinema Brasileiro. Outro nome, o de Walter da Silveira (embora ele não apareça como diretor, produtor ou fotógrafo, e como ator apenas casualmente) não deve ser esquecido. Porque se tudo isso existe, se há um Glauber, uma Iglu, um Orlando Senna, tudo isso se deve a Walter da Silveira, que trouxe a cultura cinematográfica para a Bahia. Ainda há pouco, e com muita importância para nós, estudantes de cinema, jovens críticos e realizadores, o Clube de Cinema, que ele dirige, promoveu um festival retrospectivo do cinema francês onde foram exibidos filmes desde os primitivos Lumière e

Meliès até os modernos (e geniais) documentários de Alain Resnais, passando pelas belíssimas comédias de René Clair.

Atualmente está se realizando um estágio para dirigentes de cineclubes, durante o qual está sendo exibida, para estudo, uma série de filmes do cineasta brasileiro de valor universal — Humberto Mauro. Mauro era, praticamente, desconhecido até que Alex Viany passou a estudá-lo. Toda a curiosidade em torno do seu nome e da sua obra foi despertada quando o francês Georges Sadoul (o maior historiador do Cinema), vindo ao Brasil e interessando-se pela sua obra, considera-o um dos cem cineastas mais importantes de todos os tempos, em todo o universo. Conhecer o cinema de Humberto Mauro é uma experiência inteiramente nova para um brasileiro, sua obra é uma obra em que por trás do amor a um certo regionalismo se esconde um cinema (onde a marca de Griffith é, às vezes, encontrada) muito pessoal, que possui características estranhas e possibilidades universais que fazem do cinema de Humberto Mauro o melhor do Brasil.

Sem dúvida, conhecer a obra de um cineasta como esse é algo de importância substancial para a crítica baiana e mormente para os realizadores baianos que lutam por construir o cinema brasileiro, mas que estão sem alicerces porque nós não possuímos uma tradição cinematográfica.

O ARCHOTE, Nº 16, SANTO AMARO, BAHIA, 4 DE MARÇO DE 1962.

OS MELHORES DO ANO

Embora eu saiba que estes não foram os filmes que mais agradaram ao grande público e que nesta relação há obras que a maioria não conhece, aqui estão, teimosamente, os melhores de 1961, em Santo Amaro:

– *Por ternura também se mata* — O lindíssimo filme de René Clair encabeça esta lista porque foi a mais perfeita coisa que passou por nossas telas.

– *Guerra e humanidade* — Aquele filme japonês é o segundo do ano; uma obra humaníssima, grandiosa; uma das mais sérias e corajosas películas sobre a guerra.

– *Meu tio*, de Jaques Tati, é o terceiro — Perfeição, "finesse", modernização da comédia, aproveitando o som e a cor.

– *O belo Antônio*, de Mauro Bolognini — Um grande drama humano; um filme bem realizado, que teve, além de grande interpretação de Marcello Mastroianni, um tema muito sério. O quarto da lista.

– *Não deixarei os mortos* é o quinto — De Kon Yashikawa; aquele filme japonês também sobre a guerra, muito bonito.

– *Abismo de um sonho*, de Federico Fellini — Uma comédia que, além de ter o toque felliniano, conta com a participação da imensa Giulietta Masina.

– *Gervaise, a flor do lodo* — Reapresentação do grande filme de René Clément, mereceu entrar na relação. Maria Schell é uma grande atriz realmente.

– *Intriga internacional,* de Alfred Hitchcock, teve "suspense" bastante para entrar na lista.

O melhor diretor foi, sem dúvida, mestre René Clair, que com *Por ternura também se mata* deu-nos um show de cinema e poesia.

A melhor atriz foi Maria Schell, que, com seu sorriso, deu-nos Gervaise lindamente trágica.

O melhor ator foi Pierre Bressen, em *Por ternura também se mata,* num Juju genial e comovente.

O ARCHOTE, Nº 14, SANTO AMARO, BAHIA, 31 DE DEZEMBRO DE 1961.

FILME E JUVENTUDE

Depois de tanto tempo do seu lançamento, vimos, afinal, em Santo Amaro, o filme de Nicholas Ray, *Juventude transviada* (*Rebel without a cause*), obra que iniciou uma série de outras sobre o mesmo tema.

Pelo menos pelas outras fitas americanas que abordam o mesmo assunto esta não foi superada. É um filme muito bem realizado, tecnicamente impecável, contando com a direção segura de Nicholas Ray e a interpretação emocionada de James Dean, sem dúvida, uma das personalidades mais comoventes do cinema moderno. Contudo (embora seja este o filme que mais se aproximou da realidade), o problema da mocidade desesperada é visto superficialmente, demasiadamente esquematizado, simplificado ao máximo. E um mal que é de geração, que é coletivo, se reduz a casinhos domésticos nascidos de circunstâncias especiais. Existe realmente uma falta de coragem para estudar o problema a fundo e o filme resolve todo um complexo social com desfechos sentimentais.

Talvez quem dá maior dose de autenticidade ao drama é James Dean, que sabe tirar proveito de seu tipo físico, de uma beleza revolucionária (se podemos dizer assim), construindo um personagem em cuja expressão facial angustiada e cínica se encontra a revoltada denúncia que o filme não teve coragem de fazer: a denúncia contra uma sociedade burguesa decadente que causa, com sua falsidade moral e religiosa, todo o desespero ético e metafísico da geração nova. Os jovens estão desamparados, crescendo em meio a uma sociedade que lhes ensina uma verdade que ela não possui, que lhes exige uma moral em que ela intimamente não crê. Tudo não pode ser resumido a certos lares infelizes, a pais que não têm tempo de beijar os filhos nem a meninos "naturalmente rebeldes". Sua rebeldia não é sem causa: o moço não crê nos valores acadêmicos que lhe foram ensinados como verdadeiros porque ele já os sabe falsos e não encontra apoio em novos valores porque estes ele ainda não conhece. A burguesia não tem força moral para exigir nada dos jovens que a desprezam. Enquanto ela era sinceramente errada, sinceramente errados nasciam os seus filhos, agora ela é falsamente "boazinha", os jovens não crêem nela nem em si mesmos.

O ARCHOTE, Nº 11, SANTO AMARO, BAHIA, 20 DE SETEMBRO DE 1961.

CINEMA E PÚBLICO —
IMITAÇÃO DA VIDA

Ainda na crônica passada eu disse que *Imitação da vida* é um "dramalhão". (Coisa que provocou muita discussão.) Aliás, esse é um termo que muito repito, uma expressão de que muito abuso para denominar certo tipo de filme. Mas, que vem a ser um "dramalhão"?; o que o caracteriza, por que digo isso de determinados filmes, o que os fazem diferentes dos outros, como identificá-los?

Bem, partindo de uma definição de dicionário (DRAMALHÃO Drama de pouco valor, mas cheio de lances trágicos artificiais; drama em que as situações são exageradas ao máximo resultando numa falsa dramaticidade), podemos dizer que as características do dramalhão são o exagero e a falsidade. Diz-se que um filme é dramalhão quando sua história é falsa; sua feitura, ruim; e seus incidentes, exagerados. A artificialidade está na caracterização da pessoa humana quase sempre: as reações psicológicas do homem são forçadas ao gosto do autor da história. Também é falsa a relação do homem com a sociedade, com o meio; isto é, dramalhão é filme sem ideologia filosófica ou sociológica. O único interesse é fazer o público chorar. Mas acontece que, no intuito de fazer o povo chorar, eles fazem tudo, inclusive desrespeitar o próprio homem. Na ânsia de fazerem a gente chorar, apelam para todos os meios, lícitos ou não!

Para que entendamos isso melhor, tomemos um exemplo qualquer: *Imitação da vida*, de que já falamos, por exemplo. Quando disse que esse "filme" era um "dramalhão", e assim o ataquei, não foi sem motivo; sei que a maioria não concorda comigo, mas tenho esperança de que um dia muitos compreenderão.

Bom, fiz ver que dramalhão é um filme sem tema, sem mensagem filosófica, sem outro objetivo senão fazer o povo chorar (e conseqüentemente encher de dinheiro os bolsos do produtor). Ora, *Imitação da vida* é um filme sem tema. Senão vejamos: de que trata o filme? Do amor, do ódio, do problema do racismo nos Estados Unidos da América, do drama dos que tentam o teatro na Broadway?... Não! De nenhum desses assuntos se ocupa *Imitação da vida*, embora aparentemente lá estejam o amor, o ódio, o racismo e o problema dos atores. Digo isso porque esses assuntos não são discutidos, nem sequer abordados pelo "filme": entram apenas (e, certamente por acaso) como pretexto das situações bisonhas que são apresentadas. E como são esses temas "apresentados" sem a mínima preocupação, como eles os abordam sem lhes dar a menor importância, os problemas são desrespeitados com as mais descaradas mentiras, as mais deslavadas calúnias. Assim eles falsificam os homens e seus problemas. O caso do racismo, por exemplo, em *Imitação da vida*: então se trata de um grande problema a partir de incidentes inverossímeis? Então o único grito de revolta contra o preconceito racial, o desespero da filha da negra, é falsificado e a menina se nos apresenta como um monstro? Então o certo é ser serviçal e consciente da sua "inferioridade racial", como sua mãe?!

Basta pensar um pouco e se vê que com todos os outros assuntos acontece o mesmo desrespeito, a mesma mentira. Em benefício das rendas da produtora, são desrespeitados os maiores problemas da atualidade e o próprio homem.

Desse modo, não posso entender como vocês podem amar obras que desrespeitem sua vida e vocês mesmos; não sei como conseguem identificar-se com aquelas coisas falsas que se movem na tela e que, sem dúvida, não são criaturas humanas; não entendo como podem ver seus dramas naqueles incidentes exagerados e MENTIROSOS.

O que se disse aqui em relação a *Imitação da vida* poder-se-ia dizer de tantos e tantos outros dramalhões que insistem em aparecer nas telas, como: *O anjo branco, Os filhos de ninguém;* toda a série de filmes com Libertad Lamarque ou Sarita Montiel e outros monstros.

O ARCHOTE, Nº 9, SANTO AMARO, BAHIA, 28 DE MAIO DE 1961.

CINEMA, ATOR
E DIRETOR

Sinto decepcioná-los, mas aqui vai como uma notícia: não é o "ator", e sim o "diretor", o importante num filme. O cinema é uma estética, é uma arte. E o diretor está para a obra de arte fílmica assim como o pintor está para o quadro. Os materiais de que dispõe um realizador cinematográfico são a câmera, o celulóide, os cenários, as coisas, os atores etc.; como são materiais à disposição d'um pintor a tela, os pincéis, as tintas. Pus propositadamente os atores entre os "materiais" para frisar que dentre os estudiosos do cinema eles são considerados como simples objeto na mão do realizador. O que é mais um exagero usado como antídoto do "estrelismo" do que a realidade mesma. É inegável que o ator é um "instrumento" na mão do diretor, mas um instrumento "superior"! Nunca igual a um objeto. Porque dele o diretor tira emoções, expressões humanas. É verdade que um realizador pode conseguir milagres de interpretação de um "canastrão", como por exemplo Fellini conseguiu de Amedeo Nazari em *Le notti di Cabiria,* mas jamais poderá qualquer realizador extrair de uma Sarita Montiel uma profundeza dramática e humana, uma quase genialidade como a da grande Giulietta Masina em *La strada* ou no referido *Notti di Cabiria*! Certo é que ela foi dirigida pelo mesmo Fellini que fez de Nazari um bom ator (o que nos levaria a julgar ser sua "genialidade" resultado apenas da boa direção); mas uma coisa é um diretor conseguir, com habilidade, que um péssimo ator pareça, aos olhos do público, estar representando bem; e outra é o ator compreender o desejo do realizador, entender e sentir a personagem que interpreta e compor uma atenção consciente, racional, inteligente, "construída pedacinho por pedacinho", como foram as de Masina. Interpretação que eleva o ator a um ponto alto no valor total da obra. Mas mesmo nesses casos a importância do ator não atinge a importância do diretor, que é, sem dúvida, quem realiza o filme. É ele quem idealiza a personagem que o ator interpreta. O ator pode ser genial, se a personagem for mal elaborada e o diretor não sabe o que quer, sua interpretação será fraca. O autor de um filme é o diretor, assim como o autor de um livro é o escritor. É claro que estou falando dos verdadeiros realizadores de cinema. Pois não se pode dizer que a maioria dos diretores de Hollywood é de autores de filmes. Lá, em geral, a companhia produtora escolhe a história, entrega-a a um roteirista, escolhe o músico, seleciona os atores, e só então convida um diretor, que já nada terá que fazer a não ser dirigir os atores e fazer algumas modificações (dentro do exigido pelo que há na produtora e pelo que há de social ou político no país). Não, não me refiro a esses, mas a alguns de exceção em Hollywood, a muitos dos europeus e à maioria dos asiáticos (me refiro aos japoneses). Ninguém pode negar que é Fellini o autor de *Estrela da vida, Boas-vidas, Cabiria* etc.; como ninguém duvida que é Vittorio de Sica o autor de *Ladrões de bicicletas* ou de *Humberto D.* e Akira Kurosawa de *Sete samurais, Fortaleza escondida* ou *Trono manchado de sangue*. Os seus estilos narrativos e estéticos, os seus conceitos ideológicos estão em todas as suas obras.

O meu interesse é acender a curiosidade de alguns (seria pretensioso dizer de todos) sobre esta arte que é tão importante na formação da mentalidade do povo.

Sim, porque enquanto não se entender sua mensagem, enquanto não se reconhecer a imensa superioridade de René Clair sobre Rock Hudson, continuar-se-á a ser ludibriado por uma indústria de falsa felicidade ou por algumas pro-pagandas nacionais.

Procurem sempre lembrar (se é que se interessam) que o importante é Billy Wilder, e não Marilyn Monroe; que o importante é J. B. Tanko, e não Ankito (embora, infelizmente, em sentido negativo).

O ARCHOTE, Nº 4, SANTO AMARO, BAHIA, 4 DE DEZEMBRO DE 1960.

CINEMA E PÚBLICO —
ENTRETENIMENTO E ARTE

Vamos constantemente ao cinema. Lemos todos os números das "revistas especializadas". Sabemos os nomes e temos decoradas as caras (e os gestos) de Rocks Hudsons, Tonys Curtis, Elizabeths Taylors e nos consideramos a par das coisas de cinema quando sabemos dos novos casamentos dos atores, quando estamos em dia com os últimos divórcios, quando conhecemos os últimos boatos e mexericos. Mas não conhecemos um só nome de diretor. Não procuramos ver quais as mensagens dos seus filmes. Nem supomos que é ele o importante numa película, e não o ator. Temos notícia do que vestiu Marilyn Monroe na noite da avant-première, mas não tentamos compreender o que pensou Fellini ao realizar *La strada* ou o que sentiu De Sica ao criar *Ladrões de bicicletas*. Para nós o importante é Brigitte Bardot, e não Jean Renoir, é Sophia Loren, e não Rossellini.

A nossa situação em face do cinema: ou, melhor, a situação do cinema diante de nós, o público, é quase desconcertante.

A verdade é que não estamos avisados acerca de cinema. É que o atraso cultural em que ainda nos encontramos é tão grande que não reconhecemos o cinema como uma cultura. Se lemos um livro, cremos aumentar nossa cultura, se ouvimos música, sabemos que estamos nos educando; mas, se vemos um filme, nos sentimos como quem leu uma revista em quadrinhos.

Não neguemos se preferimos os dramalhões às obras-primas; se preferimos os canastrões aos grandes atores é porque somos ignorantes acerca do cinema. Mas reconhecer isso não basta. Esse conformismo é que nos deixa no atraso em que estamos. Não basta sabermos que não sabemos; é preciso que procuremos saber.

Não pensemos que temos muita personalidade quando discordamos dos críticos. Procuremos entender por que eles discordam de nós. Não nos conformemos em dizer que eles são malucos ou ignorantes porque não concordam com nossas opiniões. Tentemos estudar por que eles não concordam.

Não sabemos acerca de Cinema. Verdade. E a missão dos críticos não pode ser ensinar-nos o que é cinema, mas induzir-nos a estudá-lo; é espicaçar no espectador inteligente a curiosidade sobre a arte cinematográfica; é levá-lo a procurar ler os compêndios que já foram escritos sobre a cinestética. É orientá-lo.

Procurar saber sobre arte cinematográfica não é apenas um passatempo esnobe, mas uma necessidade cultural do homem moderno. Porque das artes, a mais atual é o cinema. É a que mais exprime o espírito inquieto do momento; é a arte do movimento; é a que mais se pode aproximar do público, ou, melhor, é a que mais aproxima o público dele mesmo: é a arte de maior importância social.

O homem precisa de arte porque além de ter nervos e músculos tem uma coisa que se chama alma. E a arte é a maior carícia para a alma. Por isso ele sempre praticou esses exercícios do espírito. Praticou ou contemplou. Porque a arte é prazer para quem a faz e para quem a observa. E o homem necessita desse prazer. Para quem a pratica é o prazer de externar seus sentimentos. Para quem a contempla é o prazer de ver o belo ou de reconhecer, no sentimento do artista, seu sentimento.

Para o momento atual, para nossa era, para o nosso século, o cinema é o melhor meio de expressão para os artistas e a melhor maneira de os espectadores encontrarem seus sentimentos na obra artística. Ainda: o cinema é a arte de maior importância social e política. É a que mais penetra no espírito dos povos levando idéias, ensinamentos, mensagens. Nós precisamos entender essas idéias, alcançar esses sentimentos, interpretar essas mensagens. Além de entreter nossas almas com a estética dessa arte, moderna por excelência.

O ARCHOTE, Nº 2, SANTO AMARO, BAHIA, 30 DE OUTUBRO DE 1960.

TEATRO, LITERATURA & CIA.

ONQOTÔ

Várias coisas se reuniram aqui: os trinta anos do Corpo, a primeira oportunidade de compor para dança, a colaboração com meu amado Zé Miguel. Fui parar no Candeal para esperar que os garotos percussionistas da Bahia criassem imagens sonoras do universo. Zé Miguel e eu tínhamos um mote que nós mesmos inventamos. Tínhamos nosso carinho pelo Corpo. E glosamos multiplicadamente. Ele foi a Gregório de Matos e eu fui a Camões. Cruzamos os nossos cantos. Achamos a voz humana de Greice para refazer em tom pedestre a pergunta terrível dos *Lusíadas*: on'q'o'tô?, onde (é) que eu estou?, "onde pode acolher-se um fraco humano"? Com amor, terror e humor, conversamos com os cosmólogos, com os místicos, com os dois poetas, com o dramaturgo escandaloso e moralista. E oferecemos os resultados musicais dessa conversa, nossa música de homens de palavra, aos corpos dos bailarinos do Corpo. Rodrigo intermediou. Mais que isso: criou retroativamente o sentido do que fizemos; refez o mote e as camadas de glosa de modo a provar que tudo tinha sido dançado antes de ser escrito.

Apresentação do programa do balé *Onqotô*, Grupo Corpo, 2005 (música de Caetano Veloso e Zé Miguel Wisnik).

PANAMÉRICA

Antes do lançamento de qualquer uma das canções tropicalistas, tomei contato com *PanAmérica*. O livro representava um gesto de tal radicalidade — e indo em direções que me interessavam abordar no âmbito do meu próprio trabalho — que, como já relatei no livro de memórias *Verdade tropical*, quase inibiu por completo meus movimentos. Ainda hoje, quando o releio, ele guarda seu poder de impacto. É um caso único na literatura brasileira. Essa epopéia do Império Americano, como Mário Schenberg a chamou, é um livro marcante. O texto, além de evitar toda nuance psicológica na construção de personagens e aderir às imagens exteriores e aos atos diretos, apresenta uma áspera uniformidade que se torna visível nas páginas, sempre ocupadas por blocos escuros de palavras, sem parágrafos ou travessões que lhes dêem espaço para respiração. É um monólito. Um monólito escuro feito de miríades de visões em cores vivazes que se somam, se multiplicam e se anulam. Compõemse tais visões de ícones da época do Império Americano. E o narrador diz "eu" repetidas vezes, mesmo quando, em português, o pronome sujeito não precisa ser explicitado. Esse narrador executa sucessivas peripécias que o põem em posição privilegiada para testemunhar os atos dos ícones mundiais: dirige uma superprodução bíblica, hollywoodiana; faz sexo intenso e freqüente com Marilyn; participa de operação de guerrilha com Guevara; mata um adido militar norte-americano — e termina por experimentar a dissolução do mundo tal como o conhecemos.

Esse "eu" que tanto assim se anuncia não é um "eu" no sentido em que até o século XIX se entendia esse termo. Fragmentário e não-subjetivo, ele bóia lúcido e sem afeto num mundo rico de variedade e intensidade mas desprovido de sentido. É o não-herói (não o anti-herói) pós-moderno literariamente realizado. E com uma firmeza que pareceria não ser possível no tão pré-moderno e tão cordial Brasil da metade dos 60. Mas José Agrippino de Paula vivenciou os conteúdos da vida do final do século passado com tanta frieza e tanta paixão que talvez não haja no mundo nenhuma obra literária contemporânea de seu *PanAmérica* que lhe possa fazer face. O livro soa (já soava em 1967) como se fosse a *Ilíada* na voz de Max Cavalera.

Ele ecoava, é verdade — como vim a ver depois —, o *Deus da chuva e da morte*, de Jorge Mautner. De fato, esse livro de Mautner ofereceu inspiração para muito do que há em *PanAmérica*. Mas José Agrippino parece ter escolhido uma das vozes do *Deus da chuva* — aquela menos lírica, aquela em que os tons da compaixão e da doçura cristã (assim como os aspectos de "brasilidade") não entram como harmônicos — e aferrou-se a ela, fazendo de seu livro um objeto limpo, inteiriço, sem porosidade e sem contemporizações. Não se trata aqui de comparar para julgar, mas é esclarecedor dizer que, com ser pioneiro duma prosa pop brasileira nascida, em parte, da literatura beatnik norte-americana, prosa essa que liberou o estilo de José Agrippino, o livro de Mautner é também uma obra mais generosa, mais maleável e mais aberta à possibilidade da esperança, enquanto *PanAmérica* é radicalmente impermeável a qualquer disfarce do humanismo ou do espírito brasileiro. Tanto Mautner quanto Agrippino são atraídos pelos pensadores chamados irracionalistas e são hostis à Razão. Mas José Agrippino é dotado de um senso clássico das proporções e, ali onde Mautner é barroco, desigual, desmedido, Agrippino é conseqüente, fiel a um princípio único que norteia sua escrita, sectário de si mesmo. Não posso deixar de atribuir grande parte das características que os unem — e que os distinguem dos outros escritores brasileiros — ao fato de serem ambos escritores paulistas (Mautner nasceu no Rio, mas é paulista de formação). A experiência da vida na São Paulo da segunda metade do século xx apresenta uma identidade imediata com a dos grandes centros urbanos do mundo, como não se pode conhecer em nenhuma outra cidade brasileira. São Paulo não oferece as amenidades nem as características "exóticas" que fazem do Rio e de Salvador, como de Belém, São Luís, Manaus ou Recife, atrações turísticas. Por outro lado, sem que se tenha tornado uma cidade equilibrada nem suficientemente confortável ou bela para brilhar entre as grandes do mundo por sua própria eficiência como centro urbano, ela se impõe sobre as outras cidades brasileiras pela superioridade econômica e informacional — e pela duvidosa superioridade de ser desprovida de encantos agradáveis. É um dos pontos do planeta onde mais drasticamente se sente o mal-estar do capitalismo tardio, embora seja ainda recém-saída da fase agrária. Eu, que sou um baiano do tempo em que se crescia olhando exclusivamente para o Rio, preciso de São Paulo como de um antídoto contra um suave veneno. Assim como, por razões semelhantes embora opostas em suas aparências, a poesia concreta e a usp me são referências essenciais, sem a literatura beat-paulista de Mautner e Agrippino eu não posso seguir em frente. E, se o marco histórico dessa corrente é o grande *Deus da chuva e da morte*, a epopéia de José Agrippino de Paula é sua expressão mais concentrada e madura. Com *PanAmérica*, Agrippino chega ao extremo dessa tendência literária, chegando ao extremo de si mesmo como autor único. Ele é uma lucidez que se reconhece inútil mas nunca ri de si mesma. Não há fantasmas de salvação em seu mundo. A única salvação seria estar, desde logo e em termos absolutos, salvo.

Antes de escrever *PanAmérica*, José Agrippino escreveu *Lugar público*, um romance sombrio que já apresenta um autor dono de um mundo próprio. Depois de *PanAmérica* ele começou a escrever um novo texto longo que, nos antípodas da superpoluição urbana, se voltava para uma mitologia e uma simbologia da natureza como perene utopia realizada: *Terracéu*. Ele nunca concluiu esse romance (não seria um romance, mas como chamá-lo?). No período de preparação dessa nova obra, ele viveu na Bahia por alguns anos, após uma estadia significativa na África. Eu, que já o conhecia desde 1966, o via com freqüência em Salvador: ele não estava submetido à perspectiva através da qual um brasileiro vê a Bahia, tampouco a olhava como um turista. Mais radicalmente gênio paulista do que nunca, ele selecionava o que, na Bahia, poderia confirmar seu imaginário de uma nova pureza que se seguisse ao caos urbano extremo, uma nova era que não se confundia com a Nova Era dos californianos nem com o milenarismo sebastianista de brasileiros e portugueses. Não creio que José Agrippino queira retomar a composição desse livro, nem sei o que aconteceu aos manuscritos. *Lugar público* pode ser encontrado em sebos. Mas é *PanAmérica* que deve ser lido pelas novas gerações: não há nada, nem mesmo entre os que hoje fazem uso do mais violento ataque à cultura popular brasileira para aderir sem mediações ao drama atual do mundo, que seja tão radical quanto esse livro. Por isso, considero mais do que auspicioso o aparecimento de uma sua nova edição.

Rio de Janeiro, março de 2001

Prefácio à 3ª edição do livro de José Agrippino de Paula, *PanAmérica*, São Paulo, Papagaio, 2001 (primeira edição: Rio de Janeiro, Tridente, 1967).

AQUELA COISA TODA

Ensaio todos os meus shows sentado de frente para os músicos. Os movimentos de corpo que vou adicionando, depois subtraindo, substituindo — mas que, ao longo das temporadas, vão se multiplicando —, começam a se formar quando o show já está diante do público. Isso é o que me permite uma atitude desabusada com respeito às quase-danças que acompanham minhas apresentações de canções no palco. Não sou dançarino. Já na estréia de *Livro vivo*, em São Paulo, eu deliberadamente fazia, em determinado momento, gestos repetitivos, maquinal-obsessivos, num estilo que muitos associam ao trabalho de Pina Bausch: era um aceno a essa artista que me apaixona.

Na canção "Jorge de Capadócia", quando na letra se diz "cordas e correntes arrebentem / sem o meu corpo amarrar", eu repetia diversas vezes (e independentemente do ritmo em que estava cantando) o gesto de desatar amarras, passando um pulso pelo outro com rispidez e abrindo os braços até meio caminho, onde o movimento se interrompia e recomeçava. Era uma referência, parente dos flashes de Carmen Miranda ou de Mick Jagger que brilhavam por alguns segundos no show *Transa*, em Londres, 1971. Fora essa citação, não há nada da dança de Pina Bausch nas minhas dancinhas de *Livro vivo*. Embora hoje haja muito de Pina Bausch em mim.

Pina estava em Paris na platéia de *Livro vivo*, no mês passado. Lá também estava Betty Milan, que escreveu um texto muito terno sobre o show. Nesse texto, Betty conta ter percebido a presença constante da dança de Pina na minha dança. Mas a verdade é que a grande influência no desenvolvimento do meu gestual cênico vem de outra dançarina: Maria Esther Stockler, sobre quem escrevi palavras entusiásticas no livro *Verdade tropical* (e de cuja arte se podem ver exemplos no filme *O cinema falado*), mas cuja contribuição propriamente artística não encontrou, no referido livro, o espaço de comentário que mereceria. Curiosamente, foi Betty Milan quem me chamou a atenção para o fato de ser esse meu tão extenso livro uma conversa entre homens, em que as mulheres não parecem ter presença de criadoras ou pensadoras. De fato, por mais impactante que tenha me parecido o estilo pessoal (e literário) de José Agrippino de Paula, Maria Esther Stockler não poderia estar no livro apenas como sua namorada, quando, no fim das contas, há mais influência direta da arte dela sobre a minha do que poderia haver da dele. "Clube do Bolinha". (Tampouco aparece no livro referência ao trabalho de Eveline Hoisel sobre *PanAmérica*, trabalho que li antes mesmo de ser publicado e que desmente minha afirmação de que a "epopéia" de Agrippino não teve acompanhamento crítico significativo.) Maria Esther, com sua independência, sua feroz radicalidade, resguarda do lixo vulgar do mundo publicitário em que atuamos os passos sagrados, os acenos a um tempo viscerais e etéreos, os meneios cultos e orgânicos que ela tem sabido desenvolver. É o que vejo nela que, quase sem pensar, busco nos esforços de purificação corporal libertadora com que, entre outras coisas, tento salvar-me de mim mesmo. Maria Esther Stockler, uma bailarina brasileira.

Pina Bausch é outra coisa para mim. Chegou muito depois e me conquistou pela surpresa. O importantíssimo acontecimento que foi a volta ao Brasil de Gerald Thomas como diretor de teatro trouxe às conversas que ouvi — e aos artigos que li — dois nomes: Bob Wilson e Pina Bausch. Ligavam sempre ambos a uma estética de alta formalização e a uma temática do desespero expresso em movimentos obsessivos. Nunca vi nada de Wilson. Vi as encenações de Thomas e, embora me impressionasse a adequação da produção aos efeitos almejados — e ele me parecesse, ao menos quanto a isso, deixar o resto do teatro brasileiro na pré-história —, nada chegou a me encher as medidas como o tinham feito o *Zumbi*, de Boal, e *O rei da vela*, de Zé Celso — e como veio a fazê-lo o recente *Ventriloquist*, do próprio Gerald.

As primeiras peças dele a que assisti me sugeriam vitrines bem-arrumadas em que se expunha, não sem certa ironia, a estetização de um pessimismo de convenção. Quando vi o grupo de Pina pela primeira vez, no Municipal do Rio, com um espetáculo em que se dizia que os bailarinos dançavam sobre lama e uma mulher chorava por quinze minutos, com grito e montanha no título, fiquei estarrecido. Em vez da butique do desespero que seus supostos admiradores brasileiros anunciavam, encontrei uma força viva, uma inspiração genuína que funcionava em mim como se eu estivesse recebendo pela primeira vez (e ao mesmo tempo) os contos de Clarice Lispector e o *Sgt. Pepper's Lonely Hearts Club Band*.

As roupas ocidentais modernas nunca foram comentadas pela dança com tanta profundidade. A lama era um desafio cenográfico que, por se lograr do modo como se lograva, perdia o caráter de notícia e, ainda assim, não se gastava como efeito, sempre oferecendo grandes oportunidades de experiências tenras, novas — isso ao longo de horas. A mulher que chorava no intervalo trazia tal sinal de frescor do ânimo do grupo, era tal testemunho da realidade do teatro e da teatralidade do real, que a gente não tinha como reagir com uma resposta pronta: a gente tinha de se demorar, conviver, pensar, parar de pensar, parar para pensar. Um uivo de lobo com lua de papel colada no fundo do palco; uma mulher que andava sobre um imaginário chão vertical na linha da cortina lateral do palco, repetidamente carregada por um grupo de homens desde o chão até o mais alto que desse; um torneio de natação (a lama sobre o palco). Em suma, eu me comovia e me esquecia de mim e reencontrava lugares do espírito que aos poucos reconhecia e era levado a outros lugares que desconhecia até então e que me faziam entender melhor os antigos lugares. Tinham me anunciado um show de idéias cromadas e eu encontrava a vida. Me falavam de Gerald e de Antunes e de Bia Lessa e de Bob Wilson e eu só me lembrava de *Aquela coisa toda*, do Asdrúbal Trouxe o Trombone.

Isto aqui é uma confissão algo acrítica de um espectador que se sente artista enquanto assiste ao espetáculo. *Aquela coisa toda* foi uma das minhas mais intensas experiências como espectador de teatro. Não poderia talvez criticamente comparar-se ao *Zumbi*, ao *Rei da vela*, ao *Macunaíma*. Contemporâneo deste último, o espetáculo do Asdrúbal era-me, então, grandemente preferível. É que a instância crítica é uma instância precária.

Os atores do Asdrúbal tinham necessariamente de ser aquelas pessoas. O palco de repente ficava nu, enquanto eles surgiam em pontos dispersos da platéia para lançar perguntas aos integrantes do grupo. Essas perguntas eram cômicas, tocantes, embaraçosas: e o palco vazio e silente deixava-nos com um espaço aberto na mente, um pouco assustados, um pouco melancólicos, como na experiência de certos poemas. Quando a situação de repente se invertia e os atores se amontoavam no palco e respondiam a perguntas que não se ouviam, o silêncio da platéia saía de cada espectador como se fosse uma exposição de suas responsabilidades. De repente, Dioniso em pessoa fazia uma aparição. Quando, ao final, depois de os atores quase-dançarem um périplo pelos Estados do Brasil, eles aderiam, com palavras justas e passo marcado, às greves então arriscadas e pioneiras dos operários paulistas, a dimensão política se nos revelava como uma questão moral íntima, como um movimento do afeto.

Isso tudo era considerado pela crítica profissional como "narcisismo", um "olhar para o próprio umbigo". E, como o público convencional de teatro acompanhava a crítica no entusiasmo pelo *Macunaíma* de Antunes, e o público especial que o Asdrúbal tinha criado para si com *Trate-me leão* não reencontrava o costumismo dessa peça em *Aquela coisa toda*, assisti a esta última muitas vezes quase sozinho no teatro. O que me deixou na memória um segredo estético que não compartilho bem nem com os responsáveis pelo espetáculo. De fato, foi essa qualidade de alma que reencontrei na primeira visão do teatro de Pina — mas Hamilton Vaz Pereira, o diretor de *Aquela coisa toda*, na platéia do Municipal naquela noite, me confessou não ter percebido o encanto do Tanztheater de Wuppertal.

Eu, porém, entre Rio e Nova Iorque — e depois em Wuppertal, na celebração dos 25 anos da companhia —, vi tudo o que pude de Pina: quase todo o repertório. E sempre a renovação e o aprofundamento da esplendorosa impressão inicial. E sempre a surpresa.

Propus-me a saudar Pina Bausch quando aceitei escrever aqui sobre sua arte. E, no fim, me entreguei a digressões que são retalhos de autobiografia (e reparos à quase-autobiografia que já publiquei em livro). E o que sinto que falta dizer não é de outra natureza.

Devo aqui saldar uma dívida enviesada com o teatro-dança de Tom Zé. O momento em que ele tirava partido do fato de estar sentado numa cadeira diante de um microfone, com minuciosa inventividade, foi um dos mais entusiasmantes, para mim, do show que ele apresentou, faz poucos anos, no teatro Vila Velha, na Bahia. Paula Lavigne, que estava comigo, me disse depois do espetáculo: "Você é legal, tudo o que você faz pode ser interessante, mas isso aí é diferente: isso aí é um gênio". Foi no *Circuladô* que eu fiz, pela primeira vez, um número de cantar meio-dançando sentado na cadeira: era o tango "Mano a mano" e eu contracenava com o violão. Depois, no show *Fina estampa*, criei variações para isso em "Lamento borincano".

O que vi de Tom Zé no Vila Velha era tão diferente do que faço que eu nunca pensei em relacionar as duas coisas. Muito menos em considerar precedências. Mas é certo que Tom Zé estava ali repetindo — ele o disse — um número que ele tinha feito na TV anos antes. Ao me ver recentemente no show *Livro vivo*, fazendo um número assim, Tom Zé sentiu-se mal. E me disse isso. Como muita gente viu *Livro vivo*, e muito pouca gente viu Tom Zé fazendo aquele número, preciso dizer de público que, em matéria de cantor cantar dançando-representando sentado na cadeira, o número de Tom Zé não é apenas diferente do meu, mas muito melhor. E talvez anterior. Além de não ser seguro que eu não tenha, inconscientemente, pegado algum detalhe exterior daquilo que ele fazia. Muita dor atravessa esses anos todos em que fui famoso, e Tom Zé não.

Antes disso, ele e eu aprendemos muito com Boal. O *Arena canta Bahia* era sobretudo teatro-dança. Chico Buarque acha que, no meu livro, fui injusto com Boal. Não fui. É injusto deixar parecer que, no livro, não traço, ao falar dele, o retrato de alguém grandioso artisticamente. Pediria a quem pensou como Chico que reconsiderasse o teor dos elogios ali contidos à personalidade artística de Boal. Que houve, no momento do tropicalismo, um antagonismo explícito entre nós e ele, não quis (nem deveria) negar. Narrei-o. Qualquer leitor pode decidir que Boal, e não os tropicalistas, é que tinha razão.

Deveria falar também da angústia de ter demorado tantos anos para ver Denise Stoklos no palco. Se este fosse um artigo crítico, eu não poderia deixar de medir a importância que ela tem para mim. E os que fazem dança, propriamente, no Brasil: o Grupo Corpo, Deborah Colker, tantos. Mas a dança, em estado puro, tinha de ficar aqui representada por Maria Esther Stockler.

E Pina Bausch? Lá vai Caetano, dirão, olhando para o próprio umbigo, escrevendo sobre si e sobre o que vai escrevendo sobre si. Mas não é. É que entrar em contato com uma artista grande como Pina é arriscar-se a passar por mudanças que requerem auto-reexame. Em outras palavras, a quem me dá a vida não posso oferecer nada menos do que isto: a minha vida.

FOLHA DE S.PAULO, CADERNO MAIS!, 27 DE AGOSTO DE 2000.

DEUS DA CHUVA
E DA MORTE

Este romance, que abalou a cena literária brasileira no início dos anos 60, foi a revelação de uma das personalidades mais instigantes da entrada do Brasil na era industrial. Jorge Mautner começou a escrevê-lo em sua adolescência, nos anos 50, quando por aqui se cristalizavam as experiências da construção de Brasília, da poesia concreta e da bossa nova, e, nos Estados Unidos, a da literatura beatnik. Filho de pais austríacos que chegaram ao Brasil fugindo de Hitler, Jorge, que nasceu no Rio de Janeiro, viu sua própria pessoa construir-se na cidade de São Paulo, para onde seus pais se mudaram quando ele ainda era muito pequeno, o que me parece determinante na formação da originalidade de sua *persona* intelectual. Esse seu primeiro livro causou forte impacto, em grande parte por aproximar-se mais da aventura beat norte-americana do que da moderna literatura brasileira que se afirmava no mesmo período, e, com isso, contrastava violentamente com o universo estético de então, definido pela tensão entre radicalismo formalista e radicalismo nacional-popular. Mas o impulso para abrir esse respiradouro lhe tinha vindo menos dos poetas e ficcionistas americanos do movimento beat — que ele conhecia, mas ainda não muito — do que da sua paixão por Nietzsche e da combinação do drama germânico vivido em casa — o pai, intelectual judeu perseguido; a mãe, a não-judia de origem eslava, admiradora vitalista e ingênua do carisma do Führer — com os mistérios do país que os acolhera e onde, afinal, ele próprio tinha vindo a nascer.

Deus da chuva e da morte tem a vitalidade das canções sentimentais e dos rocks que seu autor petulantemente exaltava contra todas as tendências de opinião da época. E tem a densidade do romantismo alemão. É, com tudo isso, uma obra de humor pop que fez os tropicalistas do final dos anos 60 reconhecer-se ali profetizados. E não só os tropicalistas: a imaginação no poder, o sexo na política, a religião além da irreligião — todos os temas que foram levantados pela contracultura estão nele prefigurados. É um acontecimento auspicioso que se reedite esse marco na formação da sensibilidade do nosso final de milênio. Os jovens de hoje vão assim entrar em contato com algumas estruturas originais do mundo mental em que se movem. E vão poder se assombrar, se divertir, se enriquecer e se maravilhar exuberante e desordenadamente de energia adolescente e sabedoria eterna. Como aconteceu quando ele foi lançado, ninguém pode deixar de lê-lo.

Prefácio à reedição do livro de Jorge Mautner, *Deus da chuva e da morte*, Goiânia, Kelps, 1997 (primeira edição: Rio de Janeiro, Martins, 1962).

DE TODA PARTE SE VÊ
A CIDADE DE SALVADOR

Passear pela Bahia é, antes de tudo, passear pela Baía de Todos os Santos. Entrar numa escuna, numa lancha, num saveiro (descendente das caravelas) e sair descobrindo ilhas e deltas, mangues e praias.

A Ponta de Nossa Senhora — na Ilha dos Frades — apresenta uma visão mágica ao visitante que, de manhã, sobe a pé até o alto onde fica a igrejinha: a água quieta não define seus limites e os barcos, lá embaixo, parecem levitar numa transparência azul que apenas se rarefaz à medida que se aproxima da praia.

Na Ilha de Maré, a areia branquíssima é tão fina sob os pés que a gente pensa estar pisando em nuvens. E as mulheres que, em frente às almofadas, lançam e recolhem seus bilros competem com o mar na criação de rendilhado.

Em Bom Jesus dos Passos — a terra de Gerônimo — o sorveteiro vem até à ponte de atracação com a catimplora às costas e oferece o mais gostoso sorvete de coco do mundo. De toda parte se vê a Cidade do Salvador — a Cidade da Bahia — como se fosse um navio ancorado no fim do mapa, cidade de sonho, acampamento irreal à beira-mar.

Mas não é preciso sair da cidade para passear pela baía. De toda parte, em Salvador, se vê a Baía de Todos os Santos: entra-se num sobrado de Santo Antônio ou do Pelourinho, numa casa da Lapinha ou da Soledade, num prédio novo da Graça ou da Vitória, e, quando menos se espera, o mar entra pela janela.

A não ser que você esteja nos bairros de além-barra —

Rio Vermelho, Amaralina, Pituba, Armação, Boca-do-Rio, Piatã, Itapuã —, onde a cidade se abre ao mar aberto, você sempre está cercando a baía, cercado por ela. E quando você desce à cidade baixa e vai até Itapagipe — por Roma, Bonfim e Ribeira —, você se sente nas entranhas da baía, dentro de suas conchas e ostras.

Andar a pé pelo Porto dos Tainheiros, pelo Bogari, pela Penha, pela Boa Viagem é saber disso. Mas mesmo no centro da cidade — no Terreiro, na Praça da Sé, na Praça Castro Alves — o mar da baía entra pelos olhos, pelos poros, pelos ouvidos: chega em luz, em som, no vento.

No ponto mais baixo do Pelourinho, onde a zona central se une à Baixa do Sapateiro, ao entrar no Restaurante Casa do Benim, o visitante — que agora já sabe que das janelas de fundo desses sobrados do topo da ladeira a baía é visível — entende que está no âmago de uma civilização extinta e futura: a grande Civilização do Atlântico Sul, com suas Europas inesquecíveis e suas Áfricas improváveis, de que a Baía de Todos os Santos é o centro.

O centro deste centro é a Casa do Benim, mensagem de arquitetura deixada pelos senhores coloniais e por Lina Bo Bardi para ser decifrada em combinação com os sabores da culinária imaginária de Ana Célia.

Apresentação do livro *Addresses Salvador: o que é que a Bahia tem – 98*, de Flora Gil e Ivana Souto. Salvador, Addresses, 1997.

AVANT-GARDE
NA BAHIA

Lembro do pianista David Tudor, em 1961-62, apresentando peças de John Cage no Salão Nobre da Reitoria da Universidade da Bahia — aquele prédio gozado do bairro do Canela que sempre me parecerá maravilhoso —, a sala cheia, o professor Koellreutter observando. Uma das composições previa que, a certa altura, o músico ligasse um aparelho de rádio ao acaso. A voz familiar surgiu como que respondendo ao seu gesto: "Rádio Bahia, Cidade do Salvador". A platéia caiu na gargalhada. A cidade tinha inscrito seu nome no coração da vanguarda mundial com uma tal graça e naturalidade, com um jeito tão descuidado, que o professor Koellreutter, entendendo tudo, riu mais do que toda a platéia.

Nunca esqueci o nome de David Tudor, mas não foi aí que o nome de John Cage fixou-se em minha mente. No entanto, o fascínio por aquela música feita de silêncios (numa das peças as teclas eram apenas tocadas, sem serem pressionadas, pelos dedos enluvados do pianista) e acasos não me abandonou mais. Não sei dizer por que eu já chegara de Santo Amaro preparado para coisas assim. Eu simplesmente ansiava por elas. Um conto de William Saroyan lido acidentalmente na infância, Clarice Lispector na revista *Senhor*, o neo-realismo italiano, mas sobretudo João Gilberto tinham me levado a uma idéia do moderno com a qual eu me comprometi desde cedo. Isso descreve como o tema já tinha-se tornado meu desde Santo Amaro, mas não explica as razões para que fosse assim. Chegar a Salvador no ano em que eu ia completar dezoito anos significou para mim a entrada no grande mundo das cidades. Nenhuma metrópole depois disso teve sobre mim sequer o décimo daquele impacto. O fato de a Universidade estar tão presente na vida da cidade, com seu programa de formação artística levado a cabo por criadores arrojados chamados à Bahia pelo improvável reitor Edgard Santos, fazia de minha vida ali um deslumbramento. Eu gostava da cidade em si mesma, sua paisagem, sua arquitetura, o estilo de sua gente. Mas minha irmã Maria Bethânia, que não aceitava ter saído de Santo Amaro (ela tinha apenas treze anos), foi conquistada para Salvador — e para o mundo — pelas atividades culturais promovidas pelas escolas do reitor e pelos museus de dona Lina. Glauber já era o garoto que absorvia essa atmosfera e a transformava em ação, dirigindo um grupo de jograis, curtas-metragens e o suplemento cultural do *Diário de Notícias*, procurando de forma exigente extrair o máximo da situação, quando Bethânia e eu chegamos.

O que aconteceu na Bahia do final dos anos cinqüentas ao início dos sessentas (mostro aqui ter aprendido a lição de português de Risério) é ainda um aspecto pouco conhecido — embora determinante — da história recente da cultura brasileira. Este livro vem fazê-lo inteligível. Para mim, Risério revela nele o sentido de minha própria inserção no mundo. Sua leitura será proveitosa — além de prazerosa, dadas a clareza e a vivacidade do estilo — também para corrigir perspectivas de quem queira entender o Brasil cultural da segunda metade do século. Herdeiro legítimo — posto que indireto porque de segunda geração — daquele movimento, morador da Cidade da Bahia, onde tem assistido às energias criadoras migrar da academia para os afro-blocos (com a sede do Olodum tendo sido construída por dona Lina), Risério é a pessoa ideal para a tarefa. Ele não tem idéia de quanto lhe devo por este livro. Para além do agradecimento pela lisonja de considerar o que tenho feito em música popular como exemplo (ao lado de Glauber!) de bom resultado da empreitada do reitor, preciso dizer-lhe — e a quem nos leia — que nem mesmo o modo como alinhavei lembranças neste prefácio me seria possível sem a leitura de seu livro. É como se eu não soubesse bem quem eu era antes de lê-lo.

Minhas reminiscências mais sinceras me obrigam, no entanto, a externar um reparo que não significa censura ao autor, antes depoimento complementar aos que ele tão bem colheu. Parece-me que a figura de Eros Martim Gonçalves saiu relativamente injustiçada, ou desproporcionalmente apequenada, no painel. Basta dizer que talvez a Escola de Teatro tenha centralizado nossa visão — de Bethânia e minha — do impulso modernizante da época. E Glauber repetiu inúmeras vezes que a montagem da *Ópera* de Brecht tinha-lhe dado tudo. Martim montou Claudel e Brecht, Tennessee Williams e Camus, como os Seminários de Koellreutter apresentavam Brahms e Gershwin, Cage e Beethoven. Além disso, há algo de desequilibrado em negar-se o status de vanguardista a um diretor-educador corajoso como Martim num livro em que não se o nega a uma figura (grandiosa, fascinante, amável) como a do professor Agostinho da Silva, cultor — paradoxal e heterodoxo como era — de saudades do catolicismo lusitano medieval.

Mas o fato é que em *Deus e o diabo na terra do sol* temos Eros e Agostinho — e na Tropicália temos *Terra em transe*. E Risério aqui conta, pergunta e explica por quê.

Prefácio ao livro *Avant-garde na Bahia*, de Antonio Risério. São Paulo, Instituto Lina Bo e P. M. Bardi, 1995.

VÁ VER O *HAM-LET*
DO TEATRO OFICINA

O correspondente do jornal *The New York Times* no Brasil, Sr. James Brooke, num artigo em que queria demonstrar quão absurda é a atitude dos brasileiros em relação à homossexualidade, escreveu que "Gilberto Gil e Caetano Veloso alardeiam abertamente sua bissexualidade e usam vestidos em público". Como as afirmações são falsas e de facílima verificação (qualquer um no Brasil sabe que eu nunca usei vestidos e nunca declarei que sou bissexual) — e como eu tinha consciência de que o mesmo jornalista não se sentiria à vontade para fazer, em nenhuma circunstância, afirmações semelhantes e de falsidade igualmente verificável caso se tratasse de artistas americanos — considerei que ele tinha sido mais do que meramente irresponsável e decidi que isso não deveria ficar sem reparo.

Vários dos meus amigos americanos que consultei me desaconselharam uma resposta pública — nem pensar em legal! —, sobretudo dado o caráter delicado, melindroso mesmo, do tema. Mas é exatamente pela importância do tema ali abordado — sua importância objetiva para todos e sua especial importância para mim — que o caso não pode ser descartado como de somenos.

Claro que o que conta não é se eu considero moralmente condenável homens usarem vestidos ou terem relações sexuais com pessoas de ambos os sexos, e sim se os dois compositores mencionados na reportagem de fato tomam em face disso as atitudes descritas ali. Mas acontece que sou um artista que iniciou seus trabalhos nos anos 60. Minha chegada à idade adulta se deu em meio à expansão das idéias libertárias e à difusão em grande escala de ambições experimentais em todas as áreas da atividade humana, o que chegou a ser apelidado de "modernismo nas ruas".

Queríamos acabar com a hipocrisia, ampliar o campo de percepção, reencontrar a dimensão espiritual em nossa época de grandes massas, salvar o mundo. Queríamos arte de vanguarda na indústria do entretenimento e hábitos alimentares ao mesmo tempo mais artificialmente criados e mais racionalmente naturais. Queríamos radicalizar as conquistas democráticas, romper as barreiras convencionais entre os sexos, as classes sociais e os graus de cultura e também entre as diferentes culturas e entre as faixas etárias, para atingir um individualismo pluralista nuançado dentro do mais generoso espírito comunitário.

O neo-rock-n'-roll inglês e o maio francês, o tropicalismo brasileiro, o popismo nova-iorquino e o hippismo californiano — todos participaram desse clima de idéias. Esse programa utópico traria problemas, perderia a medida do possível e encontraria reações violentas e/ou obstinadas que fatalmente levariam a uma retração. Eu, pessoalmente, com toda a luta para manter a lucidez e o poder de julgamento sobre tais ambições e os métodos intuídos para tentar levá-las a cabo, nunca me senti inclinado a abrir mão do essencial desse ideário.

A possibilidade da experiência sexual diversificada — inclusive quanto ao sexo do parceiro —, o reconhecimento de sua legitimidade para mim e para os outros, sempre estiveram na base da organização da minha vida pessoal. E, o que quer que hoje se diga de mau sobre as indefinições de gênero que vieram no bojo das propostas de transformação surgidas na segunda metade dos anos 60, toda a solidez da respeitabilidade que construí em minhas relações com meus pais, meus filhos e minhas mulheres sempre inclui claramente esse complicador.

Tenho 51 anos, não vou mudar quanto a isso. Portanto, não tenho o menor desejo de me render seja à caretice (a palavra tem ainda hoje exatamente o mesmo sentido) convencional, seja à neocaretice que cresceu nos movimentos segmentários que ficaram como formas organizadas de manutenção do ideário na fase de retração — e que são evidência dessa retração. Ou seja: não bato cabeça nem para o neoconservador nem para o politicamente correto. Quem quiser captar o ambiente mental em que se dá minha procura por liberdade, verdade e beleza, vá ver o *Ham-let* do Teatro Oficina.

Quando no programa do Jô Soares perdi o controle e vociferei contra aquele jornalista americano, eu estava esperneando contra a prisão em que o que ele tinha feito me colocava. Eu cria firmemente que ele o fizera de propósito para me deixar sem saída. Talvez isso fosse pura paranóia, mas o fato é que não é fácil acreditar que um cara que mora no Brasil há anos possa julgar que eu verdadeiramente freqüento lugares públicos em travesti e que alardeio que sou bissexual.

Meu filho me disse que lhe pareceu óbvio que o jornalista quisesse nos elogiar — a mim e ao Gil —, dizendo com isso que nós éramos "avançados" e "liberados". Confesso que também pensei assim quando li pela primeira vez aquela matéria. Mas, em primeiro lugar, logo me desagradou o fato de essa descrição errônea do meu comportamento público estar destinada a criar um contraste gritante com o tipo de agressividade contra homossexuais que ali se diz ser a regra do Brasil. Lembrei-me logo de outro artigo do Sr. Brooke — escrito antes do impeachment de Collor — em que ele parecia sugerir que os brasileiros, em grande parte analfabetos e aprendendo quase tudo pela televisão, estavam tendo contato com a idéia de honestidade através do que viam na TV sobre os países do Primeiro Mundo, e que essas idéias "novas" terminavam por pôr em risco a nossa democracia, que seguramente não agüentaria um processo de impeachment.

Lembrei-me também que bradei contra essa argumentação em todas as entrevistas que dei a respeito em Nova Iorque, onde me encontrava quando ele foi publicado. Na minha (saudável?) paranóia, supus que ecos desse brado tivessem chegado até o Sr. Brooke e que a irrespondível frasezinha sobre mim (e Gil) era o troco — além de ser uma nova maneira de aumentar a incompreensão a respeito do Brasil nas páginas do seu jornal.

Claro que eu não quero de forma alguma desestimular o olho crítico do estrangeiro sobre nós — ele nos é necessário e, no caso específico do rapaz brasileiro a quem os Estados Unidos concederam asilo político sob a alegação de que sofria perseguição aqui por ser homossexual (esse era o pretexto da matéria do Sr. Brooke), acho mais do que justo que um correspondente americano formule exigentes indagações sobre o modo como o assunto é tratado pelos brasileiros.

Mas por que o Sr. Brooke precisou, para isso, criar uma caricatura mentirosa sobre o meu comportamento público? Como eu considero, na minha saudável paranóia, essas descrições do Brasil como um país incoerente e insolúvel parte de uma manobra que deve servir a pesados interesses econômicos que, com visão de considerável alcance, sentem que podemos ser uma ameaça, vi-me numa espécie de armadilha perfeita. Ou quase: eu era o seu único defeito. Eu, ou seja, minha mera liberdade individualíssima que resolveu aparecer de repente durante o programa do Jô.

Pode ser que o Sr. Brooke esteja totalmente inocente dos ardis (nos dois planos) que minha paranóia lhe atribuiu. Nesse caso, peço desculpas. Mas sei que ele terá então sido um inocente útil a algo de que sou inimigo e contra o que eu tinha dever interno de lutar. O tema da homossexualidade era ideal para reforçar a idéia de um Brasil absurdo e para me deixar sem voz. Não caí.

Dada a natureza dos meus desejos e à autorização que lhes concedem minhas convicções morais, creio que não me seria impossível levar uma vida predominantemente homossexual bem-sucedida, assim como, pelas mesmas razões e ainda pelo modo como o acaso me tem tratado, levo uma vida predominantemente heterossexual bem-sucedida. Mas nunca tratei disso publicamente. Nem o farei aqui além do que está dito. Detesto as duas formas de pressão diametralmente opostas que se exercem sobre os indivíduos para que eles tornem públicas suas ações mais íntimas: de um lado, a exigência, por parte de grupos ativistas, da adesão pública a um rótulo que defina o tipo de suas atividades sexuais (na verdade, uma exortação a que os que têm experiência homossexual "confessem" — deixando implícito que os outros não precisam confessar, não têm o que confessar), e, de outro lado, o que é ainda pior, o estímulo ao exibicionismo tedioso e grosseiro (além de freqüentemente inverídico) que certa imprensa lança a pessoas mais ou menos famosas que resolveram então "contar tudo".

De todo modo, eu nunca usaria o termo "bissexual": ele é demasiadas vezes usado seja por caretas para "denunciar" os que eles consideram homossexuais, seja por homossexuais que desejam amenizar sua tipificação ou mesmo esconder a verdade de sua sexualidade. Há, além disso, uma freqüente idealização da bissexualidade como sendo uma conquista sublime que deixa todas as polarizações (praticadas por parceiros de qualquer sexo) na condição de velharia ou primarismo — e eu não quero, com toda a ambigüidade que meus modos possam sugerir, subscrever uma confirmação dessa ilusão. Nem me acho no direito de tirar demasiadas vantagens da minguada boa fama que ser homossexual angariou, sem ter enfrentado os problemas concretos que essa condição apresenta — embora tenha, na verdade, tido de enfrentar alguns e esteja agora mesmo enfrentando este.

É absolutamente claro para mim que tampouco deva me deixar prender quer pela obrigação de provar que nada havia de verdade nas afirmações do Sr. Brooke, quer pela obrigação de provar que nada há de preconceito anti-homossexual em minha reação. Ou seja: posso, ainda se quiser, aparecer usando um vestido de mulher, e isso em nada modificará o fato de que o Sr. Brooke afirmou que eu o tinha feito quando isso nunca tinha acontecido; posso passar o resto da vida usando terno e isso não significará que só gritei porque o travestimento me enoja. O mesmo para minha vida sexual e meus modos de revelá-la ou ocultá-la.

É maravilhoso que Gil e eu tenhamos vindo a São Paulo para celebrar as bodas do tropicalismo na mesma semana em que se reabria o Teatro Oficina com uma viva, clara e — com todo o leque de liberdades tomadas — fidelíssima versão do maior texto já escrito para o teatro em todos os tempos. Com efeito, o *Ham-let* do Zé Celso é possivelmente o mais belo espetáculo que ele já dirigiu. Ele introduziu muito mais do que um hífen entre a primeira e a última sílaba do nome do protagonista: há bossa nova e rock-n'-roll, homoerotismo e CPC, Brecht e umbanda; mas nunca vi nenhuma montagem de onde essa peça ressaísse mais limpidamente potente para tratar de todos os temas metafísicos e políticos, estéticos e psicológicos que ela aborda com indescritível inteligência. Há muito tempo não vejo tantos atores juntos em interpretações tão apaixonadas e lúcidas.

As cinco horas que a peça dura parecem rápidos minutos, tão divertidos, intrigantes e emocionantes são os acontecimentos cênicos que se sucedem. Se eu pudesse, convenceria todos os brasileiros a assistirem a esse espetáculo. Por tudo isso, foi para mim um prazer de amor pensar que, no entusiasmo de minha fúria no programa do Jô, eu fiquei parecido com o Zé Celso quando foi lá. Lembrei de como é curioso que Zé tenha sido como que sutilmente gozado pelo tom do programa, enquanto o Gerald Thomas, quando foi a sua vez, pareceu ser o gozador. Porque, neste momento, sinto-me mais perto de Zé do que sempre — e nunca me senti mais longe de Gerald Thomas do que quando ele disse que eu demonstrava esperteza chamando a atenção para o fato de meu nome ter saído no *New York Times*.

Claro que gosto imensamente do programa do Jô. E do Jô ele mesmo. A primeira coisa que lhe disse ao final do programa, quando notei a alegria que lhe causara minha participação afinal tão escandalosa, foi: "Você merece, o seu programa merece". Mas não esperaria de um programa como o dele uma adesão ao tom delirante de Zé Celso, de Waly Salomão ou ao meu. É mesmo mais do que suficiente que ele possa abrigar tais explosões, entre tantas coisas diversas que ele tem de abrigar, sem confundir-se com elas, mesmo que para manter a segurança de que o tom cool e light de talk show americano vai continuar no dia seguinte seja necessário confirmar certa cumplicidade com o telespectador para quem ver pessoas possessas é motivo apenas de constrangimento.

O Gerald Thomas — que tanto admiro e respeito como encenador —, sem alardear entusiasmo, desmascarou o esquema do programa e pôs de fato as coisas ali em termos de teatro *versus* TV. Acho que precisamos dos três: Jô, Zé e Gerald. Mas, agora então com esse *Ham-let*, Zé é para mim, indubitavelmente, a mais alta manifestação da nossa teatralidade. Tudo isso aqui no fim deste artigo vem a propósito dos tipos e graus de teatralidade sobre que se deve pensar para entender tudo o mais que nele foi dito.

P.S.: depois de escrito este texto, vi, no mesmo *Jô Soares onze e meia*, o Sr. Warren Hoge, atual editor-adjunto do *New*

York Times, dizer, um tanto maliciosamente, à imensa audiência do programa, que seu subalterno Sr. James Brooke só afirmara que eu tinha usado uma saia porque ele queria ilustrar sua tese de que no Brasil, como nos Estados Unidos, há uma grande tolerância da vida gay convivendo com uma grande agressividade contra ela. O próprio Jô escreveu que eu me indignara por ter sido identificado como gay.

Mas se Jô não leu o artigo, o Sr. Hoge certamente o fez e, portanto, sabe muito bem que lá não está dito que eu usei uma saia (grande parte da imprensa brasileira disse isso quando eu e Gil fomos ao Prêmio Sharp usando um sarongue sobre as calças do smoking, e eu não vi razão para protestar); lá está dito que eu uso (*wear* — é o presente do indicativo, em inglês — dá a idéia de ação habitual ou freqüente) vestidos (*dresses*) em público e alardeio abertamente minha bissexualidade.

Não importa o espaço que a frase ocupa no corpo da matéria: é inadmissível que um correspondente estrangeiro se dê o direito de ser tão leviano em relação a celebridades nacionais quando se trata de assunto sério. Certamente eu não chiaria se ele tivesse escrito que eu nunca tomo leite (embora isso não seja verdadeiro), mas isso não quer dizer que ele pode publicar, por exemplo, mesmo numa linha pequeníssima em meio a um artigo imenso, que eu matei alguém.

Tampouco está dito no artigo que o paradoxo de nossa atitude face à homossexualidade é equivalente àquele dos americanos, como o Sr. Hoge afirmou no Jô. Diante de defesa tão pouco honesta, inclino-me a não crer nem mesmo nas primeiras palavras que o sr. Hoge disse ao Jô sobre o assunto: que só tinha tomado conhecimento dessa história depois que chegou ao Brasil.

FOLHA DE S.PAULO, ILUSTRADA, 1993.

CLARICE LISPECTOR

O meu primeiro contato com um texto de Clarice Lispector teve um enorme impacto sobre mim. Era o conto "A imitação da rosa" e eu ainda morava em Santo Amaro. Fiquei com medo. Senti muita alegria por encontrar um estilo novo, moderno — eu estava procurando ou esperando alguma coisa que eu ia chamar de "moderno" —, mas essa alegria estética (eu chegava mesmo a rir) era acompanhada da experiência de crescente intimidade com o mundo sensível que as palavras evocavam, insinuavam, deixavam dar-se. Uma jovem senhora volta a enlouquecer à visão de um arranjo de rosas-meninas. E voltar a enlouquecer era uma desgraça para quem com tanta aplicação conseguira curar-se e reencontrar-se com sua felicidade cotidiana: mas era também — e sobretudo — um instante em que a mulher era irresistivelmente reconquistada pela graça, por uma grandeza que anulava os valores da rotina a que ela mal recomeçara a se apegar. De modo que quem lia o conto ia querendo agarrar-se com aquela mulher às nuances da normalidade e, ao mesmo tempo, entregar-se com ela à indizível luminosidade da loucura. Era uma epifania típica dos contos de Clarice, que eu iria reencontrar inúmeras vezes nos anos que se seguiram àquele 1959. Agradeço a Rodrigo, meu irmão, sempre tão bom, esse encontro. Ele me deu uma assinatura da revista *Senhor* onde eu li esse e outros textos de Clarice ("Os desastres de Sofia", talvez "O crime do professor de matemática" e "Laços de família", com certeza "A legião estrangeira", além de pequenas notas e até alguma crítica). Depois ele me deu os livros que continham esses e outros contos novos. E, por fim, os romances — que não se pareciam nada com romances: *A maçã no escuro* (que me decepcionou consideravelmente) e *A paixão segundo GH* (que nunca me pareceu perfeito como os contos perfeitos, mas que me assombrou mais do que os mais assombrosos contos). Nunca li *Perto do coração selvagem,* seu primeiro livro e por tantos considerado o melhor. Mas li o estranho livro de histórias "eróticas" e as novelas *A hora da estrela* e *Água viva.* Recentemente, meu filho Moreno, de dezenove anos, leu para mim, com lágrimas nos olhos, longos trechos de *Uma aprendizagem ou o livro dos prazeres.* Em todos esses reencontros, sempre o fluxo da vida aflorando por entre as palavras, às vezes com intensidade assustadora; freqüentemente me vêm à cabeça o tom, o ritmo, o sentimento do texto sobre Mineirinho.

Ler Clarice era como conhecer uma pessoa. Em 66, quando cheguei ao Rio para morar e tentar trabalhar, o José Wilker me deu o telefone dela. Uma noite, na presença do Torquato Neto e Ana, então sua mulher, decidi ligar. Clarice atendeu imediatamente, como se estivesse esperando a chamada. Não demonstrou nenhuma estranheza e falou comigo como se já nos conhecêssemos e tivéssemos conversado habitualmente todas as noites. Voltei a ligar para ela muitas vezes. Eram conversas muito diretas ("Estou danada da vida, minha máquina de escReveR quebRou" — com aqueles erres hebreus) e o telefone era atendido sempre prontamente. Um dia ela me disse que vira minha fotografia na capa da revista *Realidade* — eu entre os outros novíssimos da música popular. Um ano depois, eu já morando em São Paulo, voei para o Rio só para participar de uma grande reunião de artistas e intelectuais que, tendo Hélio Pellegrino como porta-voz, queriam exigir do governador do Estado da Guanabara, o Dr. Negrão de Lima, uma atitude nítida com relação ao assassinato, pela polícia, de um garoto chamado Edson Luís, estudante, no restaurante universitário apelidado de Calabouço. Eu estava no meio de uma quase-multidão que lotava a sala de espera do Palácio quando senti um tapinha no ombro e ouvi a voz inconfundível: "Rapaz, eu sou Clarice Lispector". Fiquei muito tímido e nunca mais nos falamos. Tornei a vê-la num show da Bethânia, de quem ela se aproximou no fim da vida. Mas não pareceu que tivéssemos tido nenhum contato antes. Nas vezes em que nos falamos ao telefone, eu disse a ela que a admirava muito. Mas isso não expressava um milésimo da minha verdadeira admiração e nada dizia sobre o meu amor. O nosso encontro pessoal teve afinal um gosto de desencontro e quantas vezes eu já lamentei ter deixado a impressão de que meus telefonemas tinham sido uma irresponsabilidade. Ou ficado com a impressão de que eu a decepcionara com o prosaísmo da minha timidez, da minha cara, da minha música.

O que nunca mudou foi o sentimento que a leitura de seus textos provoca em mim. Às vezes pego para ler "Amor", "Os desatres de Sofia", "A legião estrangeira" ou mesmo "Uma galinha", que nos anos 60 eu sabia de cor como se fosse uma canção, e eles permanecem perfeitos momentos da literatura brasileira moderna, perfeitos momentos da vida nas palavras, perfeitos momentos.

Catálogo da exposição *A Paixão segundo Clarice Lispector*, Centro Cultural Banco do Brasil, Rio de Janeiro, outubro de 1992.

CARTAS DE
PAULO LEMINSKI

Nas cartas que Paulo Leminski escreveu a Régis Bonvicino entre 1976 e 1981, pode-se ver de perto com que intensidade de alegria e sofrimento se desenrolou o drama de sua paixão pela poesia. Elas são uma amostra a um tempo entusiasmante e amedrontadora de como essas coisas se passam numa alma que quer ser franca consigo mesma. Para mim, a leitura dessas cartas foi uma experiência que me levou do enternecimento à exasperação. As lembranças tão vivas de nossos encontros em Curitiba realimentadas pelo registro que estes mereceram dele; a dificuldade de acompanhar sua angústia de pôr o *Catatau* na perspectiva de sua vida; a culpa por contribuir para que a música popular tivesse demasiado peso no seu universo de referências; o orgulho de ter visto na canção "Verdura" um luminoso exemplo de superação dos dilemas que ele se colocava a respeito de comunicação e rigor, superelite e supervárzea, poema e canção; tudo isso me fez passar de uma carta a outra com avidez, querendo acariciá-lo, querendo discutir com ele. Leminski foi o poeta mais apaixonado e o escritor mais intenso de sua geração e as cartas que compõem este livro são um outro modo de nos aproximarmos do entendimento de sua trajetória. Dos primeiros poemas em *Invenção* ao livro sobre Bashô, do *Catatau* às decisões caprichosas de relaxar, das canções caipiras ao *Agora é que são elas* (romance fascinante que é um anticlímax em relação ao *Catatau*, mas que parece ter de fato o interesse que Boris Schnaiderman aponta nele, em artigo também constante deste livro), Leminski viveu delícias e tormentos que procurou comunicar aos amigos e é bonito ver isso nas cartas a Régis.

Apresentação do livro de Paulo Leminski, *Uma carta uma brasa através: cartas a Régis Bonvicino, 1976-1981* (correspondência). São Paulo, Iluminuras, 1991.

O QUE DIZEM
ESSAS CASAS?

O que dizem essas casas? Sob o céu a todo céu do Nordeste brasileiro, em meio à dura vida humana, o que insinua sua lírica geometria?

De frente para a câmera de Anna Mariani, elas parecem esboçar um sorriso silencioso. A câmera não pretende interpretar os seus signos, mas entrar numa espécie de estado amoroso com a delicadeza de sua poesia. As fotografias são como monalisas pintadas por Volpi.

Para mim são coisas íntimas. Casas que conheço por dentro. Em Santo Amaro, onde nasci, no Recôncavo Baiano, as pessoas pintam suas casas a cada fevereiro para as festas da padroeira: é como comprar um vestido novo. A cidade fica endomingada, como se fosse um cenário de teatro ingênuo, com todas as casas recém-pintadas. É simples: é a alegria de viver, a vontade de ser mais bonito. Aos olhos do próximo, aos olhos de Deus.

É complicado: vendo estas casas reduzidas à sua *essência* formal em retratos frontais, sobretudo aquelas que Anna foi encontrar longe da minha microrregião, no Sertão, onde elas exibem mais inspiração e rigor, eu me pergunto qual o caráter do ensinamento que elas trazem. O impacto estético que elas produzem em nós sem dúvida confirma e ultrapassa o sentido de superação da miséria. Os homens que desenvolveram esse estilo visual numa região tão pobre do Brasil nos fazem ver que há muitos níveis insondados, muitos estágios misteriosos nas relações entre as massas e o que se convencionou chamar de modernidade.

Catálogo da exposição *Des maisons comme des tableaux*. Paris, Centre George Pompidou, setembro de 1988. O texto foi reproduzido no livro *Façades — Maisons populaires du Nordeste du Brésil*, Rio de Janeiro, Nova Fronteira, 1988 (versão para francês do livro *Pinturas e platibandas*, realizada a pedido do c.g.p.).

UM POVO DOCE
E MORENO

Santo Amaro era uma cidade bonita à primeira vista. Quando eu era menino, a unidade arquitetônica e cultural se apresentava logo a quem chegasse, impondo-se sem deixar dúvidas. Hoje, só um espírito profundo e sensível pode flagrar essa beleza em estado puro por trás das transfigurações (algumas inevitáveis e nem tão maléficas, mas algumas imperdoavelmente inúteis e estúpidas) sofridas por essa Vila de Nossa Senhora da Purificação. Maria Sampaio parece ter sido agraciada com superabundância dessa profundidade e dessa sensibilidade. Um cavalinho de flecha alteando-se lírico e místico por cima das cabeças de um povo doce e moreno: esta imagem sintetiza para mim tudo o que é Santo Amaro, tudo o que é o amor de Maria por Santo Amaro, tudo o que significa como trabalho fotográfico o resultado desse amor. Isto pode servir de chave para quem não tenha, como eu tenho, intimidade com tudo isso. Eu gostaria que as pessoas olhassem atentamente para a fotografia acima descrita e, depois de se deixar penetrar do seu espírito, partissem para ver (ou rever) as outras: assim já estariam preparadas. Do meu ponto de vista, todas são comoventes. De certa forma, sinto-me presente em todas elas. Acho que não poderia ser diferente. Não sou especialista em fotografia, mas sei o que é uma pessoa sensível e por causa disso já convidei Maria Sampaio para fazer a capa de um dos meus discos. Pois bem, todas essas fotos de Santo Amaro, tiradas por Maria com tanto amor e intimidade, são como que fotos minhas, do que há de mais longe muito longe mas bem dentro aqui. Conheço muitas pessoas que sentirão o mesmo: pessoas de Santo Amaro ou ligadas demais a Santo Amaro. Desejo que as que não o são possam aprender muito do seu clima e talvez aprender muito com ele. A fachada da Igreja da Purificação, o rosto de dona Cecília, um sobrado, tudo foi fotografado de perto, de bem perto, quase de dentro. Como será que Maria entrou em contato com uma realidade tão negada e descaracterizada? Não podemos saber. O fato é que ela a resgata, como se fosse minha mãe dona Canô trabalhando para a manutenção das tradições da festa da Padroeira, ou Maria Bethânia lavando o adro da igreja, ou Roberto Mendes e Jorge Portugal tocantando uma chula. A única coisa que eu posso dizer como uma espécie de agradecimento a Maria por tanto carinho por essa cidadezinha culturalmente semidestruída mas resistente e encantada é que eu tenho certeza de que, se meu pai Zezinho Veloso estivesse vivo, ele ia chorar de emoção.

Folder-convite da exposição de fotografias de Maria Sampaio *Um povo doce e moreno* (5 a 23 de março de 1985), no Núcleo de Artes do Banco de Desenvolvimento do Estado da Bahia s.a. Posteriormente, o texto foi reproduzido no livro *Recôncavo – Santo Amaro*; fotografias de Maria Sampaio, Salvador, Desenbanco, 1985.

GENTE

QUEM NÃO SE
ORGULHA DE GISELE?

Quem não se orgulha de Gisele? Quem não sente um friozinho na espinha e um calor no coração quando vê a concentração de beleza que há em seu rosto? Que grande mistério para o mundo é a evidente brasilidade de Gisele! Com esse prenome francês e esse sobrenome alemão, com esses cabelos alourados e esse tipo caucasiano, Gisele é tão brasileira quanto Garrincha. Quem conseguir explicar isso terá explicado o Brasil. E como se explica que essa que é uma das mulheres mais lindas que o homem já conheceu tenha um ar tão amigo? Quem não está apaixonado por Gisele? E quem — estando apaixonado por ela — não se espanta que uma deusa dessas não inspire medo? Ela não parece uma noiva careta nem uma chave-de-cadeia. Ela — o rosto, a pele, o corpo de Gisele — é uma permanente promessa de felicidade.

VOGUE-BRASIL, SÃO PAULO, Nº 296, 2003.

O MUNDO
NÃO É CHATO

São filhos. São meus. Ainda que nenhum dos dois chegasse a tocar comigo, seriam, nessa mesma medida, meus. Davi em cima do caminhão do trio elétrico ou no cenário suntuoso do show de Marisa Monte; Pedro num grupo de rock experimental ou alinhavando o rico tecido sonoro de Lenine: de longe ou de perto, meus. Seus movimentos, suas venturas e suas aflições sempre me diriam respeito. Tê-los a meu lado, tocando meu repertório, opinando sobre meus arranjos; vê-los todos os dias nos ensaios, nos palcos de show — tudo isso representa para mim uma emoção continuada e renovada. É que os vi nascer. É que ainda os vejo nascer.

Pedro cresceu em minha casa com Dedé, tanto quanto Moreno cresceu em casa de Tetê e Ronaldo, pais de Pedro, músicos também. Parecem recentes as noites em que ele, aos seis ou sete anos, via seu sono interrompido e partilhava comigo alguns minutos de minha insônia. Quando hoje o vejo romper seu silêncio tão concentrado para encenar uma imitação hilariante — em que o timbre, o sotaque, a alma, a pele do personagem se fazem presentes —, lembro da caracterização surpreendente que ele improvisou na Escola Parque, quando, tendo ido ver Moreno, o vi pela primeira vez. E o companheirismo leal com meu filho por todos esses anos desde então! O orgulho que tenho das amizades de meu filho que já é homem! A esperança e a confiança que isso insufla às visões que Paulinha, Moreno e eu temos hoje de Zeca e Tom em companhia de seus colegas de escola!

Pedro Sá cresceu para a música. Vi com orgulho e admiração sua seriedade e seu talento. É para mim uma grande alegria que, nisso também, Moreno tenha podido manter-se perto dele. Na verdade, *Noites do Norte* não seria o disco que é se não fosse por Pedro e Moreno: eles me esclareceram, me encorajaram, me aconselharam e, com a competentíssima paciência de Marcelo Sabóia, desenharam a sonoridade do disco. Assim, a presença de Pedrinho no show *Noites do Norte* se faria sentir mesmo que não subisse no palco conosco. A densidade dos timbres, a modernidade das texturas, a consciência das proporções são sua marca. Soa como um inventor, ouvinte de inventores.

Davi também é amigo de Moreno. E um tanto primo dele por parte de mães. Não foram colegas de escola, portanto não o vi desde pequeno com a freqüência com que vi Pedrinho. Mas Davi é filho de Moraes Moreira e isso já implica outro parentesco. Que vem do bar Brasa e passa por Botafogo e Vargem Grande. Filho dos Novos Baianos. Uma vocação cristalina de instrumentista: como Jacob, Armandinho, Oscar Peterson ou Airto Moreira. Ele também está presente em *Noites do Norte*: toca em "13 de maio". Uma das coisas que vi fazerem Moreno orgulhar-se mais foi ter gravado tocando junto com ele essa música. Davi deslumbra com seu domínio relaxado e seu bom gosto despretensioso. Ele tem (e mantém intacta) a alma simples da sensibilidade popular sem jamais roçar o banal ou o simplista. E sua beleza pessoal cresce em luminosidade por ser tão refinado o seu despojamento. Ele é virtuose sem fazer soar uma nota pedante. Soa como um mestre.

Mais do que uma vitória, é uma glória pessoal contar com filhos dessa magnitude. O mundo não é chato.

JORNAL DO BRASIL, CADERNO B, 15 DE JUNHO DE 2001.

A MEMÓRIA DE
MÃE MENININHA

A memória de Mãe Menininha projeta-se para o futuro de um Brasil que há de merecer uma vida à altura dos deuses que vieram, pelo destino trágico do seu povo, habitar nossas florestas, nossas ruas, nossa língua e nossos sonhos. A exuberância dos deuses que vieram habitar nosso tempo. Brasil. Quem poderia sequer começar a entender o que queremos, o que podemos, o que somos, sem sentir a presença doce e firme da ialorixá que cuidou dos santos e dos seus filhos no período cheio de sutilíssimas dificuldades da sinuosa transição para o reconhecimento do culto pela sociedade como um todo? A memória de Mãe Menininha é a memória do que há de mais profundo e mais denso em nossa formação cultural.

Para mim é também a lembrança pessoal de longas tardes de conversa. Desde o belo português que ela falava até a observação mítica do que se passava na televisão, tudo nessas conversas era uma lição de nobreza, dessa mistura de complexidade e refinamento que marca as comunicações superiores. Suas mãos eram as mãos de Oxum: delicadas, graciosas, seguras. Sua voz era como que preservada intacta desde a sua primeira juventude, falando ou cantando. No ouvinte, o encantamento era maior que o medo. E ela sabia sugerir uma superação do medo.

Que a memória de Mãe Menininha seja também para todos os brasileiros, daqui e de qualquer lugar do mundo, uma sugestão de superação do medo. Nunca a esqueceremos, nunca abandonaremos sua sabedoria.

É assim que gosto de pensar na entrada do Brasil no terceiro milênio.

É assim. É assim que gosto de pensar em Mãe Menininha: imorredoura, iluminando um povo que teve a sabedoria de se deixar conquistar por ela.

Escrito para o Memorial Mãe Menininha, Gantois (Bahia), 13 de agosto de 1992.

CIVILIZADA
E CIVILIZADORA

Ter sido convidado a escrever um texto para este livro é uma honra que me surpreende e me intimida. Porque se trata de um livro sobre Fernanda Montenegro, quase um livro *de* Fernanda Montenegro — uma vez que ela decidiu aceitar uma conversa larga e profunda com Lucia Rito sobre sua vida e seu trabalho.

Há artistas que nos abalam com a potência do seu gênio; muitos, na tentativa desesperada de salvar o mundo, dele se afastam, às vezes virando as costas à própria arte, à vida mesmo. Fernanda, artista de gênio, em nenhum dos três itens foge ao centro: no meio do mundo, no meio da arte, no meio da vida. É assim que a vejo, ela mesma pouco a pouco entendendo seu próprio destino. Esse destino que confere ao seu trabalho uma dimensão que transcende a evidente excelência: suas criações são como os romances de Machado, os poemas de Drummond — descobrem (inventam) o sentido do nosso modo de ser; nos fundam, nos filtram, nos projetam. E nos acenam com enormes tarefas. Por isso não me preocupa se a chamam de "primeira-dama do teatro brasileiro". Não há nada da hipocrisia pequeno-burguesa no seu relativo ceticismo frente aos excessos experimentais em arte e vida: simplesmente ela não pode, *não deve* ser excêntrica, afastar-se demais do centro onde está o seu destino. Ela conheceu a modernização do teatro brasileiro em suas íntimas dificuldades, desde o tempo em que o "ponto" ditava o texto e os atores eram fichados na polícia, até os dias de dialética Arena x TBC. Sabe o que são as duas conquistas reais, não se deslumbra com mudanças de superfície.

Sendo ao mesmo tempo o oposto de uma excêntrica e o contrário de uma medíocre, Fernanda nos comunica responsabilidade. Do jovem ator talentosíssimo que me disse dela "essa veio para ensinar", ao presidente da República que a queria ministra da Cultura, todos revelam intuir nessa mulher feroz e serena uma vocação de líder moral. É que ela é civilizada e civilizadora. Ela é a encarnação da civilização brasileira possível. Ela é a grande dama do teatro brasileiro. E que sintoma de saúde do teatro no Brasil que seja assim! Sua primeira-dama não é uma virtuose acadêmica nem uma burguesa arrogante, tampouco é uma aventureira mistificadora: é uma mulher para quem "os fatos são fatos, os atos são atos e os nomes são nomes". Se este nunca se tornar um país são e respeitável é porque terá traído Fernanda Montenegro.

Em cena, ela estende um pano sobre a mesa, em silêncio, e tudo está dito sobre a mulher, a elegância, a condição humana e o teatro. De costas para a platéia, sua pele muito branca irradia uma intensa onda sensual, feita de fragilidade e firmeza, coragem e recato. É a luz tátil dessa pele que espero que o leitor encontre nas páginas que se seguem.

FERNANDA MONTENEGRO EM O EXERCÍCIO DA PAIXÃO, DE LUCIA RITO. RIO DE JANEIRO, ROCCO, 1990.

A ESTRELA NUA

Gal só me surpreendeu uma vez: quando a conheci e a ouvi cantar. Foi uma surpresa tão grande e tão profunda que ainda hoje vivo sob o seu impacto. Na hora eu pensei: "A maior cantora do Brasil". Daí em diante foi só acompanhar os modos com que essa constatação procurou se confirmar. Primeiro era a possibilidade de realização da cantora de bossa nova ideal, com a combinação exata de emissão e feeling que eu não encontrava em nenhuma outra (virtude ainda hoje intacta, a chuva de prata da sua voz cobrindo o país). Depois a realização do rockarnaval tropicalista que a tornou estrela. Para mim, sempre mais cantora que estrela, embora esse estrelato tenha sido quase sempre uma exteriorização do brilho da sua personalidade que antes só se revelava (e ocultava) no canto. Ouvi-la e, talvez principalmente, vê-la cantar "Força estranha" foi, para mim, tomar contato com um momento de integração equilibrada entre as três dimensões — pessoa, estrela, cantora. Vê-la cantar o "Balancê" foi entrar em relação direta com o mito: chorei quase duas horas seguidas depois de assistir ao show *Gal tropical* só por causa do "Balancê". Marina me alertou para o fato de que é perigoso manter uma fidelidade assim, obstinada, à luz que se vê numa pessoa, independentemente do que acontece com ela ou do que ela faz: nega-se-lhe o drama, todas as mudanças parecem ilusões de superfície, aprisiona-se a pessoa. De todo modo, creio que só eu compartilhei com Marina da opinião favorável ao show *Fantasia*, no meu entender o melhor espetáculo que Gal apresentou desde *Fatal*, com exceção talvez de *Cantar*, mas *Cantar* fui eu quem dirigiu... os números finais de *Gal tropical* eram lindos, mas o todo do show era muito estranho para mim. *Fantasia* nos pareceu (a mim e a Marina) forte, grande e sincero. Às vezes tenho certeza de que esse show teria sido um sucesso se tivesse sido lançado em São Paulo, onde o *Tropical* não pegou, como temi que o meu *Velô* talvez não começasse bem no Rio. Mas eu gostaria de que as pessoas pudessem ver Gal como eu vi no *Fantasia*. Estou absolutamente certo de que é um equívoco profundo e perigoso que assim não seja e muitas coisas não andarão bem enquanto isso não se der. Ali sim, eu a vi lindissimamente bem vestida e bem nua, no caminho certo e cantando bem. Não se trata de corresponder às subdesenvolvidas exigências brasileiras de que as cantoras sejam ao mesmo tempo manequins elegantes e pensadoras políticas (quem reparou na peruca loura da Ella Fitzgerald ou nas botinhas com *strass* de Sara Vaughan?). O fundamental é que a roupa se torne sagrada por quem a veste. Um corpo nu é uma mensagem complexa. Quando eu estava entrando na puberdade, eu era nudista, misturava meus desejos exibicionistas à ingênua idéia de que roupa é apenas uma repressão desnecessária, achava que não devíamos nos envergonhar do nosso corpo e não imaginava que o homem nunca é nu. Lembro do festival de rock da Ilha de Wight, milhares de pessoas nuas na praia: eu ficava excitado, mas não envergonhado ou escandalizado. Gal estava lá. Eu nem me lembro se ela tirou a roupa. Eu nunca namorei com ela. Uma vez tive uma pequena discussão com o jornalista Ruy Castro (terá sido mesmo esse?) por causa dessa mania atual de perguntar aos entrevistados se já treparam, se já brocharam etc. Foi na casa de Eduardo Mascarenhas e por causa da entrevista deste (ele tinha se atrapalhado na resposta à pergunta sobre brochada). Acho uma tolice que as pessoas se sintam na obrigação de narrar suas intimidades. Pois bem, eu e Gal sempre brochamos todas as vezes que tentamos brincar de namorar. No início da nossa carreira, dividíamos a cama de casal de Guilherme Araújo em Sampa. Todas as noites eu tentava seduzi-la com um disco de Bob Dylan e papo-furado. Ela sempre resistiu e terminávamos as noites às gargalhadas. Acho que na época dos Doces Bárbaros, na Bahia, nós tentamos fingir que íamos namorar no hotel onde ela estava hospedada. Foi legal porque aí eu a vi nua como agora ela aparece em algumas dessas fotos bonitas e carinhosas que Marisa fez. Tomando banho. Gal é linda. Tem uma boca linda e é magnífico que por essa boca saia exatamente essa voz. Sempre a senti mulata e uma das coisas melhores de ela ter cortado agora os cabelos e tirado essas fotos nuas é a revelação de sua mulatice. São deslumbrantes sobretudo as poses onde a bunda aparece de perfil, bem negra e bem dura. Há muita alegria física e muita dignidade nesse corpo de mulher madura e menina. Eu não sou leitor (voyeur) dessas revistas de nus. Raramente olho, e sem muito interesse, essas publicações. Parece que eu não tenho tempo para isso — é como jogar baralho ou assistir a futebol pela TV. Me entedia. Um dia Regina Casé me pediu um conselho sobre se devia ou não liberar fotos suas para uma dessas revistas, e eu não soube dar. Gal também me perguntou, e eu disse: sou indiferente. Não me sinto, no entanto, indiferente diante de todas as fotos de mulher nua (ou homem nu) que eu vejo. No caso de Gal, especialmente, eu sinto mil emoções relacionadas com o encontro de extensões daquela qualidade essencial que um dia eu percebi na sua voz.

STATUS, Nº 127, FEVEREIRO DE 1985.

Texto de apresentação do ensaio fotográfico *A estrela nua*. Fotos de Marisa Alvarez Lima.

SOBRE A BELEZA
DE BETHÂNIA

Penso em Rodrigo, nosso irmão mais velho, toda vez que medito sobre a beleza de Bethânia. Muitas vezes, no meio do almoço, ele fixava extasiado o rosto dela ainda menina e gritava do mesmo jeito que eu hoje grito "Jorge Ben é o maior de todos nós": "Bethânia é linda". Acho que ela própria se achava feia, ou temia sê-lo. Rodrigo teorizava um pouco, tecia considerações sobre a comovedora curva da sobrancelha que pendia lírica de uma testa imensa e luzidia. Tenho certeza de que ele sabia, como eu sei agora, que não se trata de tomar o feio por bonito, obedecendo a uma perversão do gosto. Ao contrário, trata-se de estar apto para captar a beleza exatamente nesses momentos importantíssimos em que ela dribla o olho viciado em admirar seus sucedâneos para, assim, libertada, poder crescer, dominar, vencer.

Quando Bethânia se lançou profissionalmente, eu me irritava com os comentários na imprensa sobre sua "feiúra". Não por ela ser minha irmã e eu desejar-lhe elogios, mas sobretudo por não suportar a cegueira das pessoas diante do lance estético que é o aparecimento da figura física de Maria Bethânia. Eu era impaciente. Eu era mais impaciente do que sou hoje e sempre tive essa ansiedade de ensinar tudo que eu descubro a todo mundo. Com o tempo, a própria Bethânia e os outros foram traduzindo a mensagem visual que ela porta ou que ela é. Lembro de Dedé, em Londres, fazendo uma campanha para Bethânia deixar de usar peruca ou alisar o cabelo — Bethânia prometeu que, assim que chegasse ao Brasil, faria um show com os cabelos ao natural.

Foi o *Rosa dos ventos*. Mas uma mulher, uma fotógrafa, contribuiu decisivamente para que tudo isso fosse possível: Marisa Alvarez Lima, numa série de fotografias para a antiga revista *O Cruzeiro*, onde os lábios, a pele, os seios de Berré se revelam e revelam o que é que a beleza queria dizer com tudo aquilo.

Algo ou muito do que aqui foi dito sobre a beleza física de Bethânia também se poderia dizer sobre a sua beleza moral e/ou intelectual. Este livro é um deslumbrante ensaio sobre isso. Quando eu vi, em casa de Marisa, a série de slides de que ele se compunha, acreditei estar diante do ponto mais alto da mitologia brasileira contemporânea, mas também diante do documentário mais realista sobre uma pessoa do Brasil de agora. Acho que desde o show *Rosa dos ventos*, de Fauzi Arap, não se faz uma coisa tão profunda sobre Bethânia. Como irmão, colega, discípulo, tutor, admirador e amigo, sinto que este livro me recarrega de felicidade. Obrigado, Marisa. A Bethânia nem dá para agradecer.

Apresentação do livro *Maria Bethânia*, de Marisa Alvarez Lima, editora Intersong, 1981.

O PERFIL
DE BETHÂNIA

O perfil de Bethânia é um dos mais belos perfis de mulher que já houve. Sua testa avança numa convexidade incomum e o homem superior logo nota que ali se guarda um cérebro incomum. Sob a testa, cujo arrojo estanca na linha descendente da sobrancelha, que é como que uma versão suave da máscara da tragédia, desenha-se o nariz espantoso: é o nariz do chefe indígena norte-americano, é o nariz da bruxa, o nariz de Cleópatra e, no entanto, é o único nariz assim, os outros são apenas uma referência a ele. Se esse nariz na vanguarda de uma batalha que o homem superior adivinhou tramar-se no cérebro por trás daquela testa aponta orgulhosamente para o futuro da beleza, a boca parece desmentir a armada: emergindo a um tempo brusca e suavemente à flor do visível, ela anuncia o mel que destilará e consumirá: em palavras, em beijos, em mel. Sim, porque se os olhos traem o corpo por serem uma revelação do espírito inscrito na carne, a boca trai o corpo por ser uma revelação do próprio corpo. Insondáveis são os mistérios do espírito e olhos que vêem inquietam-se diante de olhos que vêem.

Mas os mistérios do corpo não são menos insondáveis e a boca, esse transbordamento do lado de dentro de um corpo vivo para o seu exterior, é um pequeno escândalo permanente. Assim, a boca de Maria Bethânia, vista aqui de perfil, primeiro parece negar e depois explica e aprofunda a informação plástica estampada na parte superior de sua cabeça: traduz em doçura e amargor o que fora enunciado em dureza e alegria. O que seu queixo arremata numa curva fresca de felicidade infantil. Uma esfinge, um pierrô, uma astronave. Apenas o rosto de uma mulher, desta mulher, pequena e franzina, que deixa o espírito sair pela boca e queima a carne com a luz dos olhos. Que nos dá as costas para falar com alguém do outro lado e depois se volta, agora de frente para nós, indecifrável. Rodrigo, nosso irmão mais velho, sempre achou Bethânia lindíssima.

Outro dia, uma mulher que eu conheço pouco me encontrou no Baixo e me perguntou: "O que foi que aconteceu com Bethânia? Quando ela apareceu logo eu via vocês no Cervantes e achava ela horrorosa, agora eu acho que ela é uma das mulheres mais bonitas do Brasil". Eu respondi: "Com Bethânia não aconteceu nada, você que era burra". A moça não gostou de ser chamada de burra e disse: "Digamos que eu era insensível". Eu falei: "Insensível é pior que burra". Ela riu.

Mais ou menos aí pelo meio da década de 70, Bethânia me pediu para dirigir um show para ela. Ela ainda não tinha passado para a faixa AM, como se diz, mas eu já percebia (ou antevia) na sua trajetória um brilho de grande estrelato e bolei um show que ao mesmo tempo o assumisse gritantemente e o criticasse honestamente. Escolheríamos uma grande casa de espetáculos (o Municipal?) e faríamos três dias de grande gala com grande orquestra, uma bateria de escola de samba, um pequeno conjunto elétrico pesado, atabaquistas de candomblé, iluminação de Ziembinski, um repertório cheio de mudanças de clima com fortes efeitos e, com esses elementos, comentaríamos os temas da riqueza, do poder e da vitória. Cheguei a esboçar uma canção violenta sobre o dinheiro. Bethânia me ouvia reticente e, por fim, chamou o Fauzi Arap para conversarmos. Este me ouviu ainda mais reticentemente e eu comecei a achar meu projeto ridículo. Era e não era. Um espetáculo assim, então, teria sido um corte brusco na construção natural do estrelato de Bethânia e ela, que também o desejava e o criticava ao seu modo, deve ter achado que tudo isso pareceria muito presunçoso. Creio que foi o show chamado *Cena muda* que terminou resultando daí: Fauzi incorporou a temática do dinheiro e do poder a um espetáculo para sala pequena e longa temporada, como Bethânia e ele vinham fazendo habitualmente. Ele tem repetido incessantemente (com palavras e atos) que esse é o elemento de Bethânia, que foi em teatro pequeno que ela surgiu e aí que ela se dá melhor, que ela não é filha das emissoras de televisão nem das grandes gravadoras. E ninguém poderia em sã consciência dizer que ele está errado. Ressalte-se também que essa posição não nasce de um preconceito que ele porventura nutra contra artistas que tenham identificação com a tv ou o disco: Fauzi partilha comigo de uma admiração e um carinho por Elis Regina em que o fato de ela ter sido lançada pela televisão não só não é esquecido, como surge até determinando em parte os sentimentos. Não. É a especificidade da arte e da pessoa de Maria Bethânia que ele procura captar da melhor maneira possível, quando age e fala como o faz. Por isso, me enterneço quando leio no programa do *Estranha forma de vida* que ele se sente talvez no lugar do "Mano Caetano", ao dirigir Bethânia.

De fato eu dirigi o primeiro show dela. Foi na Bahia, no Teatro Vila Velha, e chamava-se *Mora na filosofia*. Era composto de canções e textos. Fauzi não viu. Mas quando eu assisti a *Rosa dos ventos* cheguei a perceber nele uma espécie de mediunidade. Não que houvesse qualquer semelhança exterior entre o que eu tinha feito e o que ele estava fazendo: era uma coisa mais funda de sacação dos climas secretos. Na verdade, nós somos muito diferentes e é claro que eu desgosto de alguns lances: achei que beirava a demagogia aquela cena no Cine Show Madureira onde Bethânia ironizava "a voz de uma pessoa vitoriosa" (assim como meu antigo plano de supershow beirava a pretensão e o suicídio artístico), não me identifico com esse sentimento de que o artista é o marginal inadaptado e não consigo gostar da Geni do Chico (perdão, Glauber), apesar de comentá-la através do "Se eu quiser falar com Deus", de Gil (canção de que eu também não sou o maior fã).

Por outro lado, adoro ver Bethânia em situações diferentes (o show com o Chico no Canecão, o show dirigido por Waly Salomão, Doces Bárbaros etc.) e, sinceramente, ainda gosto mais do show *Fantasia* de Gal-Guilherme do que do *Estranha forma de vida*. Ambos são shows magníficos, mas, como disse Marina, o *Fantasia* é mais minha cabeça e minha cultura. Contudo, o mais importante é que, para além da cultura e da cabeça, Fauzi Arap atinge o fundamental da arte e da pessoa de Bethânia através de uma espécie de magia. *Estranha forma de vida* é, de fato, um claro instante na história da relação amorosa que há entre Fauzi e Bethânia. Relação da qual eu tenho um ciúme cheio de orgulho, cuja intensidade pode ser medida pelo espaço que ele terminou tomando neste escrito.

Eu sempre achei que Bethânia é a filha favorita de minha mãe. Dizem que Freud escreveu que um "mother's baby" terá sempre sucesso. Tenho tido muita inveja de Bethânia porque na minha fantasia os acontecimentos da vida dela possuem uma espécie de inteireza diante da qual a minha própria vida parece consistir numa série de imprecisões e transparências. Roberto, o nosso irmão imediatamente mais velho do que eu, me disse que inveja em Bethânia o modo intenso como ela vive suas emoções. Não me lembro de ter tido ciúmes quando, aos quatro anos, "vi" Bethânia nascer. Como se sabe, escolhi o nome para ela, contra toda a família, e considero isso uma profecia: é mais do que óbvio que ela só se podia chamar assim. Ela foi a única adolescente rebelde da família e, nessa altura, eu interferi a seu favor, o que me pôs na posição de meio-tutor e meio-cúmplice. Aprendi, então, com ela, a vivência da rebeldia. Eu tinha inteligência: conferia legibilidade e legitimidade a seus atos e acessos aparentemente desarrazoados.

Data dessa época o companheirismo que há entre nós e que só morreu uma vez para renascer em outro nível, mais forte. Hoje somos mabaços, gêmeos, dois leões, a mesma pessoa (como disse Cortázar e gente muito mais importante do que ele). E representamos bastante bem, para um número enorme de pessoas, o amargor e a doçura de Santo Amaro, a beleza de meu pai e minha mãe, o talento de Nicinha, Rodrigo e Mabel, a integridade de Clara Maria, o brilho de Roberto, a franqueza de Irene, o mal e o mel da Purificação.

João Gilberto disse para mim e para Gil, depois da gravação de que Bethânia participou no *Brasil*: "Que lindo, Maria Bethânia!... Ela veio, brincou com a gente mas não saiu do trono dela". Perna Fróes (também geminiano como João e ela) falou uma vez: "Beta, você não vai errar nunca". Chico Buarque declarou que a ela ele obedece cegamente. Eu, Gil e Gal podemos discutir as atitudes e posturas, mas com relação a Bethânia há sempre um respeito aristocrático que o ritmo de seu comportamento exige. E nós estamos sempre aprendendo com ela algo dessa majestade, sem nunca se meter em movimentos ou projetos de grupo, sem ser um líder intelectual. Ela é para nós uma espécie de guru. Assim, o espetáculo *Doces Bárbaros*, que nós fizemos juntos, foi primeiro uma coisa dela e depois algo com que ela não tinha nada a ver.

Agora, quando a vemos vir ressurgindo lentamente no palco, por detrás das lindas cortinas transparentes que o adorável Flávio Império desenhou para sua volta aos pequenos teatros, no ritmo poeticamente perfeito que Fauzi encontrou para instaurar o clima de concentração e cuidado requeridos pelo tipo de espetáculo que eles escolhem fazer, somos levados a pensar mais uma vez: Bethânia é uma deusa da sabedoria.

CARETA, RIO DE JANEIRO, 18 DE AGOSTO DE 1981.

ESTRANGEIRO

PARIS

Paris, Macunaíma, a vida irreal em Hampstead Heath, o cinema, a crônica incurável do viver baiano novecentista, Bath Festival, a primaveracidade de Londres, a primavoracidade grega junto do Mediterrâneo catalão, *si us plau*: que preguiça. Quem tem saco pra Virgínia Woolf? Nos setenta milímetros do infinito, nos dois mil e um anos de viagem, na longa-metragem, no urubuquaquá no pinhém, anywhere, no século passado, eu, no presente, eu, no singular, desgarrado da nave, caindo? para fora da tela, desprojetado, eu, hein, rosa?, a minha fantasia, meu pesadelo, desprotegido, eu, não. O cavalheiro do apocalipse, o primeiro último de nós, esse não segue viagem nem cai da nave: apenas louvaria o ocorrente. Eu, não. Eu sou ele. Eu nem isso. Mesmo porque não está ocorrendo exatamente nada. Ou melhor nada está ocorrendo exatamente. Nada assim como a gente possa dizer. O Mediterrâneo não é como o mar da Bahia. Aqui, na Costa Brava, o mar é frio pra burro. Os turistas franceses não acham. Os turistas franceses são muitos e ouvem músicas chatas. Ninguém reconhece em mim um turista brasileiro. Nem eu. Crônica. A inglesa deslumbrada: ai de ti, Copacabana. O festival de soleiras que embesta o país. Vana verba. Telhas vãs. Redes, papos de anjo. Tonzinho querido. Tomar uma agüinha de coco, sofrendo a brisa mansa de Itapoã. Um daqueles passarinhos viria pousar no braço da vitrola, mas isso não incomodaria Joãozinho que continuaria construindo seu labirinto que vai da beira rio para a mesma beira do rio. E assim por diante e cronicamente e incuravelmente. No restaurante, alguns franceses discutem sobre as minhas origens. No bar, o soldado espanhol reclama do modelo do meu calção: acha pequeno demais, pede pra eu botar a calça. Eu boto a camisa. No fim da conversa, ele já percebeu que o meu calção não é dos menores que há ali e que ele apenas me abordara porque minha cara era esquisita. Quase sorri, quase pede desculpas, vai embora. Ganha, por causa de sua cara muito esquisita, o apelido de João Bafodeonça. Tudo acontece cronicamente neste veraneio acadêmico. Assim eu como almejas ao vapor e peço mais uma orchata. Os outros tomam sangria. A nave segue, a tela é enorme, eu tenho medo. Ampúrias continua de frente para o mar. O mar. O asfalto. A tramontana. As ruas estreitas de La Escala, as casas antigas, as pedras etc. etc. A casa onde estou morando foi construída recentemente em estilo funcional: frente torta, canos azuis fazendo de sacada, nada funciona. — Ah, meu velho, antes fosse isso... Barra limpa, barra limpa. Tudo legal. Vamos para o terraço cantar. Há um terraço. De lá se vê o mar. Barra limpa. O sol está quente, mas a brisa tramontana abranda. O vento fustiga, mas o sol consola. Etc. No terraço a gente canta de cima. A nave segue, crônica, mas a gente pode cantar jóias da música popular brasileira acima do Ben e do Mautner.

O PASQUIM, 19 DE AGOSTO DE 1970.

LISBOA REVISITADA

Lisboa revisitada: Santo Antônio veio a Alfama/ E anda metido em cantigas/ Lá no céu já chega a fama/ Da graça das raparigas. Parque Mayer, não longe do Rossio. O *Prato do dia*, o teatro de revistas português não está só perto do teatro de revistas carioca na sua fase anterior a *Tem bububu no bobobó*, mas também dos ingênuos bailes pastoris de Dona. Sinhazinha Baptista em Santo Amaro. Os músicos jovens que trabalham na televisão são saudosistas da bossa nova. E odeiam o fado. Falam em harmonias complicadas e procuram explicar a "decadência" da música brasileira nos últimos anos. Um deles me disse que a bossa nova havia sido um milagre dentro da realidade brasileira e que por isso não lhe foi possível subsistir: o povo brasileiro não tem nível para coisas avançadas como o que o Tom fez, como o que Edu fez etc. Ele dizia achar muito triste que, depois de ter atingido o nível musical que nós atingimos, nós tivéssemos voltado para um tratamento harmônico primário.

A platéia portuguesa me fez tremer de medo: a chamada terra mãe é fogo. Parecia que as famílias de Santo Antônio Além do Carmo, de Santo Amaro, de São Félix, de Cachoeira tinham se reunido no auditório da televisão e, sendo de onde eram, conheciam muito bem, na sua cegueira, todos os meus segredos.

O sol estava muito claro e Portugal é bonito.

Alguns meses (não poucos) em Londres me fizeram capaz de gostar de alguma arquitetura que não seja portuguesa e eu descobri a beleza de Paris. Lisboa mudou muito com isso:

tornou-se de algum modo uma Bahia sem sangue, o que ela tem sido para tanta gente, uma Bahia filtrada pela Suíça. Ai, meu Deus, o que é isto?, uma juba de leão? Se aparecesses de noite, cagava-me toda. Ai, flores. Ai, Jesus. Isto é um homem ou uma mulher? Navegar é preciso. Videoteipe, mormaço.

O programa de estúdio saiu muito bem cortado e muito bem iluminado. Pensei comigo que isso, tal como a bossa nova no Brasil, havia sido um milagre. Durante a feitura do programa ninguém sabia quem era responsável por quê. O Baixinho e o Abujamra são considerados a equipe de Sérgio Mendes junto dos produtores portugueses, em matéria de organização. Cantei "Os argonautas" com tanta timidez que os meus amigos músicos-carpideiras-da-bossa-nova acharam genial: de fados como este nós gostamos. Eu tinha dito durante o programa que "Os argonautas" não era um fado. E não é mesmo. Pela Alfama gritos ecoam, vindos da Parreirinha, da Nau Cat'rineta. Viver não é preciso. Em Paris, Nara grava uma antologia da bossa nova e o seu "Desafinado" me comove. Nara brincando com o milagre, ainda não reconciliada com o amor, o sorriso e a flor. E sem barquinho.

Navegar não é preciso. Todos acham que eu falo demais. Você bem sabe: eu sou rapaz de bem. E a minha onda é do vai-e-vem. O Rio de Janeiro continua lindo e eu, como estou virando cronista, vivo cantando as músicas de Juca Chaves, aquelas do tempo em que ele era o cronista de um Brasil engraçado. A bossa nova era a essência dessa graça e era natural como todos os milagres. Meus amigos portugueses dizem coisas sobre a bossa nova, Juca Chaves diz coisas sobre a bossa nova, Nara. Vai, minha tristeza, e diz a ela que sem ela não pode ser. Diz-lhe numa prece que ela regresse porque não posso mais sofrer.

Chega de saudade.

O PASQUIM, 12 DE AGOSTO DE 1970.

QUANDO EU ESTAVA PREPARANDO MEU SEGUNDO LP

Quando eu estava preparando meu segundo LP (aquele para o qual Rogério Duarte fez uma capa com mulher e dragão e retrato oval), escrevi um texto prafrentex para a contracapa. Durante o período de gravações recebi em São Paulo a visita de Fernando Lôbo (autor de "Chuvas de verão", música que vim a gravar algum tempo depois na cidade de Salvador, onde gozei grilado quatro meses de confinamento). Era uma visita profissional; ele vinha buscar o texto da contracapa e marcou, pelo telefone, um encontro no Patachou pedindo que eu o levasse. Eu disse o.k. mas não achei o texto na hora de sair nem nunca mais. À mesa do restaurante, eu informei Fernando da perda e ele me informou da necessidade de voltar na manhã seguinte para o Rio com tudo pronto para imprimir a contracapa: caso contrário o disco atrasaria um mês. Como eu preferia que o disco saísse péssimo do que atrasado, concordei em aceitar o papel e a caneta que ele me oferecia enquanto me ameaçava com a terrível informação. Reescrevi ali mesmo o babado todo que eu pensava ter esquecido. Enquanto eu trabalhava, as pessoas conversavam. Inclusive comigo. "Eu gostaria de fazer", eu ia tentando lembrar, "uma canção de protestos de estima e consideração, mas esta língua portuguesa me deixa louco", eu escrevi e imediatamente percebi que não tinha escrito *rouco*, como da primeira versão. Cortei *louco* e escrevi *rouco* em seguida. Não sei se foi isso que deu a Fernando a idéia de reproduzir meu manuscrito na contracapa do disco ou se ele já havia falado nisso antes. Só sei que concordei com essa idéia para não dificultar as coisas: na época eu teria preferido que o texto saísse datilografado; algum tempo depois eu preferiria impresso mesmo; hoje, não sei. De qualquer forma, eu gostava da piada. Não tanto da que resultou do erro, mas da piada original. Por nada: apenas porque dizer que a língua portuguesa me deixa rouco era verdade, enquanto dizer que a mesma me deixa louco dava a impressão de que eu tinha em mente ressaltar mais uma vez o fato de nós falarmos e escrevermos numa língua não-exportável. Quando, na verdade, eu não estava sentindo nada disso. Pelo contrário: estava alegríssimo, compondo desbragadamente, sem sonhar com exportação.

Hoje, vivendo na Inglaterra e escrevendo em inglês, tudo isso me parece mais engraçado. A língua inglesa me deixa louco. Simone Weil escreveu que, para um crente, é tão perigoso mudar de religião quanto para um escritor mudar de língua. Eu não tenho nada com isso que eu não sou escritor: eu sou cantor de rádio.

Mas é uma loucura escrever letra de música na língua dos outros. A gente nunca sabe se está dizendo o que está dizendo. Na verdade, eu sou irresponsável o bastante para viver e, quando escrevo em inglês, não faço senão brincar com as formas familiares de letra de música americana, misturando-as com uma espécie de tradução para o inglês de algumas idéias e bossas que eu trouxe da minha experiência na native tongue. Mas acontece que, além de irresponsável, eu sou muito curioso. De modo que não me é difícil escrever essas letras de música em inglês: o que me enlouquece é a curiosidade de saber o que é que elas dizem. Talvez em outro lugar essa curiosidade já tivesse sido satisfeita, mas na Inglaterra é fogo, porque os ingleses não falam. Quando eu mostro algumas dessas músicas que eu estou fazendo agora a um amigo inglês, ele ou diz que é fantastic e fica em silêncio, ou fica em silêncio de vez. De forma que, até hoje, eu não conheço direito minhas novas músicas. Mas assim mesmo subi no palco do Royal Festival Hall para cantá-las. Nunca estive tão calmo e displicente num palco: não me sentia responsável por coisa nenhuma, nem sequer sabia direito o que estava dizendo. Foi superbacana. Um sarrete. Era o avesso do show de despedida que nos foi permitido fazer no Teatro Castro Alves, onde todo mundo sabia de tudo. Aqui ninguém sabia de nada: Gil estava cantando e tocando genialmente seu violão enquanto eu tomava Coca-Cola um pouquinho, dançava um pouquinho. Ficamos no palco uma hora cantando aqueles negócios. Para mim alguma coisa, não tudo, alguma coisa se traduziu (muito pouco na verdade: apenas vi que aquilo era o avesso do show do Castro Alves) quando eu cantei "Asa branca", a única canção que eu cantei na última flor do Lácio. Só posso dizer que tentei fazê-lo da maneira mais inculta e mais bela possível.

O PASQUIM, 26 DE MARÇO DE 1970.

HOJE QUANDO
EU ACORDEI

Hoje quando eu acordei eu dei de cara com a coisa mais feia que já vi na minha vida. Essa coisa era a minha própria cara. Eu sou um sujeito famoso no Brasil, muita gente me conhece. Eu acredito que a maneira pela qual esse conhecimento se dá pode dizer muito a mim mesmo sobre mim. Acho que uma capa de revista pode ser como um espelho para um homem famoso. Quando um homem vê a sua cara no espelho ele vê objetivamente em que estado a vida o deixou.

O videoteipe, a fotografia colorida e as manchetes que incluem o nome de um homem famoso são também assim como o espelho. Durante todo o tempo em que eu estive trabalhando em música popular no Brasil, eu sempre levei em conta esse fato. E eu pensava que estivesse fazendo alguma coisa, pois a imagem que me era devolvida era a de alguém vivo, em movimento, passando realmente por entre as coisas.

Hoje eu fui à aula de inglês e Mr. Lee me ensinou a usar direct speech em lugar de reported speech. Depois da aula King's Road estava uma beleza sob uma chuva fria e crônica. Eu atravesso as ruas sem medo, pois eu sei que eles são educados e deixam o caminho livre para eu passar. Mas eu não estou aqui e não tenho nada com isso.

Estou andando como os homens, com meus dois pés. Não penso em fazer nada. Alguém entende o que seja isso?

O cara que vende cigarro no Picasso fala espanhol. Na janela da casa onde eu estou morando tem uns gerânios que já estão secando por causa do outono. Meu coração está cheio de um ódio opaco. As crianças inglesas são belas e agressivas. A Rainha Elizabeth está pedindo aumento de salário. Eu não dependo disso tudo. Nada disso depende de mim. O aspirador não serve pra limpar as cortinas porque é muito pesado. Aqui em casa. O Rei esteve ontem aqui em casa e eu chorei muito. Se você quiser saber quem eu sou, eu posso lhe dizer: entre no meu carro, na estrada de Santos você vai me conhecer.

Talvez alguns caras no Brasil tenham querido me aniquilar; talvez tudo tenha acontecido por acaso. Mas eu agora quero dizer aquele abraço a quem quer que tenha querido me aniquilar porque o conseguiu. Gilberto Gil e eu enviamos de Londres aquele abraço para esses caras. Não muito merecido porque agora sabemos que não era tão difícil assim nos aniquilar. Mas virão outros. Nós estamos mortos.

Ele está mais vivo do que nós.

O PASQUIM, 27 DE NOVEMBRO A 2 DE DEZEMBRO DE 1969.

MEU PREZADO SIGMUND — EU NUNCA VI TANTO SANGUE EM MINHA VIDA

Eu nunca vi tanto sangue em minha vida. Gente morrendo e sangrando em câmara lenta. *The wild bunch* parece um musical luxuoso. Lama e sangue. Um travelling dos caubóis americanos deixando uma aldeia muito pobre do México, filas de crianças doentes e sujas e "La golondrina" cantada em coro. Ontem foi o dia mais quente em Londres desde 1808, dizem os jornais. Eu não queria ver o sangue tão de perto, tão devagar. Estou reouvindo Jorge Ben: se manda, vai-se embora. Eu não quero mais você. Cada vez eu me convenço mais que Jorge Ben é um dos maiores artistas da música brasileira. No LP *O bidu*, que saiu em 67, você pode ver como ele tem uma das obras mais originais e íntegras de toda a história da música popular no Brasil. Ele é um santo. Na Pituba, em Salvador, estava tendo um inverno cheio de sol e a gente ia para a praia com um rádio de pilha para ouvir o Zé Veneno ao meio-dia. Ferro na boneca. Ferro na Boneca. Zé Veneno—França Teixeira é um desses caras geniais que inventam uma linguagem, espalham gírias novas pela cidade. Eu passei quatro meses morando em Salvador antes de vir para a Europa. Várias vezes pensei em gravar um dos programas do França Teixeira e depois copiar tudo o que ele diz. Deveria ficar bonito. Um dos meus amigos da Bahia podia me mandar uma cópia escrita de um dos programas dele agora. Ferro na Boneca. O meu professor de inglês detesta os americanismos lingüísticos. Mas eu morro de rir. Eu vou para a escola todo dia e sou um bom aluno. Meus colegas são alemães na maioria e tudo que é difícil para eles é fácil para mim. Os textos cheios de palavras latinas são considerados difíceis e elevados. Para mim torna-se fácil brilhar. Eu me lembro do Colégio Severino Vieira, de Emiliana, de Celeste Aída, de Marina, de Nando e até de Wanderlino. O pátio do colégio parece o pátio de uma prisão ou de um quartel, mas a rua é muito bonita, cheia de tijolos como todas as ruas de Londres. Recebi recortes de jornais brasileiros com reportagens sobre o festival da canção. Macalé está lindo. Macalé devia estar genial com os brasões, eu gostaria muito de ter visto. O texto da reportagem não diz nada sobre nada. Apenas informa que a direção do festival pretende proibir os conjuntos de guitarra elétrica no próximo ano. Quem escreveu a reportagem não achou bacana essa decisão. Nem eu. Gostei foi da fotografia do Macalé. Soube depois que a música brasileira venceu na parte internacional de novo. Ferro na Boneca. Estou gostando muito do LP novo dos Beatles. Gosto muito mais deste do que do anterior. Aquele era muito grande, eu nunca consegui ouvir todo. Não me animava. Este agora parece que é o mais bonito desde *Sargent Peppers* e é semelhante ao *Revolver*. Desde o dia do lançamento pela televisão que Guilherme comentou que era um disco bacana e eu concordei. Agora que eu tenho ouvido muito estou gostando cada vez mais. "Here comes the sun" é maravilhoso. E o resto também. Além disso eles estão cantando em conjunto melhor do que nunca. Dá a impressão que breve eles vão fazer uma apresentação em público. Enquanto o disco anterior parecia um livro muito grande. Lilico está querendo participar dos direitos do aquele abraço? Ele é bacana. Gil realmente fez a música com aquele refrão por causa dele — citá-lo sem mencionar o nome era a intenção de Gil. Ele era bem querido na Zona Norte do Rio e na Bahia, quando nós saímos de lá, ele já estava pegando. Eu achava que a poesia da música era maior para quem já conhecia o Lilico pela televisão. Quanto ao problema de dinheiro etc. eu não dou opinião: é uma questão jurídica que será resolvida como for. Quanto ao Lilico na televisão, nós realmente éramos fãs dele quando estávamos na Bahia. É bonito isso? Eu fiz uma canção aqui e escrevi uma letra que ainda não está musicada. Acho que vou mandar para Elis. Talvez eu mande para *O Pasquim* em primeira mão para ser publicada. É muito simples. Eu estou meio cansado pra fazer coisas compridas e trabalhadas. Só escrevo alguma coisa quando já vem pronta na cabeça. Gil está cantando na sala. Nós não estamos nem alegres nem tristes nem poetas. Eu gostaria de ver a Bahia antes de morrer. *Dona Flor e seus dois maridos,* de Jorge Amado, está na lista dos best-sellers do *Time.* Hélio Oiticica foi convidado pela Universidade de Sussex para ficar lá fazendo experiências.

O PASQUIM, 6 A 12 DE NOVEMBRO DE 1969.

MEU PREZADO SIGMUND —
MEUS PRIMEIROS
PASQUINS EM LONDRES

Meus primeiros *Pasquins* em Londres. Eu tinha ido ver uma apresentação do conjunto americano Led Zeppelin e, na fila, comprei o *International Times*. O conjunto era legal e a platéia melhor ainda, de modo que acabou mais tarde do que a gente previa. Depois foi difícil achar um táxi na cidade. Quando eu cheguei em casa resolvi deixar o *International Times* para ler no dia seguinte, que era hoje. Quando acordei encontrei dois números do *Pasquim* na sala. Adiei de novo a leitura do *IT*. Não contarei nada sobre os skinheads agora. No *Pasquim*, que tem a entrevista de Jorge Ben, eu li primeiro a entrevista de Jorge Ben. Achei bacana. Jorge Ben cada ano sai melhor. Achei engraçado ele pichar um pouco o Guilherme Araújo. Eles eram tão amigos. Além disso, pichar o Guilherme já está chato, parece coisa do Sérgio Bittencourt ou outras pessoas sem imaginação. Achei bacana foi o tom de sacanagem da entrevista e a maneira admiravelmente poética de o Jorge responder. No *Pasquim* que tem a entrevista do Dr. Alceu, li primeiro meu próprio texto. Não achei nada. Depois li a carta do Maciel e achei porreta. "Here comes the sun. It's all right" — dizem os Beatles em *Abbey Road*.

Tá o.k., digo eu. Ferro na Boneca. Aí eu li o Dr. Alceu e achei fantástico. Ele é um homem retado, grave, elegante. Achei bacana o que ele disse sobre o Nelson Rodrigues (meu personagem favorito), tão elegantemente diferente do que o Nelson Rodrigues (meu autor favorito) diz dele. Enfim, gostei muito do *Pasquim*. Achei que tem vitalidade demais e, cada vez mais longe do Brasil, já não consigo entender bem como isso é possível. Poderia dizer que dá medo. Principalmente a entrevista do Jorge Ben é viva demais, bonita demais. Por que só agora um gênio como ele tem espaço bastante para falar de um jeito que deixa ver a grandeza da sua personalidade, a sua saúde toda? O Brasil é muito esquisito. Mas Deus é grande. Os skinheads estão dando o que falar, mas eu ainda não li o meu *IT*, um dos pasquins daqui, portanto, depois eu conto. "Here comes the sun", dizem os Beatles — FERRO NA BONECA, grita a torcida do Bahia na Fonte Nova, no meio da Ladeira da Fonte das Pedras. Fonte Nova, o sol rei, it's all right. It's all right. Os hippies passam os dias sentados junto à estátua de Eros, em Picadilly Circus. A estátua de Eros está no topo de uma fonte. Desde que eu cheguei a Londres que está sempre caindo água demais da fonte. Há quem diga que isso é uma bolação das autoridades para espantá-los de lá. De qualquer modo, eles continuam lá sentados e a água da fonte de Eros é abundante, o que soa como uma metáfora. It's all right, Maciel. Ferro na boneca. Há um abismo na porta principal, mas it's all right, here comes the sun, Deus é grande. O *Pasquim* tem vitalidade demais. Atrás do trio elétrico só não vai quem já morreu. Fonte Nova. Ferro na boneca. Gostei de o Dr. Alceu falar sobre a alma lírica brasileira. Eu gosto disso. Nelson Rodrigues também fala sempre nisso. Eu acho bacana. Talvez porque eu esteja cansado de tanta juventura.

Talvez porque eu esteja cansado, à maneira de Nara se cansar das coisas, eu tenho vontade de ouvir coisas sobre a alma lírica brasileira. Nelson Rodrigues fala coisas lindas sobre a alma lírica brasileira. E Nelson Rodrigues é um poeta laureado, condecorado. Que esta ironia final, à qual eu não pude resistir, não venha desacreditar a sinceridade com que eu afirmei antes gostar da falação do Dr. Alceu sobre a alma lírica brasileira.

p.s.: adorei o artigo do Sr. Temístocles de Castro e Silva, do *Correio do Ceará*. Parece um livro do Sr. José Ramos Tinhorão.

O PASQUIM, 5 DE NOVEMBRO DE 1969.

MEU CARO SIGMUND —
A FELICIDADE
É UMA ARMA QUENTE

A felicidade é uma arma quente. Veja como as coisas traduzidas são. De longe eu ouço alguém cantando em Queen's Gate: "Nelson Rodrigues jumps the gun, Nelson Rodrigues jumps the gun...". Estou certo de que foi isso que o John Lennon escreveu. Veja como as coisas traduzidas ficam. Eu não consigo entender nada do que esses ingleses falam. Eles, ao contrário, entendem tudo o que eu digo. Veja as coisas traduzidas: Hide Park — raio que o parta. A grama é lindíssima. Pela primeira vez eu me sinto num país exterior. Por mais próximo que você chegue dela, a grama londrina não decepciona. Dentro do Round House há um domingo hippie, ou coisa que o valha, beautiful people, uma gente realmente muito bonita. Eles agora pulam enquanto dançam, de modo que fica igual a um baile de Carnaval. Você pode imaginar que mais de um milhar de pessoas dancem, pulem e gritem de uma da tarde até às onze e meia da noite sem que ninguém paquere a sua mulher, sem que ninguém brigue ou sequer pareça de longe que gostaria de brigar? A estranha paz dessa juventude dá medo. Parece que nós vamos todos morrer dentro em breve. Você entra no ARTSLAB (mini-cine-bar-sem-álcool-teatro-galeria-under-ground) e sente que há outra noção de tempo ali, alguma coisa que roça a eternidade. Vários conjuntos do segundo time inglês se sucedem. O nível geral de instrumentistas e cantores é muito alto, o brasileiro fica assombrado. Os franceses têm o senso do amadorismo, os ingleses parecem tê-lo perdido. O brasileiro, não parece ter outra coisa. Estou brincando: quero apenas dizer que o desenvolvimento geral, a amplitude do mercado etc. etc. possibilita, aqui, um nível médio de produção artística que me deixa embascado. Tendo ido a Lisboa e Paris, ainda não tinha chegado ao estrangeiro. Aqui é o estrangeiro. O inf(v)erno. Mas a felicidade é uma arma fria. Eles estão dizendo aqui que é verão. Eu estou escrevendo vestido num casaco de peles imenso. Ou melhor: a felicidade é uma arma quente. Morna, vá lá que seja. Antônio Carlos Jobim assoviou um bolero lindo que ele fez para o filme no qual ele esteve trabalhando durante meses aqui em Londres. Antônio Carlos Jobim, um dos caras de conversa mais bonita que eu já vi na minha vida. Quero falar bem devagar sobre esse homem, porque eu morava em Santo Amaro quando aconteceu "Chega de saudade" e em Salvador quando aconteceu "Só tinha de ser com você" e no Rio quando ele foi embora, digo, veio embora. Mais devagar devo falar dele porque há muita coisa que todo mundo sabe e eu acho muito triste essa coisa de, no Brasil, a gente ter de dizer tudo de novo. Será que alguém não compreendeu que a bossa nova foi o acontecimento cultural mais importante do Brasil e o único que pôde ir até o fim? Será que ninguém notou que nunca houve nem há nada à altura dos discos que o Tom orquestrou para o João Gilberto? Preciso falar bem devagar porque Tom está assustado com a confusão cultural brasileira e eu estou falando para ele. Sigmund, meu caro, você sabe que o *Pasquim* é filho do Antônio Carlos Jobim; o *Pasquim* ou qualquer coisa nova que ainda possa aparecer no Brasil. Eu estive com ele na véspera da ida dele para aí, via Paris. Era preciso odiar com mais veemência as sandices de José Ramos Tinhorão. Como é que as revistas brasileiras dão espaço àquele bobão? Chega de saudade. Nelson Rodrigues jumps the gun. Daqui para a frente, tudo vai ser diferente. Por que será que o Roberto Carlos sempre aparece com a música certa?

O PASQUIM, 18 DE SETEMBRO DE 1969.

MEU CARO SIGMUND —
EU AGORA TAMBÉM
VOU BEM, OBRIGADO

Eu agora também vou bem, obrigado. Obrigado a ver outras paisagens, senão melhores, pelo menos mais clássicas e, de qualquer forma, outras. Alô, alô, Realengo, aquele abraço. Por enquanto não tenho nada para contar: ainda estou em Portugal. Todo mundo sabe que Lisboa é uma cidade lindíssima e que o mar de Cascais é quase igual ao da Bahia. Ninguém é profeta. Elis canta "Irene" muito bem. Topo Gigio é. E muitas outras verdades indiscutíveis você pode encontrar por um preço assim assim algures. A Ipanemia é uma doença fértil. Vide o novo Zeppelin e o *Pasquim* e o Antônio Carlos Jobim e o Ibraim e a mim e o índio tupiniquim. A Ipanemia é uma doença, repito, fértil. A televisão, ao contrário, é a robustez do imbecil: eu e Gil fizemos uma aparição no programa português de maior audiência, o Zip-zip (o Zip é uma espécie de Mug luso bem-sucedido). Eu achei um fracasso, mas os jornais disseram que foi um sucesso.

Paris é uma festa. (Como você devia estar notando, eu estou escrevendo aos poucos e entre um parágrafo e outro há um boeing a mais na minha vida.) Eu dizia que Paris é uma festa: miniskirts inglesas e pés descalços americanos no Quartier Latin, beijos na boca, minicletas com Buñuel, os franceses se matando uns aos outros no Weekend de Godard, rive droite-rive gauche, os cafés de sempre, monumentalidade geral beirando o ridículo, ruas cheias, Glauber nos *Cahiers du Cinema*. Animação. Tenho vontade de escrever sobre o que vi (num documentário de cinema) de música pop anglo-americana, tenho vontade de recomentar o nosso trabalho aí no Brasil. Também sobre *Hair*, na sua montagem parisiense (viva a *Roda-Viva* do Zé Celso; viva o nosso show na sucata; viva o "Mustang hibernado" de Zé Agrippino de Paula & Maria Ester; viva o show dos Mutantes; viva Gal Costa). Eu gosto de Paris porque é como se de repente Recife virasse o Rio de Janeiro. Eu sofro muito. A mulher do metrô grita irritada. O garçom nunca deixa você acabar de falar. Todo mundo tem medo de perder o tempo e, principalmente, o espaço, que é muito pouco. A grossura parisiense é uma daquelas verdades indiscutíveis. Paris é uma fera. Paris é uma besta. D'após calipso.

Nazarin é um filme arrasador.

Eu não sei o que seria de nós, meu caro Sigmund. De mim, de você e do Nelson Rodrigues. Eu não quero estar daqui a mandar-lhe diário de viagem. Dentro de alguns dias estarei em Londres, imagine, onde pretendo morar. Talvez de lá, com a cabeça assentada (se ela assentar...), eu envie algum papo mais interessante, sei lá, alguma coisa que possa ser boa como informação para você, para a Pernambucália, para Belém do Pará, para os meninos da Bahia nesta hora da criança, para Sampa, para a Banda de Ipanema e outras bandas. Aquele abraço do samba do Gil!

O PASQUIM, 11 A 18 DE SETEMBRO DE 1969.

A PROSA

SAINDO DO CENTRO

Saindo do centro da barriga de Jorge Amado, dessa espécie de colméia em que consiste o ventre do escritor Jorge Amado, saindo daí, os veados filósofos poetas, partindo desse núcleo que é o abdome do mundialmente famoso escritor baiano Jorge Amado, um grande enxame de filósofos poetas veados, abelhas-poetas, os homossexuais que montam pênis alados na última cena da epopéia fulgurante escrita pelo obscuro escritor paulista José Agrippino de Paula, o enorme enxame de veados-abelhas, revoada marcial, atacará a casa senhorial que se encontra instalada na cabeça do escritor brasileiro Graciliano Ramos. A abelha-rainha poeta, um adolescente que quando velho será poeta, enviando dali o cantor de música popular brasileira Jorge Ben com sua espada azul de guerreiro negro, teso como um pênis sem asas, com sua lança negra de ferro negro e seu arco teso como um coração de homem negro, e suas muitas setas e flechas e sua potente alegria, enviado esse herói, zangão-filósofo, o cantor com sua armadura e sua guitarra elétrica abrirá a janela da casa-grande, abriu a janela, encontra o escritor Graciliano Ramos com a cabeça pousada entre as mãos sobre a longa mesa da sala da casa-grande que está instalada na sua cabeça, deixando assim entrar todos os insetos por aquela janela, filósofos e poetas, veados, início do ataque ao escritor Graciliano Ramos e à cabeça da casa patriarcal.

O prestigioso escritor alagoano Graciliano Ramos estaria seco como a madeira da sua mesa que é um retângulo castanho dentro do retângulo branco da sala da casa-grande instalada na sua própria cabeça e não perderá a dignidade e não levantará os olhos para o facho de luz que atravessou a janela retangular aberta a socos pelo guitarrista negro Jorge Ben, o enviado da poeta-rainha residente no âmago do escritor sem cabeça Jorge Amado, Graciliano Ramos não atenta para o zumbido produzido pelo batalhão de filósofos e em particular pelo devaneio de um adolescente que será poeta quando velho, o qual consiste em repetir mentalmente o movimento lento e aplicado da atriz italiana Giulietta Masina introduzindo a estatueta do Oscar na sua pequenina vagina, e isso é pior do que música aos ouvidos dignificados do escritor Graciliano Ramos mas ainda assim o escritor brasileiro Graciliano Ramos não demonstraria atentar para o turbilhão que se seguira à entrada alegre e enérgica do herói Jorge Ben com sua guitarra elétrica de procedência norte-americana.

A atriz italiana Giulietta Masina tornava a introduzir lentamente a luzidia estatueta do Oscar na sua pequenina vagina e seus olhos de hipertireóidea boiavam na água que quase transbordava das pálpebras inferiores onde os cílios pintados demais para compor a máscara da prostituta que ela ia interpretar no filme *Le notti di Cabiria* estavam servindo de anteparos negros que permitiam que a tensão superficial das moléculas de água da lágrima se mantivesse e assim se poupasse a pintura branca da sua face de santa.

O músico carioca Jorge Ben não desferiu um golpe mortal no escritor brasileiro Graciliano Ramos, esfacelando-lhe a cabeça com sua pesada guitarra de madeira maciça de procedência norte-americana, nem tocou música, apenas obedecia ao impulso originado na geléia real no centro do favo que é o umbigo do acéfalo escritor Jorge Amado e, assim sendo, desfez a simetria entre o retângulo da mesa e o retângulo da sala da casa-grande instalada na cabeça do escritor alagoano Graciliano Ramos, de modo que, da cabeça desse escritor, a qual até então estivera apoiada nas mãos sobre a mesa da sala da casa que se encontra instalada na sua cabeça, não restou senão a secura sem mãos e sem cabeça e por muitos anos não se falou nada sobre o escritor brasileiro Graciliano Ramos.

O escritor paulista José Agrippino de Paula caminhava sem parar, subindo e descendo a Rua Purpurina, e eu discutia com ele sobre a literatura e a língua e sobre como a falecida atriz norte-americana Marilyn Monroe emocionava mais a gente por parecer-se com a prostituta espiritualizada e pura e ingênua e cômica interpretada pela atriz italiana Giulietta Masina do que por possuir um corpo cujas formas nos estimulassem sexualmente, enquanto a atriz italiana Giulietta Masina, em cujo corpo ninguém pensava como estimulante sexual, nos surpreende com seus peitos duros e belos, suas pernas pequenas mas bem torneadas, seus braços roliços e sua cintura estreita, tudo em proporções muitíssimo equilibradas, mas eu não estava passeando ao lado do escritor José Agrippino de Paula acima e abaixo daquela rua, ele tinha decidido ser considerado louco e para tanto tinha ficado louco de fato, e eu estava apenas discutindo essas coisas com ele, sem de modo algum estar andando com ele naquela rua da cidade de São Paulo, mas ele discordava da minha argumentação, fazendo-me ver que a ele não lhe parecia boa a orientação da minha sensibilidade, nem tampouco o repertório de palavras e coisas eleito pelo meu interesse, e eu via na sua cara a ferocidade que meu gosto pelo pequeno paradoxo lhe provocara, enquanto um sorriso doce começava a despontar por trás da procela cor de chumbo, um sorriso benevolente e amoroso que me perdoava a ingenuidade a respeito de literatura quando eu falava de língua.

No filme *Le notti di Cabiria* a carne de Giulietta Masina se insinua sólida e boa sob as roupas grotescas e sobre a idéia de colocar uma atriz considerada feia e espiritual no papel de uma mulher que vende o corpo. A carreira de Marilyn Monroe constituiu na venda do corpo de uma mulher considerada fisicamente bela mas cuja pureza espiritual se deixou entrever, juntamente com a flacidez da carne, por trás da maquiagem e dos vestidos exuberantemente vistosos.

Eu tentava caminhar ao lado de Zé Agrippino pelas ruas da cidade de São Paulo e, ali, tentava fazê-lo levar em consideração as minhas observações. Alguma coisa tinha se passado com ele que eu não podia compreender, alguma coisa que fizera derreter lentamente o chumbo de sua alma (sim, porque, sem dúvida, desde sempre o núcleo de sua pessoa era formado do mais denso e escuro chumbo), espargindo-o até aos mais periféricos dos seus gestos. O que quer que fosse, parecia-me ao mesmo tempo mais fácil expor-lhe as minhas idéias e mais difícil fazer-lhe interessar-se por elas. Há alguns anos eu teria emudecido na sua presença, mas teria obtido dele respostas fortes e úteis a qualquer das minhas manifestações. Agora eu falava com coragem e sem esperança — e ele às vezes reagia por polidez, nessa atitude que ele copiava dos loucos à perfeição e que, por sua vez, consiste em copiar canhestramente os modos dos homens sensatos. Eu lhe explicava minha oposição à idéia de amor que está por trás dos atos da menina por quem, no entanto, eu estava apaixonado. Era uma argumentação crivada de paradoxos esfumados onde, num impulso lógico que mais me fazia gritar do que propriamente formar frases claras, eu deplorava a situação das mulheres, as quais, sem acesso direto ao sexo e ao poder, criam para si mesmas paraísos de promessas e infernos de decepções e compõem com tudo isso um fantasma a que chamam "amor". "Love is their whole happiness", diz a letra de uma canção americana. Eu experimentara uma paixão na adolescência: era impossível ver ou mesmo pensar naquela menina sem ser acometido de um acesso de esmagadora felicidade, uma sensação certamente grande demais para o meu corpo, uma vez que, neste, isso sempre se manifestava sob a forma de sufocante taquicardia acompanhada de cólicas intestinais e ereção quase dolorosa do órgão genital. "Um homem não ama!", eu gritava como se tivesse chegado à conclusão de um raciocínio. "O cão que pertence ao meu filho de dez anos fica transido de emoções quando o vê depois de uma ausência um pouco mais prolongada: seus músculos parecem convulsos, os olhos lacrimejam enquanto a cauda bate eletrizada; gemidos como que ainda mais involuntários do que tudo o que um cão pode fazer escapam-lhe do focinho cerrado, e, com pequenos jatos intermitentes de urina, ele tem uma ereção." Eu caminhava, fazendo soar espalhafatosamente minha voz, ao lado de Zé Agrippino, que continuava calado e parecia esconder uma gravidade falsa por trás de um sorriso sincero e terno. "Eu me vejo naquele cachorro. Vejo nele minha adolescência aterrorizada e tenho saudades dela. Mas é maior o meu escárnio. Veja essa menina agora: nem sequer sabe o que é o sexo: nunca se masturbou, não entende o orgasmo, nem eu nem ela sabemos se ela vai chegar a gostar de sexo e, no entanto, me quer e quer-se presa a mim. E talvez não a mim, mas a um homem qualquer que venha arrebatá-la ao que lhe parece insípido para mergulhá-la no que ela imagina maravilhoso. Talvez a força física, a inteligência, a fama, a virtude, o dinheiro sejam mais capazes de desencadear nela o 'amor' do que o seria a certeza de satisfação sexual. E, no entanto, é o sexo que se apresenta como objetivo final e móvel primeiro dos compromissos amorosos." Zé Agrippino andava ao meu lado calado como se fosse o próprio amante da Lady Chaterley obrigado pelo destino a viver num mundo onde a cultura, a sensibilidade e a cadeira de rodas do Lord Chaterley tivessem dominado tudo. Contudo havia amizade entre nós e doçura no ritmo do nosso desencontro. "Meu filho ama seu cão, mas tem muitos outros interesses e amores, grande parte dos quais de maior peso para ele. O cão necessita comer e trepar numa cadela, divertir-se caçando insetos grandes e bolas pequenas, mas eu amo é o menino que é o seu dono. Quererá isso dizer que meu filho o ama menos do que é amado por ele? Um homem não ama. Um adulto maduro e viril não pode amar, não enquanto tal. Só as mulheres, os adolescentes e os cães amam de fato, e um homem quando se apaixona regride ao estágio deles." Ao mesmo tempo eu imaginava os papagaios que morrem de saudade se mudam de dono e olhava um tanto temeroso para a figura esverdeada do meu amigo Zé Agrippino, cujas pernas pareciam espalhar, a cada passada, velhas críticas ao meu ridículo e inteligente discurso, críticas que ele há muito tempo devia ter deixado de formular no pensamento, e isso de certa forma me fazia achá-lo semelhante a papagaio. E assim seguíamos, eu tentando articular racionalizações que ele comentava com as botinas e as unhas.

Zé Agrippino talvez venha a ser o personagem principal deste romance. Talvez isto venha a ser um romance de memórias imaginárias que, ao contrário do livro de Marcel Proust, não servirão para redimir o passado, e sim para destruir-lhe a vocação abjeta de fazer sentido, de modo que o presente se torne ardente e escrever seja um prazer que dificulta a vida, trazendo-lhe novas impossibilidades de conclusão formal e infundindo-lhe, assim, um forte desejo de continuar. Uma exigência de reafirmar-se a cada lance, dados luminosos numa guerra cega (uma cópula no escuro) entre a literatura e a doçura de viver. Há um homem que envelheceu precocemente por medo de morrer jovem; tinha o mito do Cristo e do poeta romântico e um arrebatado amor por si mesmo — aos 28 anos tomou ares de ancião porque não agüentava esperar a velhice que lhe asseguraria escapar ao sacrifício do seu belo corpo jovem. Um outro manteve a juventude até que o medo não fosse tão grande e já não sabia envelhecer nem era um homem com poder sobre as mulheres. Um terceiro foi assassinado por um desconhecido na força da idade, enquanto formulava teorias contra a imolação dos criadores vitais. Ainda um outro vive e aos 88 anos de idade planeja obras que são a destilação de uma finíssima ironia cujo alvo é a idéia da possibilidade de qualquer mudança naquilo que ele um dia chamou "o mundo". Sei muitas histórias de homens. Meu amigo Rogério (que criou o mito Zé Agrippino e me apresentou ao homem que porta esse nome) me disse um dia que, apesar do seu imenso talento literário, não escrevia um romance porque não se contentaria em ser o autor: tinha que ser a personagem. Eu também não posso admitir que haja um Deus e que não seja eu. E "se vier que venha armado". Etc. Zé Agrippino é sobretudo sua própria personagem e sua própria mensagem: ter escrito os livros que escreveu é apenas um dado na composição da personagem e na clarificação da mensagem. Eu escrevo porque penso demais. Sobretudo porque penso frases e períodos demais. E desse modo penso sobre coisas curiosas que tenho visto e vivido e situações curiosas em que por acaso tenho me encontrado. Um livro pode almejar ser um botão ou uma sonata, em suma, um objeto. No entanto a prosa (que em português coloquial — não por acaso — é sinônimo de conversa) me parece ser o lugar da subjetividade: posso construir um romance como se fosse um anel, um poema, objetivando-me assim como a criança cujas criações só ganham sentido ao olhar adulto; mas na própria formulação das sentenças está a dimensão da sobriedade, esse tipo de superioridade que dois homens lúcidos que observam os movimentos de uma grande bailarina ostentam em relação a ela. Se o comentário inteligente e rigoroso à própria obra está implícito em cada palavra que James Joyce escolhe para compor suas peças, em Thomas Mann esse mesmo senso crítico se explicita em vários planos de reflexão. Eu quero escrever de modo que o prefácio, o julgamento e até mesmo a propaganda e a detratação a mim possíveis no ato mesmo da escrita façam parte do corpo da obra. A orelha do livro é aqui mesmo dentro do livro, um livro que se ouve a si mesmo desde dentro, totalmente autoconsciente. Por exemplo: quero imaginar Rogério comentando, com aquela sua risada brônquica em que se sente o prazer dos alvéolos trepidando, uma frase que escrevi páginas atrás. Na minha ânsia romântica de escrever obedecendo a impulsos genuínos, como quem fala exibindo toda a sua capacidade de verdade no modo da emissão da voz, eu passei rápido por alguma coisa como "as mulheres não têm acesso direto ao sexo". Bem, não era isso que eu estava dizendo, mas a frase está lá e Rogério a destacaria do contexto enganador pelo tom demasiadamente expressivo, quase arrebatado, para questioná-la impiedosamente. "Não entendi nada", diz ele, carregando, por sua vez, num tom a um tempo cético e inocente que, ao menor esboço de resposta explicativa, torna-se sincero e sensato: "Como você tem a irresponsabilidade de dizer um absurdo desses? Eu já tive milhares de mulheres e a impressão mais forte que ficou de minhas experiências nesse campo é exatamente o contrário: elas é que entram em identificação total com a realidade profunda do sexo".

DE TENTATIVA DE SIMULAÇÃO DE SALADA DE TREINO DE

sais eram (espelho) maresias

eram olhe (pés, mãos) onde   anda

nada

do

ainda   soam doen

no meu coração de poeta romântico
antigo amor

(sempre entre o mar e aquilo que o mar espelha)
as palavras

primeiro tentando roubar os nomes às coisas, logo costu-rando-se/os/as (oh meus olhos estão acostumados a move-rem-se horizontalmente por causa do mar e da escrita, por exemplo.

contemplar aqui há milênios amaranilanilinalinarama — troca d'olho — amaré, amarel, anil: verde perto (o poeta augusto na pituba, fora da barra, '69) há milênios sentem-plar o perto e branco do papel um horizonte de letras o ho-rizonte das letras um horizonte de letras o infinito sempre continuado horizonte das letras mas a profundidade dos números um horizonte superfície flor d'água de letras e a profundidade abissal dos números o vértice da poesia ah o vértice da poesia é o vértice da poesia que quero trazer para

esta pá contudo o mesmo mar que tudo contudo para esta o
mesmo mar que tudo espelha se espalha (variante: o mesmo
mar que tudo espalha se espelha) nesta página do meu repertório oiro repercutecute cinco letras cinco — o vórtice da
poesia o antigo sonho de viagem dos poetas de trazer transparência fundura abismo adivinhação vertigem ao papel plano das palavras escritas à horizontalidade morta das letras à
retilínea mudez delas oh os poetas inventaram inventarão
para sim mesmos o mito de que as assim palavras foram
antes som de ser palavras — alma: alga: lama mal amalga-
mada — som como a mágica música som como a alma do
mundo que temos os olhos separados dos ouvidos), velando
e revelando o talvez nome sem nome que as coisas têm de
nós dentro:

evadeus se duma quando o céu todo se desconstela dia-
dão: é aqui que s'urge o personave freminino. ger'um dia.
vem sanhassonhando, cantarrolando aurorabaixo, assabian-
do. andorindo, passarando passo-perto.

— *"à tarde, quando de volta da serra*
com os pés sujinhos de terra
vejo a cabocla passar" —
— asparece o presonagem maculino.
! — *"as flores vêm pra a beira do caminho pra ver aquele*
jeitinho que ela tem de caminhar"
rasto de gente abaianada.
— *"e quando ela na rede adormece*
e o seio moreno esquece de na camisa ocultar"
O dele olhar apenas guimarãesroça a dela epidorme.
— *"à noite de seus cabelos o grampos"*

quando tudo muriçoca lagartrisca, sapode, tudo cobra, tudo
louva-deus. tudo, deus pôs, maripousa borbolentamente.

— "*somente com o nome dela na boca*
pensando nessa cabocla
fica um caboclo acordado."

essa angústia que o paralisava ao crepúsculo deve-se apenas
ao fato de ele ser o personagem central deste livro. este livro é a maldição daquele menino na medida em que é a salvação do seu autor.

ou:

morbia um cigarro num dos cantos da boca enquanto palar-
vas escarriam pelo outro, arrecadação, nojo ornamentiras —
e aqui vai uma homenagem ao meu amigo e proeta michael
chapman, gigante de portobello, único jornalista e único jor-
naleiro do "daily liar" —, ensourdescia aos berros das palre-
des de exgosto, no dactilogro amado ar falto do raio de enga-
neiro, nesse mamento de glandeza, o nosso pessonhagem se
esporrama na caldeira e pensa, tanaz: o brasil arde. repara-
liza no olear as duras únicas pernas da esgarrindo-se novis-
ca extasiária e fá-la: deus te abençoe, minha filha, e trepois:
ai minha filha, ai minha filha, ai minha filha. reticente-se
cheio de vilhice, fardigado estica os suspensérios e quase es-
crouve: a morral brasileira vai ganhar muito com isso, enquanto lá fora tarachimbunda a lixeiratura machonal.

ENTREVAVISTA

A QUE VOCÊ ATRIBUI O FATO DE TER A OPINIÃO PÚBLICA O DISTINGUIDO?
— Meu pecado muito original quando eu nasci um anjo tor-
to desses uma pedra no meio do caminho vai que é mole eu
sou o lobo mau eu sou o lobo mau eu sou o tal tal tal tal tal

talvez quem sabe terei eu apenas setenta centímetros de altura faltame-há uma perna neste país não meu filho né pois é né será né meu coração vaga né pois é né e diria inclusive aqui e agora minha idade verdadeira né é né e agora josé a minha idade verdadeira é a idade da pedra polida e pronto né de todas as minas de bahias de onde venho assim cansado de que marcha de que samba das minhas minas bahias gerais de todas todos os meus amigos são reencarnações de lampião de dom bosco de rodolfo valentino de akenaton eu né eu não eu sou a reencarnação de um cujo nome não consta homem neolítico e porisso.

VOCÊ JÁ VIU ALGUM DISCO VOADOR?
— Só de fotografia.

O QUE ACHA DO LSD?
— Certa feita eu tomei um LSD, uns amigos vieram, eu tinha que fazer essa experiência, eu tomei um, cê sabe, achei uma boa droga.

QUE ACHA DE MILLÔR FERNANDES?
— Prefiro Nelson Rodrigues.

VOCÊ ASSEGURA QUE ESTEVE NOS APOSENTOS DO PAPA PAULO VI?
— Y lo puedo probar. No tengo miedo de esos que no tienen el corage de poner la cara. He dicho que dormi con el Papa y lo pruebo. Porque yo tengo el corage de poner la cara. Yo no soy un henano, soy un niño. Para aquellos que hicieron lo que hicieron con mi madre, con mi madre, MI MADRE, señores, no se puede hacer una cosa de esas a una madre, para esos yo ofresco mi deprecio. Algunos dicen que yo soy comunista, que yo soy un hombre de isqui-quierdas; pero mi filosofia es la filosofia pura, la filosofia del amor, de la sonrisa y de la flor. Tampoco soy un hippy o participo del movi-

miento de la bossa nova. Soy un niño y soy sociólogo sicólogo filósofo matemático místico bailarino escritor dentista poeta y etc. etc. etc. No soy un henano y no tengo miedo. Gracias, Señor.

VOCÊ É ANTES DE TUDO UM FORTE OU NÃO PASSA DE UM MESTIÇO NEURASTÊNICO DO LITORAL?
— O nosso machonalismo é merdavarelo e puti.

NAVILOUCA. ALMANAQUE DOS AQUALOUCOS, 1975.

DEUS, BROTAS

deus, brotas. deus, circulado de fulô do poeta dos campos. fulano deus. senhor dos lírios. deus, senhor do medo que tenho dos hippies e de algumas cores. senhor das flores, dos círculos, dos hexágonos. senhor dos circos, dos curto-circuitos, dos coitos, das menstruações. deus do momento em que eu não entendo o nazismo e os soldados outra coisa do nazismo, do momento em que eu sinto saudade, do momento em que eu sinto muita saudade porque as pessoas não se incomodam mais e já não querem senão deus, as poucas pessoas. deus dos índios sem história e das praias. deus do círculo da aldeia, do ciclo da história, da mesa. deus, porque não aprendi a te invocar: brotas não seja a maldição que minha mãe talvez temeu. tu. seja uma rua de brotas água limpa, a mesa fonte, o amparo de nossa senhora, a purificação. deus do meu pecado, tu fonte brotas nazaré. deus do momento do meu pecado muito original de não entender e ter medo. para que não haja maldição. circulado de fulô das palavras do homem dos campos na página do poeta. não te sei invocar. para que haja perdão e para que o um fim dos ciclos de tal modo que se dê ainda em volta da mesa. senhor dos exércitos. senhor das colunas de fofocas dos jornais do rio de janeiro, fevereiro, março, abril, bloch, cruzeiro do sul e outras constelações. que eu não tenha muita necessidade de responder a um jornalista que disse que eu era mesmo pela família e que eu não tenha muita necessidade de indagar ao nazismo dos livros e dos filmes, ao nazismo dos alemães, nem mesmo aos rostos dos homens que eu posso ver ao vivo e ou em videoteipe. para que, assim, eu possa aprender a te invocar, para que eu possa pedir pela minha família. nossa senhora da penha, minha voz talvez não tenha o poder de te exaltar. em volta da mesa, perto do quintal, a vida comece no ponto final. nós não temos certeza nenhuma, senhor, e isso talvez seja a marca do pecado. talvez seja estar vislumbrando o circulado de fulô de circuladô. tu brotas, matéria-primavera, senhor das neves, das naves, dos descobrimentos portugueses, que haja muita luz, que haja possibilidade de salvação. que a apocalipopótese dos cachorros policiais de rogério duarte, dos animais ferozes, seja também um encontro para que ainda em volta da mesa. que eu não precise perguntar muito, para que eu me aproxime do poder de te exaltar. porque eu quero te fazer este pedido: tu, brotas. que ainda haja espaço para as orações. deus das orações, deus de ju, deus simples de ju, deus com quem se fala em palavras, deus que se traduz em ju em amargura e resignação. deus calado dos nichos, padrasto de nicinha, deus das chuvas e das mortes de santo amaro da purificação. brotas graças de gracilina, domingos, telégrafo sem fio, meu pai, venha a nós o vosso reino.

O PASQUIM, 18 DE JUNHO DE 1970.

A PRAÇA
CASTRO ALVES

A Praça Castro Alves é do povo como o céu é do condor. O céu é azul. O azul é incrível. O vermelho é incrível. O mar da Bahia fica acima do nível do mar. Mandei fazer pra você, Maria, uma fantasia de papel crepom. Mas pra você sair na rua tem que a previsão dizer que o tempo é bom. Amarelo. O sol underground. Cerveja ferro na boneca antártica a cerveja brahma nossa amaralina. Amaralina, para quem está por fora da geografia, fica longe, muito longe da Praça Castro Alves. Mas pra quem está por dentro da geografia Amaralina fica também ali embora Amaralina seja o lugar onde o mar está ao nível do mar e a terra está ao nível do mar e o céu também enquanto na Praça Castro Alves o mar está acima do nível da mão do poeta e não há geografia que explique que descreva que estude o azul é do povo como o vermelho e o amarelo. O sol, dizia eu, underground sobem flores losangos cotovelângulos eu só posso falar com você sobre o que você não entende numa forma que você não entenda. O branco. Como o negro é do condor. Fui telefonar pra o meu amor, disquei o número mas não fui atendido. Eu metia o dedo, tirava o dedo, já estava com o dedo ferido. Carnava. Ladeira, águas bruscas, sacasacasaca sacarolha. Eu quero é couro. Na rua do ouro. Barbarracas Sé. Oi, todo dia eu tomo banho. Minha rolinha do mesmo tamanho. Severiano Mudança do Garcia Internacionais. Tororó da janela da casa Clara Tororó Lay tio Lay Clara janela Tororó. Garcia. Mais um, mais um, Bahia. Filhos de Gandhi. Relógio certo atrasado de São Pedro Relógio de São Pedro atrasado preguiça Cabeça Anjo Azul Fantoches da Eutherpe. O Fantoches é do povo como o céu é da rolinha.

Fantoches: coxas. Quem sabe, sabe. Doutora Lu, Doutor Lulu. Voltando ao sol, cuidem de mim correndo paladeira morrendo atrás do trielétri. Não tem doutor pra lhe curar, não tem padre pra lhe salvar, não tem polícia militar pra lhe prender, não tem juiz pra lhe julgar, não tem ladrão pra lhe roubar. Quero morrer, quero morrer já. Fui curado de cansaço e medo por um doutor. Quero viver, quero viver lá. Policiais vigiando. Iate Clube da Bahia Baiano Associação Atlética Coqueijo a onça moça ninguém entra Iate Clube carteirinha penetra Iate Clube ninguém também lá dentro é tão. Misericórdia. Sé. Cada ano sai pior. Cada ano sai melhor no sábado será que é o Cada Ano Sai Pior que no sábado cada ano sai melhor? Reco-recordações. Recor-recordações. O sal da terra. O sal batendo nos telhados cor da pele. O Teatro Castro Alves é do corvo como parto é dos com dor. Barroquinha, barracas, brahmas, beijos. Maria, Jota. O sol da terra. Tororó. Fui beber água e achei até cerveja e feijoada no ano que eu estava com dor de dente todo o mundo está a fim de te ajudar no teu karmaval. Ai ai ai ai, está chegando a hora. Cielito lindo. Sabes que me estás matando, que estás acabando com mi corazón. Manhã, tão bonita manhã. Qual a marcha de maior sucesso qual o samba aguardo cartas. Eu não sei de nada. Eu não sou daqui. Sai de cima dessa nega que essa nega tá de Pata, pata. Boi, boi, boi, boi da cara preta, vem comer Gracinha que tem medo de careta. Oi, todo dia eu tomo banho. Digão, cadê o dragão? Não adianta se o Recife está longe e a saudade é tão grande que eu.

O PASQUIM, 2 DE ABRIL DE 1970.

DE NOITE...

eu sonhei que você dormia no outro quarto e nessa noite eu
lembrava que tinha sempre tido medo todas as noites, medo de ir até onde você dormia e eu tinha de dar um jeito, por
um fio, quase quase durante o dia você sorria dizendo que
sim e havia uma vaga promessa de que você viesse até meu
quarto, você queria, você ia rir cruel na minha cara se eu
fosse até seu quarto, você ia saber que eu sou grotesco e ridículo e eu não agüentava mais de amor por você e você ia rir
de mim no outro dia de dia por eu ser covarde, havia tão pouco tempo, aquela noite era como que a penúltima oportunidade, nós estávamos todos um pouco tristes de não estarmos
em santo amaro e eu não sei pra onde é que nós todos iría-
mos quando saíssemos daquela cidade que era vagamente
serrinha ou a cidade perto do sertão para onde você se mu-
dara com seu marido quando você se casou; você estava certamente acordada de algum modo pensando em mim, no
seu quarto, com seu filho, mas sua mãe rondava a casa e eu
pensava essa velha está tão velhinha e tudo seria tão absurdo que ela nem poderia desconfiar, eu sou o amigo do filho
dela, um menino bom. ela está aqui tomando conta de mim,
de meu irmão que dorme no mesmo quarto que eu e de você, meu amor, ela está tomando conta da casa, ela bem que
já devia estar dormindo porque assim eu ia até seu quarto
onde você está com seu filho talvez querendo que eu vá por
algum motivo, você há de me querer pra alguma coisa, durante o dia você fica conversando comigo e com rodrigo e
você diz essas coisas agressivas de quem está louca pra me

dar e o sol está bonito lá fora, a gente tem saudade de santo amaro, por que estamos todos nessa outra cidade?, por que você se casou, meu amor?, por quê?, esse filho que rouba o seu tempo de estar comigo, eu sei que você quer estar comigo, você é meu amigo há muitos anos, a única pessoa que eu posso amar assim, por que perdemos nossa cidade, nossa primeira e oh talvez única oportunidade? tudo aqui parece secundário como uma vida secundária mas era preciso ser forte e salvar tudo, indo até seu quarto e trepando com você, ficando com você um tempão, dentro dos meus braços, meu amigo, você sorrindo rindo, eu beijando seus peitos de novo tenros, oh, eu não quero que você tenha tido filhos e que eles tenham mamado nos seus peitos e que você esteja envelhecendo e que eu esteja envelhecendo, eu me desespero vendo que não há quase mais tempo e, de dentro do volkswagen em que estou talvez deixando a cidade, eu vejo você na janela ou no parapeito da varanda, brincando comigo, com seu filho nos braços, dizendo a quem está junto de você olhe como ele ri e cantando bem alto pra me insultar e me encher de alegria eu quero ir, minha gente eu não sou daqui, eu não tenho nada, quero ver irene rir, quero ver irene dar sua risada, e o menino rindo nos seus braços como o filho de sandra, e eu rindo e quase querendo dar o vexame de pedir a quem está dirigindo o carro que pare e que eu não vou mais passear, ou embora, ou lá o que seja que eu estava fazendo naquele carro, eu ouço sua gargalhada e olho pra você e você olha pra mim dizendo que sim e que eu não tenho nada com a sua vida.

ALEGRIA, ALEGRIA (ORG. WALY SALOMÃO), RIO DE JANEIRO, PEDRA Q RONCA, C. 1970.

NÃO VERÁS UM
PARIS COMO ESTE

Cremúsculo. O sol, a só, despe de si, digo, despede-se, desce pé ante pele, descalço, dá-se e sobe, digo, sob, ou melhor, sobre as bandas cremoças das mulheres alfíssimas do hemisferno nhorte. Kolinas sonrisam no horizonte. Mastros desdesenham-se no ocidonte. Acapulcos e havaís tampouco. Tranquislidade. Moite. Não há dúvida: é chagada a hera dos maiares desgrossos. Não há dúdiva: ele virá, sentará de pé sobre a poldrona enfernizada onde tandos senturam e ferá o seu elequante discorso: sua eterna dádiva; nossa eterna dívida. Assim pressunto trudo que já estrá aquantessendo encuanto camino por las calles de esta casa grande mansão da minha hotess. Sua majestade, sua desclarada, sua cachorra de minha adolescênica, por que nunca me declaraste nenhum amor enquanto eu era virgem e voraz? Eres una pública. Y yo te quiero, yo te quiero... Mas como eu ia rizendo: alguns mastrodantes circruzavam pela prehisteria na hora da ave maria. Cai a tarde tristonha e serena, em macio e suave langor, despertando no meu coração as saudades do primeiro amor. Um gemido e se esvai lá no espaço nesta hora de lenta agonia quando o sino saudoso murmura badaladas apropriadas. Braçal, ano dos maus. Brastel, amo dos meus. Passou o ano dos gols. Bravil, anda com ferro e gurgulho a terra onde Maciste, criança, enfrentou João Lúcio Godar: não verás nenhum paris como este. Olha que shell, que mer, querida, que forgets! Papo furado. Acordar tarde demais é que é fogo. A mulher que eu amo realmente me disse que eu acordasse mais cedo um pouco. Ao crepúsculo é demais. Fossa na certa.

Merci bocu. O bandeide da luz vermelha rides again. Qualquer negócio. Hoje em dia, minha filha, tanto faz como tanto fez. Entretanto não adianta resposta. Há dias em que adias tudo. Ou: há dias tudo. ADIO GRINGO! Here comes the sun king. Ringo, João, Paulo e Jorge. Ringo nunca foi santo... João houve dois e agora há, pelo menos, 23. Paulo parlava molto. Jorge adaptou-se tão bem aos pegís brasileiros que o Vaticano depediu-o. Eis tudo o que sei sobre religião, perguntarão. E jamais saberão. E nunca sabão. E nem são. E não. Hão? Rima rica do meu verso, minha canção preferida, melodia do meu samba, vida da minha própria vida.

— Ouvi passos lá fora.
— Quem será?
— A essa hora.
— Anda, Luzia, pega um travesseiro e vai ver lá no quintal.
— Eu? Mas nem morta.
— Anda logo. E fale baixo aqui pra ele não ouvir.
— Ele quem?
— Sei lá... o ladrão, ora. Quem fez o barulho lá fora.
— Que barulho?
— Você não ouviu?
— Ah. Não encha o saco.

Luzia levantou-se, andou até o banheiro, acendeu a luz. Uma estranha serenidade invadiu a sua alma. Lá estavam as escovas de dente sobre a pia, a banheira rachada, o chão molhado em volta da latrina, todas as pequenas coisas das quais dependia a sua felicidade. Será que a palavra latrina sairia na revista *Querida?* Trentarei, noventarei. Eu sou um escritor cujo estilo é uma tentativa de realizar o irrealizável: um Nelson Rodrigues prafrentex.

O PASQUIM, 4 DE DEZEMBRO DE 1969.

A foreign sound, 155, 158, 159
Abismo de um sonho, 221, 242
"Aboio", 184
Abreu, Tuzé de, 17, 109
"Adeus batucada", 78
Agrippino de Paula, José, 211, 258, 260, 262, 331, 333
Água viva, 284
Aimée, Anouk, 222, 223
Akhenaton (Amenóphis IV), 342
Alakêtu, Olga do, 111
Albuquerque, Cao, 69
Albuquerque, Perinho, 104, 212
"Alegria, alegria", 16, 51, 118, 353
Alexandre, o Grande, 174
Alf, Johnny, 145
"Alguém cantando", 172
Almeida, Aracy de, 132
Almino, José, 33
Alves, Francisco, 168
Amado, Jorge, 322, 331, 332
Amarcord, 169, 170, 218, 222, 224
Andrade, Oswald de, 70, 79
Ângela Maria, 74
Antonioni, Michelangelo, 169, 208, 220, 238
Antunes Filho, José Alves de, 264, 265
Antunes, Arnaldo, 185
Aprendizagem ou o livro dos prazeres, Uma, 284
Aquela coisa toda, 264, 265
Araçá azul, 192, 211, 212
Arap, Fauzi, 113, 304, 306, 307, 308, 309

Araújo, Guilherme, 54, 97, 109, 117, 302, 323
Araújo, Maria Pia de, 109
Arena canta Bahia, 106, 266
Arendt, Hanna, 79
Armandinho, 295
Arns, Paulo Evaristo, d., 228
"Arrastão", 172
"Asa branca", 192, 208, 317
Asdrúbal Trouxe o Trombone, 264, 265
Assis Valente, José de, 48, 135, 146, 183
Assunção, Zeca, 177
Athayde, Austregésilo de, 228
Auto da compadecida, 33
Aventura, A, 238
Aventuras de Juan Tin Tin, As, 134
Azevedo, Chiquinho, 109

Babo, Lamartine, 214
"Baby", 49, 51
Baby Consuelo, 133
"Baião atemporal", 184, 187, 188
Baker, Chet, 156
"Balancê", 300
Balanço da bossa, 89
Ball, Lucille, 224
Band of Gipsies, 128
Banda de Pífaros de Caruaru, 192
Bandeira, Manuel, 55
Bando da Lua, 78
Baptista, Arnaldo, 189
Bardot, Brigitte, 252

Barnabé, Arrigo, 94, 175
Barravento, 233, 234, 235, 240
Barreto, Luís Carlos, 69
Barroso, Ary, 146, 147
Batatinha (Oscar da Penha), 152
Batista, Wilson, 48
Bausch, Pina, 170, 171, 261, 262, 265, 267
Beatles, 54, 91, 97, 100, 118, 129, 138, 139, 140, 321, 323, 324
Belchior, 106
Belo Antônio, O, 242
Ben, Jorge, 60, 61, 98, 99, 102, 106, 108, 124, 136, 175, 193, 199, 214, 303, 320, 323, 324, 331, 332
Bené, 216
Bengell, Norma, 191
Berkley, Busby, 77
Berlin, Irving, 170, 224
Bethânia, Maria, 51, 79, 94, 106, 108, 109, 110, 111, 112, 113, 114, 132, 150, 152, 174, 186, 191, 202, 273, 274, 285, 291, 303, 304, 305, 306, 307, 308, 309
Bicho, 86, 193, 194, 195
Bidone, Il, 169
Bidu, O, 320
"Bim bom", 88, 89
Bim bom, a contradição sem conflitos de João Gilberto, 89
Blanc, Aldir, 61
Bloco Olodum, 75
Boal, Augusto, 106, 263, 266
Boas-vidas, Os, 221
Bolognini, Mauro, 242
Bonassi, Fernando, 216
Bonvicino, Régis, 286, 287
Borba, Emilinha, 153, 207
Borges, Jorge Luis, 42, 43, 44, 46
Borges, Márcio, 90, 92
Bosco, d., 53, 342
Bosco, João, 40, 173
Braga, Sônia, 191

Brandão, Arnaldo, 109
Brasil, 309
Brasileiro, profissão: esperança, 111
Brecht, Bertolt, 274, 280
Bressane, Júlio, 134, 180, 207, 209, 211, 214
Bressen, Pierre, 243
Britto, Jomard Muniz de, 35
Brooke, James, 275, 277, 278, 280, 282
Brown, Carlinhos, 26, 176, 185, 188
Buarque de Hollanda, Chico, 20, 21, 22, 41, 49, 83, 89, 99, 100, 110, 112, 123, 124, 136, 137, 146, 150, 172, 173, 182, 183, 266
Bündchen, Gisele, 293
Bye, bye, Brasil, 214
Byrne, David, 23, 26, 76

Cabeças cortadas, 56
Cabral de Melo Neto, João, 32, 55
"Cada macaco no seu galho", 184
Cage, John, 58, 207, 272
Cahiers du Cinema, 328
"Cajuína", 167
Calderón, Manolo, 180
Calheiros, Augusto, 169
Callas, Maria, 207
Calligaris, Contardo, 70
Camões, Luís Vaz de, 58, 256
Campello, Celly, 145
Campos, Augusto de, 80, 89, 104, 142, 192, 212
Campos, Haroldo de, 68, 69, 80
Campos, Roberto de, 65
Camus, Marcel, 24, 31
Cancionista, O, 89
Canô, dona, 291
Canosa, Fabiano, 180
Cantar, 301
Cantuária, Vinícius, 186
Capinam, José Carlos, 97, 141, 189, 353

Cardoso, Fernando Henrique, 21
Cariocas, 183
Carlos, Erasmo, 124
Carlos, Roberto, 48, 49, 99, 116, 131,
 136, 148, 199, 208, 228, 232, 327
Cartola (Angenor de Oliveira), 147,
 148
Carvalho, Hermínio Bello de, 41
Carvalho, Walter, 215
Casa-grande & senzala, 29
Casé, Regina, 206, 207, 302
Castro Alves, Antônio de, 55, 176
Castro, Fidel, 139, 207
Castro, Ruy, 89, 301
Castro, Tarso de, 125
Catatau, 286
Cavalera, Max, 258
Caymmi, Dorival, 49, 98, 124, 146,
 147, 149, 150, 151, 152
Caymmi, Nana, 99
Cazuza, 86, 87, 216
Cazuza, 86, 87, 214, 215, 216
Celestino, Vicente, 169
Célio, 203
Cena muda, 112, 307
Cervantes, Miguel de, 306
Céu sobre água, 211
Chagas, Walmor, 107
Chaplin, Charles, 221, 226
Chapman, Michael, 341
Charles, Ray, 183
Che Guevara, 257
Chega de saudade (disco), 146
Chega de saudade (livro), 89
"Chega de saudade", 150, 167, 327
"Chica Chica bom chic", 74
"Chora tua tristeza", 170
Cicero, Antonio, 62, 213, 355
Cidade das mulheres, 224
Cinema falado, O, 15, 156, 205, 207,
 208, 209, 210, 212, 213, 262, 353
"Cinema Novo", 184, 187
Circuladô, 158, 164, 166, 188, 266

Clair, René, 241, 242, 243, 250
Clapton, Eric, 139
Clara Crocodilo, 94
Clarice, 191
Claudinha, 191
Clément, René, 243
Clementina de Jesus, 100, 131
"Coimbra", 169
Coimbra, Lui, 188
"Coisa Assassina", 161
"Coisa mais linda", 150
Colker, Deborah, 267
Collor de Mello, Fernando, 277
Colombo, Cristóvão, 57
Coltrane, John, 100
"Com açúcar, com afeto", 172
"Conversa de malandro", 148
"Coração materno", 169, 171
"Coração vulgar", 148
Corea, Chick, 77
Corpo, grupo de dança, 256, 267
Corrêa, José Celso Martinez, 51, 75,
 83, 94, 263, 280, 281, 329
Correia, Djalma, 109
Correio do Ceará, 325
Cortázar, Julio, 309
Costa e Silva, Arthur da, 49
Costa, Gal, 41, 47, 79, 82, 94, 97,
 102, 106, 108, 109, 141, 142, 174,
 186, 189, 191, 202, 203, 300, 301,
 302, 308, 309, 329, 353
Costa, Vivaldo, 199
Cox, Billy, 128
Cravos, 171
"Crime do professor de matemá-
 tica, O", 283
Cristaldi, Ricardo, 186
Cruzeiro, O, 141, 304
"Cuanto le gusta", 74
"Cucurrucucu paloma", 164
cummings, e. e., 229
Curtis, Tony, 252

D'el Rey, Geraldo, 240
"Dada", 184, 187, 188
Dadi, 177, 187, 192
Dahl, Gustavo, 228
Dale, Lennie, 147
"Dama das camélias", 170, 171
Daniel Filho, 215
Davis, Miles, 77, 91, 156, 173, 183, 200
Day, Doris, 147
De crápula a herói, 239
Dean, James, 244
Debussy, Claude, 145
Delaney & Bonnie, 139
Deleuze, Gilles, 60
DeMille, Cecil B., 207
"Desafinado", 88, 314
"Desastres de Sofia, Os", 283
"Desde que o samba é samba", 184, 187
Deus da chuva e da morte, 121, 160, 258, 259, 269
Deus e o Diabo na terra do sol, 33, 158, 214, 274
"Dia, Um", 203
Diário de Notícias, 273
Dias, Sérgio, 189
Diaz, Simón, 181
Diegues, Carlos (Cacá), 24, 28, 31, 62, 134, 214
Direito de nascer, O, 179
"Disseram que eu voltei americanizada", 78
Djavan, 76, 183
Dó, 203
Doces Bárbaros, 106, 108, 109, 188, 190, 308
Doces Bárbaros, 309
"Doideca", 175, 177
Dolce vita, La, 167, 170, 218, 224, 226
Domenico, 162
Domingo, 38, 100, 353
Dominguinhos, 104

Don Quixote, 44
"Don't look back", 27
Dona Flor e seus dois maridos, 322
Dona Morena, 203
Donato, João, 106, 108
Dostoievski, Fiodor, 34
Drummond de Andrade, Carlos, 55, 298, 355
Duarte, Rogério, 315, 337, 338, 345
Duas meninas, 173
Duda, 203
Duprat, Rogério, 54, 131, 189, 353
Duran, Dolores, 111
Duras, Marguerite, 238
Dylan, Bob, 114, 118, 157, 158, 191, 199, 302

"É hoje", 186
E la nave va, 170, 171, 218, 224
Eça, Luís, 145
Edson Luís, 285
Ekberg, Anita, 171, 225, 226
Epstein, Brian, 138
Era uma vez no Oeste, 134
Estranha forma de vida, 307, 308
Eu não peço desculpa, 162
Evening Standard, 130

Fantasia, 300
Farkas, Pedro, 207
Farney, Dick, 145
"Feitiço", 161
"Feitiço da Vila", 161
Fellini, Federico, 166, 169, 217, 219, 221, 223, 224, 226, 237, 242
Fellini, Maddalena, 166
Fernandes, Millôr, 342
Fernando, Carlos, 156, 181
Festival de areias, 240
Figueiredo, Luciano, 69, 180
"Filhos de Ghandi", 69
Fina estampa (disco), 159, 164, 165, 176, 179, 180

Fina estampa (show), 266
Fino da bossa, O, 89
Fiorini, Luvercy, 170
Fitzgerald, Ella, 30, 301
Flinn, Errol, 142
"Flor da idade", 113
Folha de S.Paulo, 26, 73, 231
Francis, Connie, 156
Francis, Paulo, 84, 125, 228, 229, 230
Franco, Francisco, 57
Franco, Walter, 212
Freud, Sigmundo, 230, 308
Freyre, Gilberto, 29
Fróes, Perna, 309
Furtado, Celso, 208, 228
Furtado, Jorge, 211

Gabriel o Pensador, 172
Gabriel, Peter, 186
Gadelha, Dedé (ex-Veloso), 100, 103, 111, 191, 206, 212, 213, 294, 303
García Lorca, Federico, 55, 210, 229, 231
Garcia, Walter, 88, 89
"Garota de Ipanema", 76, 77
Garrincha, Mané (Manoel Francisco dos Santos), 293
"Geléia geral", 51
"Gelsomina", 167, 168, 217, 222, 224
"Gente", 190
Gervaise, a flor do lodo, 243
Getz, Stan, 76, 150
Giannotti, José Arthur, 229, 230
Gil, Gilberto, 13, 33, 41, 49, 69, 82, 90, 93, 95-9, 104, 106, 108, 109, 112, 113, 118, 120, 131, 133, 136, 141, 146, 161, 173, 174, 183-8, 192, 194, 201-3, 271, 275, 277, 278, 280, 282, 308, 309, 317, 319, 321, 322, 328, 329, 353

Gilberto, Astrud, 76
Gilberto, João, 15, 36, 37, 40, 47, 48, 77, 88, 89, 98, 119, 132, 135, 136, 145-52, 173, 176, 181, 183, 199, 200, 272, 309, 327
Ginger e Fred, 170, 226
Gismonti, Egberto, 71, 76
"Gita", 113, 114
"Giulietta Masina", 167
Globo, O, 20, 127, 130
Godard, Jean-Luc, 9, 31, 207, 208, 209, 211, 224, 228, 230, 231, 328
"Golondrina, La", 179, 320
Gomes, Pepeu, 199
Gonçalves Dias, Antônio, 55
Gonçalves, Dercy, 225
Gonzaga Júnior, 134
Gonzaga, Carlos, 145
Gonzaga, Luiz, 131
"Gota d'água", 113
Gracindo, Paulo, 112
Gracinha, 152, 347
"Grande borboleta, A", 192
Grande feira, A, 233, 235, 236, 240
Grande sertão: veredas, 155, 210
Guarnieri, Gianfrancesco, 100
Guerra e humanidade, 242
Guerra, Ruy, 112, 113, 214
Guerra, Tonino, 169, 171
Guimarães Rosa, João, 155
Gullar, Ferreira, 135

Hagoromo (O manto de plumas), 68
"Haiti", 184, 188
Ham-let, 277, 280, 281
Hanchard, Michael, 30
Harrison, George, 139
Hegel, Friedrich, 42
Heidegger, Martin, 174, 207
Helder, Jorge, 177
Hendrix, Jimi, 54, 127, 128, 129, 130, 139, 140, 189

Hercília, 203
Hime, Francis, 203
"Hino do Carnaval Brasileiro", 161
Hiroshima, meu amor, 238
Hirszman, Leon, 180, 192
Hitchcock, Alfred, 243
Hitler, Adolf, 222, 268
Hoge, Warren, 281, 282
Hoisel, Eveline, 262
Holiday, Billie, 97, 207
Holliday, Judy, 224
Hora da estrela, A, 284
Houston, Whitney, 30
Hudson, Rock, 250, 252
Hurwitz, Bob, 158

Ignêz, Helena, 191, 240
Imitação da vida, 246, 247, 248
Império, Flávio, 309
Improta, Tomás, 109
Independente, O, 17
"Índio, Um", 71
"Insensatez", 150
International Times, 323
Intriga internacional, 243
Invenção, 286
Israel, George, 87
"Isso aqui o que é?", 173
Isto É, 229
"It's alright, ma", 158

Jackson, Michael, 30, 183
Jacobina, Nelson, 163
Jagger, Mick, 127, 138, 139, 261
Je vous salue, Marie, 9, 208, 228, 229, 230, 231
Jobim, Antônio Carlos (Tom), 23, 36, 40, 41, 47, 48, 76, 77, 89, 145, 146, 147, 148, 149, 150, 174, 183, 327, 328
Jobim, Daniel, 188
John, Elton, 77
Jóia, 99, 196

Joplin, Janis, 140, 199
Jordan, Neil, 67
"Jorge de Capadócia", 261
Jornal da Bahia, 119
Jornal do Brasil, 21, 38, 41
Joyce, James, 67
Julieta dos espíritos, 220, 223, 224, 226
Juruna, Mário, 71
Juventude transviada, 244

Kaos, 121
Kassin, 162
Ketelbey, Albert, 168
Koellreutter, 272, 274
Kramer, Dora, 20, 21
Kubitschek, Juscelino, 104
Kurosawa, Akira, 250

La Isla, Camarón de, 183
La Serra, Pi de, 57
"Lábios que beijei", 164
"Laços de família", 283
Ladrões de bicicletas, 250, 252
"Lágrimas negras", 162
Lamarque, Libertad, 248
"Lamento borincano", 179, 266
Langdon, Harry, 221
Lavigne, Paula, 210, 265
Leão, Nara, 48
"Leãozinho", 192
Lee, Rita, 99, 189
"Legião estrangeira, A", 283, 285
Leminski, Paulo, 286, 287
Lenine, 294
Lennon, John, 138, 139, 326
Leonardo da Vinci, 58
Lessa, Bia, 264
Lévi-Strauss, Claude, 70, 71, 207, 224
Libération, 25, 26
Libertad, Tânia, 180
Lima, Marisa Alvarez, 304
Liminha, 187, 188, 195

Lindsay, Arto, 25, 26, 93, 187
Lins, Ivan, 157
Lispector, Clarice, 263, 272, 283, 285
Livro, 158, 176
Livro vivo, 261, 266
Lobão, 87, 216
Lobo, Edu, 49, 91, 99, 203
Lôbo, Fernando, 315
London, Julie, 156
Loren, Sophia, 252
Loureiro, Osvaldo, 112
"Lua, lua, lua, lua", 167
Lugar público, 260
Lula da Silva, Luiz Inácio, 21, 65
"Luna rossa", 167
Lusíadas, Os, 256
Lutero, Martinho, 58
Lyra, Carlos, 48, 143, 145, 146, 147, 152
Lyra, Fernando, 229

Mabel, 309
Maçã no escuro, A, 284
Macalé, Jards, 142, 321
Macao, 141
Maciel, Luís Carlos, 323
Macunaíma, 264, 265
Madonna, 40, 183, 232
Mãe Menininha do Gantois, 11, 296, 297
Maia, Tim, 116, 172
Manchete, 117
Manhattan Transfer, 76
Mann, Thomas, 206, 337
Manon Lescaut, 207
"Maracatu atômico", 162
Maranhão, Luiza, 240
"Marginália II", 49
Maria da Graça, 146
Maria Ester, 191, 329
"Maria la O", 179
Mariani, Anna, 17, 181, 288

Marina, 191, 300, 301, 308, 321
Mascarenhas, Eduardo, 301
Masina, Giulietta, 11, 166, 168, 169, 171, 217, 219, 220, 221, 222, 223, 224, 225, 226, 242, 249, 332, 333
Mastroianni, Marcello, 171, 221, 223, 242
Matou a família e foi ao cinema, 134, 180
Mattar, Maurício, 210
Mauro, Humberto, 241
Mautner, Jorge, 105, 122, 160, 161, 162, 197, 258, 259, 268, 269, 312
Maxwell, Kenneth, 26, 27, 28, 31
Maysa, 74
McCartney, Paul, 82
"Medo de amar", 100
Meireles, Cecília, 55
"Melanctha" (Stein), 206
Mello, Guto Graça, 187, 215
Mello, Zuza Homem de, 89
Mendes, Roberto, 291
Mendes, Sérgio, 77, 136, 314
Menescal, Roberto, 203, 214
Meneses, Margaret, 79
Mensagem, 54, 55, 57
Merquior, José Guilherme, 72
Metheny, Pat, 156
Meu tio, 242
"Mi cocodrilo verde", 179
Midani, André, 110
Milan, Betty, 261, 262
Miller, Sidney, 203
Millo, Sandra, 225
Millon, Lea, 109
Miranda, Carmen, 11, 49, 74, 75, 76, 77, 79, 80, 261
Mitchell, Mitch, 128, 139
Monroe, Marilyn, 183, 224, 225, 251, 252, 257, 333, 334
Monte, Marisa, 39, 80, 294
Monteiro, Ciro, 146, 183
Montenegro, Fernanda, 228, 298

Montiel, Sarita, 248, 249
Mora na filosofia (show), 208, 307
"Mora na filosofia", 208
Moraes & Galvão, 133
Moraes, Davi, 174, 177, 294, 295
Moraes, Vinicius de, 23, 27, 124, 145, 146, 355
Moreira, Adelino, 162
Moreira, Airto, 77, 295
Moreira, Moraes, 295
Morelenbaum, Jaques, 157, 158, 165, 174, 177, 180, 181, 188
Moreno, Tuti, 105
Morin, Edgar, 72
Mota, Zezé, 106, 191
Motta, Chico, 203
Muharran, Ademar, 168
Mulligan, Gerry, 156
"Mundo começou num Fla-Flu, O", 155
Muniz, Ion, 99
Murray, Felipe, 206, 212
Música Popular Brasileira, 89, 353
Mutantes, 54, 187, 329, 353

"Na Baixa do Sapateiro", 173, 176
"Nada", 168
Não deixarei os mortos, 242
"Não enche", 175
Nascimento, Milton, 41, 49, 76, 78, 90, 100, 183
Nazari, Amedeo, 249
Nazarin, 124, 329
Negrão de Lima, Francisco, 284
Negritude Júnior, 39
Nelson Cavaquinho, 148
"Nesse mesmo lugar", 172
Neto, Torquato, 49, 97, 189, 203, 284, 353
Netto, Braga, 240
Neves, Oscar Castro, 156, 170
New York Times, 23, 81, 226, 275, 281, 282

Ney, Nora, 74
Nietzsche, Friedrich, 50, 268
Nirvana, 157
Nixon, Richard, 138
Noites de Cabíria, 167, 168, 220, 223, 225, 226
Noites do Norte, 158, 164, 295
Nonesuch, 158
"Nossa gente", 184, 187
Nouvelle Cuisine, 156
Novos Baianos, 87, 99, 106, 133, 295
"Num mercado persa", 168
Nunes, Clara, 112, 191

O'Connor, Sinead, 67
O'Hara, Maureen, 67
Odair José, 99
"Odara", 175
Oiticica, Hélio, 10, 68, 75, 322
8 e 1/2, 220, 222, 223, 224
Oliveira, Antero de, 134
Oliveira, Dalva de, 168
Oli7veira, Daniel de, 215, 216
Oliveira, Eunice, 109
Olodum, 76, 184, 273
Omar, Arthur, 205, 206
"Onde o Rio é mais baiano", 174
Ono, Yoko, 138, 139, 140
Onqotô, 256
Ópera do malandro, 214
Orfeu da Conceição, 23
Orfeu negro, 23, 24, 25, 27, 28, 30, 31
Orpheus and power, 30
"Outra Banda da Terra, A", 185
Ozetti, Ná, 94

Paez, Fito, 179
Paglia, Camille, 45, 59
Paiva, Vicente, 78
Paixão segundo GH, A, 284
PanAmérica, 257, 258, 259, 260, 262
Para iluminar a cidade, 122

"Paratodos", 172
Paris,Texas, 206
Paschoal, Hermeto, 106
Pasquim, 83, 84, 142, 322, 323, 324, 327, 328, 353
"Passistas, Os", 173, 174, 176
Pátio, O, 240
"Patricia", 170
Paulinho Boca de Cantor, 133
Paulinho da Viola, 38, 39, 40, 49, 104, 133, 137, 148, 183
Paulo vi, 342
Peckinpah, Sam, 179
Pelé, 46, 74
Pellegrino, Hélio, 284
Penna, Mariah Costa, 141, 142
Peracchi, Leo, 147
Pereira, Hamilton Vaz, 210, 265
Perrone, Charles, 27
Perto do coração selvagem, 284
Pessoa, Fernando, 15, 33, 54, 55, 65
Peterson, Oscar, 295
Piazzolla, Astor, 181
Pignatari, Décio, 207
Pinga, 141
Pinho, Roberto, 102
Piovani, Luana, 163
Pires, Roberto, 233, 240
Piti, 106
Pixinguinha (Alfredo da Rocha Vianna Filho), 135, 137, 148
Playboy, 230, 231
"Podres poderes", 208
Poeta e o esfomeado, O, 161
Por ternura também se mata, 242, 243
Portela, 148
Porter, Cole, 158
Portugal, Jorge, 291
Possi, Zizi, 94
Pound, Ezra, 229
Powell, Baden, 90
"Pra ninguém", 172

Prado, Peres, 170
Prato do dia, 313
Prenda minha, 158, 164
Prénom Carmen, 209
Presley, Elvis, 156, 183
Preto no branco, 29
Prince, 183
Proust, Marcel, 336
"Pulsars e quasars", 141
Purim, Flora, 77

Que é a filosofia?, 60
Querida, 351

Raça Negra, 39
Rádio Globo, 112
Rádio Nacional, 87, 112
Ramos, Graciliano, 331, 332, 333
Rampa, 240
Ranieri, Katina, 167
Raoni, 76
"Rap popcreto", 184, 189
Ray, Nicholas, 244
Rayol, Agnaldo, 49
Realce, 96, 186
Realidade, 284
Refavela, 193
Regina, Elis, 79, 100, 102, 116, 198, 307, 322, 328
Rei da vela, O, 263, 264
Rei do baralho, O, 209
Reis, Mário, 214
Reis, Waldemar, 168
Renoir, Jean, 252
Resnais, Alain, 237, 238, 241
Riba, Pau, 57
Ricardo, Sérgio, 117, 158, 214
"Rio de Janeiro", 173
Rio, 40 graus, 214
Rocha, Glauber, 10, 52, 56, 57, 75, 83, 107, 116, 214, 222, 233, 234, 235, 240, 273, 274, 308, 328
"Rock'n'Raul", 162

Roda de samba, 148
Roda-Viva, 329
Rodrigues, Amália, 183
Rodrigues, Lupicínio, 87
Rodrigues, Márcia, 134, 180
Rodrigues, Nelson, 83, 123, 124, 155, 323, 324, 326, 327, 329, 342, 351
Rolling Stones, 127, 138, 139
Romance da pedra do reino, O, 33
Romano, Roberto, 228, 229
Romero, César, 81
Rosa de Ouro, 131
Rosa de ouro, 148
Rosa de ouro, 150
Rosa dos ventos, 304, 307
"Rosa morena", 149
Rosa, Noel, 47, 49, 146, 152, 161, 207
Rossellini, Roberto, 237, 239, 252
Rota, Nino, 167, 169, 170, 224
"Rumba azul", 179
Russo, Renato, 175

Sá, Pedro, 93, 162, 174, 177, 188, 295
Sabóia, Marcelo, 295
Sadoul, Georges, 241
Salazar, António de Oliveira, 53, 64
Salomão, Jorge, 105
Salomão, Waly, 10, 16, 104, 191, 281, 308
"Salt of the Earth", 127
"Samba de uma nota só", 88
"Samba e o tango, O", 164
Sampaio, Antônio, 240
Sampaio, Maria, 290, 291
Sansão e Dalila, 207
Santana, Lucas, 188
Santana, Perinho, 109
Santana, Roberto, 188
Santos, Edgard, 273
Santos, Roberto Correia dos, 213
São Bernardo , 192

Sarney, José, 208
Saroyan, William, 272
Sartre, Jean-Paul, 32, 33, 34
Satyricon, 134
"Saudade fez um samba", 150
Scharnecchia, Paolo, 226
Schell, Maria, 243
Schenberg, Mário, 257
Scherer, Ricardo, 187
Schindler, Rex, 240
Schnaiderman, Boris, 286
Schwarz, Roberto, 173
"Se entrega, Corisco", 158
"Se manda", 175
Sebastião, d., (rei de Portugal), 33, 56
Seixas, Raul, 114, 162, 183
"Sem açúcar", 113, 172
Senhor, 121, 272, 283
Senise, Mauro, 109
Ser e o nada, O, 35
Serrat, Joan Manuel, 57
Severo, Marieta, 215, 216
Sganzerla, Rogério, 83
Sgt. Pepper's Lonely Hearts Club Band, 263
Shoenberg, Arnold, 206
Shorter, Wayne, 100
Sica, Vittorio de, 250
Silva, Agostinho da, 53, 64, 66, 274
Silva, Ismael, 146
Silva, Orlando, 142, 146, 183
Silva, Roberto, 183
Silva, Synval, 78
Silveira, Walter da, 240
Silvinha Hippy, 191
Simon, Paul, 75
Simone, 182
Simone, Nina, 100, 156
Sinatra, Frank, 155
Singer, Davi, 240
Sinhô, 214
Skidmore, Thomas, 29
Smetak, Walter, 106, 206

Smiles, 139
Só Preto Sem Preconceito, 39
Soares, Elza, 74
Soares, Jô, 277, 281
Sonhos não envelhecem: histórias
   do Clube da Esquina, 92
Sorrah, Renata, 134
Sousândrade, Joaquim de, 73, 173
"South American way", 74
"Spanish castle magic", 128
Stam, Robert, 31
Stein, Gertrude, 58, 206
Stewart, Rod, 39
Sting, 76, 77
Stockler, Maria Esther, 262, 267
Stoklos, Denise, 266
Strada, La, 167, 168, 217, 218, 221,
   226, 237, 249, 252
Suassuna, Ariano, 32, 56, 64
"Superbacana", 51
surrealismo, 54, 80

Tânia Maria, 76
Tati, Jaques, 242
Tatit, Luiz, 89
Tavares, Mair, 208
Taylor, Elizabeth, 183, 252
TBC (Teatro Brasileiro de Comédia),
   298
Teatro Castro Alves, 317, 347
Teatro de Arena, 48
Teatro Oficina, 275, 277, 280
Teatro Tereza Raquel, 104
Teatro Vila Velha, 307
Tem bububu no bobobó, 313
Tenório Júnior, 99
Terra em transe, 52, 75
Terracéu, 260
Thomas, Gerald, 262, 281
Thormé, Mel, 156
"Tigresa", 185, 190, 191
Time, 138, 322
Timóteo, Agnaldo, 99

Tinhorão, José Ramos, 89, 143, 325,
   327
Toller, Paula, 175
Tom e Dito, dupla, 174
Tom Zé, 32, 36, 76, 106, 174, 188,
   189, 265, 266, 353
"Tom, Um", 174
"Tonada de luna llena", 181
"Tradição", 184, 187
Transa, 261
"Trilhos urbanos", 167
Tristes trópicos, 27, 70, 71
Tropical multiculturalism, 31
"Tropicália", 50, 52, 56, 61, 69, 75
Truffaut, François, 237
Tudor, David, 272
TV Excelsior, 90
TV Globo, 185
"Two Naira Fifty Kobo", 193

U2, 67
União da Ilha, 186
Uns, 186

Vadico (Oswaldo Gogliano), 146
Valentino, Rodolfo, 342
Vasconcelos, Naná, 76
Vaughan, Sarah, 156, 301
Veja, 106, 228
Veja esta canção, 214
Velha Guarda da Portela, 39
Velô, 96, 186, 301
Veloso, Clara Maria, 309
Veloso, Moreno, 162, 174, 175, 177,
   188, 190, 284, 294, 295
Veloso, Tom, 174
Veloso, Zezinho, 203, 291
Verbo Encantado, 115, 118, 119
Verdade tropical, 208, 257, 262, 353
"Vestido y un amor, Um", 179
Viany, Alex, 241
"Vida louca", 216
Vidas secas, 104

Vila, Martinho da, 135
Villa-Lobos, Heitor, 143, 145
Visconti, Luchino, 237, 238, 239
Vivre sa vie, 231
"Você é minha", 176
"Você esteve com meu bem", 164
Volpi, Alfredo, 288
"Volver a los diecisiete", 181
"Voz do morro, A", 214
"Vuelvo al Sur", 181

"Wait until tomorrow", 184, 188,
    189
Weil, Simone, 316
Wenders, Wim, 206
Werneck, Sandra, 215
West, Mae, 224
"When I'm sixty-four", 180
Whitman, Walt, 58
Wild bunch, The, 179, 320
Wilde, Oscar, 67
Wilker, José, 284

Wilson, Bob, 262, 264
Wisnik, José Miguel, 17, 93, 94, 95,
    155, 256
Wittgenstein, Ludwig, 74
Woolf, Virginia, 311
Wright, irmãos, 157

Xica da Silva, 28, 106, 214
Xuxa, 46, 47

Yashikawa, Kon, 242
Yeats, William Butler, 67
"Yolanda", 182
Young, Robert, 207

Zé Celso ver Corrêa, José Celso
    Martinez
Zé Kéti, 147, 148
Zé Miguel ver Wisnik, José Mi-
    guel
Ziembinski, Zbgniew, 306
Zumbi, 263, 264

Caetano Veloso nasceu em 1942, em Santo Amaro da Purificação, Bahia. Em 1967, contratado pela Philips, gravou seu primeiro LP, *Domingo*, ao lado de Gal Costa, e apresentou-se no III Festival da Música Popular Brasileira da TV Record com a célebre canção "Alegria, alegria". No ano seguinte, gravou seu primeiro LP individual, *Caetano Veloso*, e lançou o LP-manifesto do movimento tropicalista — *Tropicália ou Panis et circensis* —, ao lado de Gilberto Gil, Gal Costa, Os Mutantes, Tom Zé, os poetas-letristas Torquato Neto e Capinam, e os maestros e arranjadores Rogério Duprat, Júlio Medaglia e Damiano Cozzella. Em dezembro desse mesmo ano, foi preso juntamente com Gilberto Gil. Em 1969, seguiram para o exílio e fixaram residência em Londres, de onde Caetano enviaria crônicas ao jornal carioca *O Pasquim*. Em 1972, voltou definitivamente ao Brasil, confirmando-se como um dos nomes mais importantes da história da música brasileira. Em meio a uma carreira de cantor e compositor consagrada nacional e internacionalmente, dirigiu em 1986 o longa-metragem *O cinema falado* e, em 1997, publicou *Verdade tropical*, relato íntimo da história da música popular brasileira moderna. Em 2003, lançou *Letra só*, seleção de suas letras organizada por Eucanaã Ferraz.

Eucanaã Ferraz nasceu no Rio de Janeiro, em 1961. É professor de Literatura Brasileira na Universidade Federal do Rio de Janeiro, onde obteve o título de mestre com dissertação sobre Carlos Drummond de Andrade, e o de doutor com tese sobre João Cabral de Melo Neto. Publicou, entre outros, os livros de poesia *Martelo* (Sette Letras, 1997), *Desassombro* (Portugal, Quasi, 2001 e 7 Letras, 2002 — Prêmio Alphonsus de Guimaraens, da Biblioteca Nacional, melhor livro de poesia de 2002) e *Rua do mundo* (Companhia das Letras, 2004). Organizou *Letra só*, seleção de letras de Caetano Veloso, editado em Portugal (Quasi, 2002) e no Brasil (Companhia das Letras, 2003). Em parceria com Antonio Cicero, elaborou a *Nova antologia poética de Vinicius de Moraes* (Companhia das Letras, 2003). Organizou ainda *Poesia completa e prosa de Vinicius de Moraes* (Nova Aguilar, 2004) e a antologia *Veneno antimonotonia* (Objetiva, 2005), onde reuniu poemas e letras de grandes nomes da poesia e da música brasileiras.

ESTA OBRA FOI COMPOSTA POR WARRAKLOUREIRO EM ALDUS E NEWS GOTHIC
E IMPRESSA PELA GEOGRÁFICA EM PAPEL PÓLEN SOFT DA SUZANO BAHIA SUL
PARA A EDITORA SCHWARCZ EM NOVEMBRO DE 2005